U0129073

雪泥上的鱗爪

孫 宜 學 著

現代文學研究叢刊
文史哲出版社 印行

國家圖書館出版品預行編目資料

雪泥上的鱗爪 / 孫宜學著. --初版.-- 臺北市：
文史哲，民 94
面： 公分. -- (現代文學研究叢刊; 18)
含參考書目
ISBN 957-549-608-6 (平裝)

1. 文學 – 評論

812.　　　　94012058

現代文學研究叢刊 18

雪泥上的鱗爪

著者：孫宜學
出版者：文史哲出版社
http://www.lapen.com.tw
登記證字號：行政院新聞局版臺業字五三三七號
發行人：彭正雄
發行所：文史哲出版社
印刷者：文史哲出版社
臺北市羅斯福路一段七十二巷四號
郵政劃撥帳號：一六一八〇一七五
電話886-2-23511028・傳真886-2-23965656

實價新臺幣三六〇元

中華民國九十四年(2005)六月初版

ISBN 957-549-608-6

序

在中國目前的文學研究界，活躍著一批思想活躍、敢於創新、不拘一格的青年研究者，他們在商業大潮中甘坐冷板凳，在寂寞中咀嚼精神食糧的甘苦，這才使得中國的文學研究能在很不合時宜的大環境中繼續生存、發展。

孫宜學博士是我近年來結識的一位青年學者，他師從陳思和教授在復旦大學中文系攻讀博士學位期間，常到我家走動，慢慢就熟悉起來，趕上吃飯的時候也就留下陪我喝點酒，更多的時候是聽我用山西話聊天。我常常要求他和其他青年朋友，一個真正的學者，要做到三點：能寫，能譯，能編，他總是點點頭。而看他目前的成績，的確有值得高興的地方：出版了三部專著，十幾部譯著，發表了四十多篇學術論文，還主編了三套大型叢書。看到他的成長，我很高興。

讀者面前的這本論文集，就是宜學這些年勤奮筆耕的見證之一。他讀的是中外文學關係研究，所以研究視野跨度很大。單從這裏收錄的文章，就可看出他涉獵範圍很廣。就外國文學研究來看，他善於借鑒最新的理論，運用現代心理學、文化研究理論，更重要的是通過精讀文學作品，分析外國著名作家作品的審美意識和創作主題，因論由己出，往往能化腐朽為神奇，讓人耳目一新；中外文學關係研究，往往容易成為影響研究，以西方文學為影響源，以中國文學為受動者，這也是國內研究中外文學關係時常走的一條路子，但孫宜學的這些文章卻以“中國文學中的世界性因素”這一理論為前提，側重於從中國文學自身中尋找與西方文學能夠互動的一些因素，說明中國文學接受西方文學的影響決不是盲目的，而是在自身已有的文學因素的基礎上，主動接受那些與自己接近的異域文學，並在接受過程中形成獨具中國特色的文學樣式。這一研究方法也是他的導師陳思和教授所提倡的。

據我所知，宜學的很多文章因篇幅所限未收進來，這有點遺憾。希望宜學能在以後的學術道路上，繼續保持這樣一種向上心，多寫一些好文章。

簡單寫這幾句話，是爲序

賈 植 芳 2004-12-15 於上海寓所

（賈植芳，復旦大學中文系教授，中國比較文學研究會名譽會長，中國現代文學研究會顧問）

雪泥上的鱗爪
—中外文學論

目 錄

下編　書與人

上編

外國文學

上編　外國文學

尤金·奧尼爾劇作的悲劇主題

作爲美國現代戲劇的奠基者，奧尼爾劇作的經久魅力來自他對人的命運的真誠關切和不懈探索，而他思想的深刻之處在於他認識到人的這種悲劇命運是社會文化矛盾的產物，並以人的精神痛苦揭示文化的衰敗。可以說，正是基於對美國社會現實的深刻體驗和品鑒，以及對本民族人民命運的真誠關切，奧尼爾才塑造出眾多具有本民族獨特文化特色的現代美國人形象，從而形成自己劇作獨特的悲劇主題。

儘管在不同時期，奧尼爾對人生悲劇根源有不同理解，但貫穿其創作始終的最基本的悲劇主題，則是表現文化與個體的衝突導致的主人公的悲劇命運。

文化是爲某一民族或群體所共有的知識、信念、道德、法律、習俗及作爲社會成員所獲得的任何其他的能力和習慣，任何人都擺脫不了文化的影響，文化制約著人的行爲方式。但人同時還生存在自然環境，有作爲生命有機體的自然欲望，因而個體行爲實際上是這兩種因素相互作用的結果。文化總在控制著個體的自然因素以適應群體性要求，這種控制不但表現爲從外部作用於個體，而且作爲個體無意識中的文化因素與自然因素同時存在，從而達到個體的自我約束。人的無意識中這兩種對立因素因達到了某種理解而得到平衡時，個體才是正常的、完整的，而一旦平衡被打破，兩者就必然產生強烈的衝突，造成個體的精神痛苦，並使個體掙脫文化制約的行動表現爲擺脫無意識中文化因素的內心衝突。本文從他劇作的三個基本主題：尋找歸屬，物質主義與人性的對立以及人的本能欲望與清教主義的對立，來探討奧尼爾是如何揭示現代美國文化與個體衝突的悲劇。

一

人作爲創造和實施文化的主體，都有兩種基本的欲求，即作爲自然存在物的本能欲求和作爲社會道德存在物的精神欲求。前者是形而下的，即物質的、自然的、“肉”方面的需要，後者是形而上的，即精神的、“靈”方面的需要。只有兩種欲求都得到實現，個體才能保持精神平衡。二、三十年代的美國與西方其他發達資本主義國家一樣，科學和物質主義高度發展，物質主義膨脹，而作爲人的本質的精神價值卻日益萎縮，從而破壞了人自身需求的和諧，使人成爲非人，並使尋找歸屬、自我成爲文化主潮。奧尼爾敏銳地感受到這一文化危機和個人危機，並以自己獨特的視角表現了這一主題。他在劇作中以個體的生命方式體現時代行爲思想的模式，將文化的普遍原則作爲與各體內驅力和人格背道而馳的、必須絕對服從的永恆定律融入個體無意識，從而激發個體對自我喪失淵源的自覺，並在對現實文化的反思中完成尋找歸屬的心理歷程。

《毛猿》（The Hairy Ape）就是以“人的歸屬”爲主題的。楊克作爲現代人的象徵，從驕傲自大，盲目樂觀的虛幻自我中清醒過來，認識到自己在現實世界存在的毫無價值，終於發現自己只不過是一個毛猿而已，並以微笑著接受死亡結束了歸屬的探求。楊克的精神回歸是在對現代資產階級文化本質不斷思索和反叛的過程中完成的。楊克以“毛猿”界定自己的本質，劇本中描寫的古代與現代生活中人的處境的對比，表現了人對原始時代自然和諧的渴望。楊克以自己的力量而自信爲世界的動力，因而盲目樂觀，失去了與自然的和諧，而他體現出的生命力的充盈又不能被精神貧血的現代主義文明所容，結果他便上不着天，下不挨地；既不能前進，又不能後退，成爲永遠的漂浮物，體現了現代人失去歸屬感後的尷尬處境。

與楊克不同，瓊斯皇（The Emperor Jones）主要在種族無意識與白人文化二種文化原則衝突的驅動下回歸自我，而其回歸前後的行爲變化，則是對所謂白人文明對人性摧殘和腐蝕的深刻揭露。瓊斯本是一個被販賣到美洲的黑人，無意識中有本民族漫長、屈辱的歷史（被當作祭品、被拍賣等）的心理居積漸，但在與白人文化接觸中，他又受到資產階級現代文明的浸染。在“普爾門式臥車上幹了十年”，他從上等白人那裏學到的唯一東西就是這樣一個真理：“小偷免不了進監獄，大盜則可以做皇帝”，於是他活學活用，靠欺騙果真成了奴役自己同族的國王，但其心理本質的種族無意識與白人文明是根本對立的，因而一旦鐘斯被置於特殊的環境，兩種異質文化形態就產生劇烈衝突。鐘斯在無意識迷亂中，逐層剝落了白人文化加在自己靈魂上的污垢而重新找回自我，發現了自己的黑皮膚，鐘斯的白人化和重新變成黑人的過程，也是兩種文化因素優劣性對比的過程。當鐘斯穿著華貴的國王服，陶醉於用欺騙同族得來的驕傲和滿足時，他是一個可笑可憎、陰險奸詐、毫無人性的暴君，只有當他從國王的寶座上跌下來，在命運的逼迫下奮力抗爭，最終找回自己的本質卻飲彈斃命時，他才是一個具有悲劇色彩、值得同情的黑人。奧尼爾表現黑人文化與白人文化的衝突，本意上並非對某一特質文化進行褒貶，而是將種族歧視這種文化現象作爲一種決定人命運的外在無形力量，探討人生悲劇性根源。當這種力量客觀上成爲人性的反派力量時，就必然成爲他諷刺、批判的對象。

黑人吉姆和白人姑娘艾拉（All God's Chillun Got Wings）與楊克、鐘斯一樣，也是被社會剝奪了做人的權利而精神上孤獨無依的人。種族歧視作爲一種文化力量造成了他們的悲劇。如果說鐘斯的本質裂變還只是在無意識中完成，吉姆和艾拉則始終清醒地意識到自己的本能要求和社會文化的尖銳對立，因而他們的選擇更艱難，心靈更痛苦。吉姆以民族的自卑心理爲前提，一生的願望就是做一個與白人一樣的律師，從而擺脫卑下和屈辱的地位，得到做人的尊嚴，結果只能是在接近希望的邊緣時又一敗塗地。他們無視文化禁忌，在對童年天真的回憶中結合了，然而經過社會化過程，他們已再也無法享受天性相合的幸福了，他們無法打破橫亙在他們中間的那堵厚牆。他們的結合是合乎人性的，但卻是反文化的，也是對自己無意識的背叛，他們不但必須面對社會的外部壓抑，還要面對自己靈魂的審判。這種文化反叛者和執行者的雙重身份在不能諧和時結合在一起，造成其行爲方式的矛盾性。吉姆堅信自己與艾拉是真誠相愛的，“有一千個理由不能分開”，但自己的黑人身份又使他不是以平等的、而是以像狗一樣溫順的黑奴隸身份去享受與白人姑娘艾拉愛的幸福；而艾拉則帶著種族優越感選擇自己愛的黑人吉姆做丈夫，她相信丈夫是白人中間最純潔的白人，但她自己卻成爲白人中的“黑人”。她既想讓丈夫成爲律師，變成“白人”，但又怕因此失去自己的優越感，於是又千方百計以種族偏見折磨他、阻礙他，自編自導了一種既愛又恨的艱難選擇的悲劇，這實際上也是一種文化選擇的悲劇。只有當他們將文化禁忌視作孩提時的遊戲，抹去精神上的一切文化印記時，才真正達到靈魂的自由。

楊克的上下求索，鐘斯無意識迷亂中對民族無意識的回歸，吉姆和艾拉對自我價値的肯定，都是要在世界上重新找到自己的位置，但文化力量的壓抑，則使他們的歸屬不是死亡就是死亡一般的精神麻木，表明了現代人在文化衰敗中的悲劇性處境。

二

物質主義氾濫導致人性喪失，是奧尼爾用以揭示現代美國文化危機的基本主題之一。奧尼爾困窘於現代人精神信仰喪失後的迷茫和恐懼，“把人看作物質主義世界中喪失了信仰的漂浮物，一種尋求出路，想從絕望中逃離出來的迷惘的生靈。”[1]物質主義是清教主義文化中最活躍的動態因素，它永遠在渴求行動中得到體現，但作爲一種實用主義，它又是與精神、靈魂根本對立的。奧尼爾既將物質主義作爲人生活的具體文化環境和個體無意識中的文化因素，又將其單獨作爲一種反派力量與自然人性直接對立、衝突，反復探討物質主義對人性的腐蝕與毀滅，以其表現出的貪婪、庸俗和人性的高尚純潔對比，反證出物質主義導致的靈魂空虛。然而，令人困惑的是，奧尼爾劇作中靈魂喪失的物質主義者往

---

1 轉引自《尤金·奧尼爾的戲劇與存在主義》，戴寅，中國人民大學學報，1988 年第 1 期。

往在現實的鬥爭中獲得勝利，而爲真誠自然的人性竭力抗爭者卻常常是以死亡結束自己的鬥爭，這樣就不由得使人對追求人性的意義產生懷疑。奧尼爾不會沒有困惑，但他用對人的靈魂的肯定擺脫了這種困惑。物質主義的力量是強大的，決定了人失敗的必然性，但最大的失敗者卻是物質主義的成功者，“勝利並非屬於成功者，而是屬於挫折中的失敗者。在經受失敗的痛苦中，失利者得勝了，表面上的勝利者成爲劣敗者，他的勝利是虛浮空洞的，”[2]因爲靈魂比物質對人更有價值。

《天邊外》（Beyond The Horizon）以理想與現實的衝突表現了實利主義與人性自由的對立。羅伯特用幻想理解世界，屬於天邊外神秘的美麗，卻偏偏跌落在人必須吃飯穿衣的現實世界，從而決定了其理想的幻滅。在現實的物質主義世界，沒有人能理解他的理想。妻子露斯在幻想世界愛上了羅伯特的詩人氣質，而在意識世界，她知道自己屬於現實的農莊，於是用帶有一點點詩意的愛情表白摧毀了羅伯特實現幻想的契機，並因其現實的失敗嘲笑他並在精神上折磨他；而羅伯特的哥哥安朱更是一個不折不扣的實利主義者，他只知道投機、賺錢。羅伯特一生受著精神孤獨的痛苦，但卻從沒放棄對理想的追求，最後只能在死亡中獲得真正的自由。

《榆樹下的欲望》（Desire Under The Elms）是以濃重的物質主義佔有欲作爲人行爲取向的內驅力和現實生活背景的。這種佔有欲不但毀滅了埃本和愛碧的真誠愛情，還造成了凱勃特人性的完全喪失。凱勃特是農莊的主人，他一生自覺犧牲人性，將信奉物質主義生活原則作爲生命價值的體現，從而使自己成爲物質的奴隸。對凱勃特來說，物質主義體現著上帝的意志，他一生遵從著這個心中的上帝，以強有力的意志力量將遍地的石頭變成人人嫉羡的農莊，並在爭奪農莊的鬥爭中打敗了自己所有的對手，始終控制著農莊。農莊是凱勃特的精神支柱，是他生命的一部分，是他對上帝忠誠的最好證明，然而，清教主義的上帝在帶給他現實勝利時，卻把他能夠享受成功喜悅的靈魂也拿去了，最終使他在永遠的孤獨中承受比死亡還可怕的存在的毫無意義。凱勃特的最可悲之處

---

2 （德）卡爾 · 雅斯貝爾斯：《悲劇的超越》，工人出版社，1988 年出版，第 39 頁。

在於為了按照社會希望他採取的行為方式行事而自覺犧牲自然人性，他的性格之所以單一、刻板、是因為其已沒有了最富有生命力的靈魂世界、自然人性，它們甚至已不能作為與文化準則相對應的獨立存在了。但其對信念的執著及在鬥爭中表現出來的果敢和意志力，也使其獲得了悲劇美學價值。

《馬可百萬》(Marco Millions)是以東、西兩種異質文化的不諧和性，表現物質主義對人性的摧殘。馬可是“全能的上帝為了天國更大的榮譽而照他自己的形象創造出來的人，”是西方文明的代表。他把人的價值的最完美的實現看作是對物質財富永不滿足的佔有，因而，即使他的愛情也沾滿了銅臭。他儘管最終得到了百萬財富，卻始終沒有成為自己的主人，因為他已“沒有靈魂”。與馬可代表的野心勃勃的物質主義相對立的是中國道家的清淨無為思想，主張順從自然，追求精神的富足、靈魂的純潔高尚。兩種文化形態一攻一守，一動一靜，形成鮮明的對立。闊闊真公主純真的愛情始終沒能得到馬可的回報，終於鬱鬱而死，說明兩種生活方式的不可調和性以及西方文化對中國道家文化的侵蝕性。但馬可物質的炫耀在忽必烈摔碎水晶球時就煙消雲散了，為愛情而死的闊闊真公主卻得到了靈魂的復活和永生。奧尼爾以此無情地諷刺了物質主義的貪婪和無恥，對人高尚的靈魂發出由衷的讚美。奧尼爾把東方文化作為高於西方文化的對立面，蘊涵著對西方文化的失望，這也是當時西方文化的一種趨向，因為隨著西方傳統文化價值觀的崩潰，舊上帝再也無力擔當救世主的角色，而東方的神秘主義哲學宣講的超脫、無為、天人合一思想卻能給狂躁不安、茫然無措的西方人以心靈安慰，使他們能借此重塑一個已被摧毀了的靈魂避難所，獲取在敵對世界生存的勇氣。《馬可百萬》的主題可以說也代表了這種文化取向。

奧尼爾深為物質主義對人的靈魂的摧殘感到憂慮，他就是要用自己的劇本打破沉醉於物質主義表面繁榮的喜悅中的人們的夢想，使人們認識到，將來一定會有一天，“當我們突然用銳利的心靈之眼看清了那得意洋洋、吹吹打打的實利主義究竟有什麼真正的價值，看出了我們為此付出了什麼樣的代價，按照永恆真理的觀點看又得到了怎樣的結果，那將是一個多麼巨大、多麼具有諷刺意味的、不折不扣的悲劇啊！”[3]而悲劇的主體卻是精神痛苦的現代人。對人的命運真誠關切的奧尼爾在以美學價值肯定了悲劇主人公的追求時，還探討了現實中避免這種悲劇的可能性。既然任何人都是社會化的獨立個體，要成為一個完整的人，個體就必須既能使天性得到滿足，又能贏得社會地位和尊嚴，而在美國，社會價值是通過佔有財富來體現的。要避免任何一種心理傾向的過度傾斜造成的悲劇，就必須使兩種要求達致和諧與平衡。奧尼爾一生都在尋求外部生活和內在生活的平衡，在《大神布朗》(The Great God Brown) 中，他以兩個主人公戴恩和布朗代表人物內心的兩種傾向，以他們的對立和統一探討了這一平衡的可能性。

布朗是一個成功的商人，但平庸、沒有生命力；戴恩生氣勃勃，充滿創造的激情，但因對習俗的背叛而窮困潦倒。兩人對生命價值的理解截然相反，但又都是“老被纏住又老是纏人的鬼魂”，彼此奇特地互為對方存在的根據。在物質主義濫觴的社會中，戴恩不得不戴上憤世嫉俗的假面具來保護生命力不被社會侵蝕，但又必須依靠為布朗工作維持最基本的生存需要；而布朗在商業上志滿意得、一帆風順，卻因靈魂的空虛而又不得不借助竊取戴恩的靈感和創造力維持自己商業上的成功。兩者雖表現為相互依存，但因本質的對立而無法融合。當布朗戴上戴恩的面具，試圖將兩者統一時，結果只引起靈魂分裂的痛苦，時時感到“自己是一個被上帝和自己追蹤的罪人”，最後在瘋狂中死去，證明了物質主義與人性和諧的空幻以及物質主義對生命力的扼殺。

布朗和戴恩的一生實際上都是在尋找能完善自己生命的另一半，只因生活在畸形的文化環境而不得不接受精神被割裂的痛苦，以面具來掩飾自己生命的匱乏。布朗繼承了物質主義生活原則致使精神空虛，因嫉妒戴恩的創造力而用金錢奪取戴恩的精神財富，直接摧毀了其心靈的安寧。但兩人都是被現實社會扭曲了的受害者，為了自己作為人的尊嚴和價值而不得不給自己畫上一幅足以保護自我、對抗現實的面具。奧尼爾

3 E · W · Jackson :“O’neill, The Humanist Eugene O’neill :A World View”, Vinginica Floyded Ungar，1979 出版，第 256，147 頁。

本要探求兩者和諧的可能性，結果只證明了兩種力量衝突的必然，最後仍回到了物質主義毀滅靈魂這一主題，再一次證明了現實社會對人的敵意。當布朗和戴恩經歷了精神的苦難，終於領悟了“人生來是支離破碎的，他靠修修補補過活”這一人生真諦，並在死亡中回歸永恆時，人們關注的只是他們遺留下的兩個孤零零的面具，這就使物質主義導致人性喪失這一主題具有了普遍的意義。

三

奧尼爾從人生痛苦的各個方面探討了現代美國文化對人性的壓抑，物質主義戕害人性只是這種探討的一個方面。奧尼爾始終關心“現代心理學的探索不斷向我們揭示的人心中隱藏的矛盾”，並要用自己的劇作“反映當代這種最典型的思想和獨特的精神活動”，[4]他以最能表現人的生命力強盛的情欲這一無意識因素與文化的衝突對人生悲劇的探索，因表現了人在文化壓抑下最具悲劇性的抗爭而撼人心魄，並以主人公情欲的畸形、變態及對他人造成的痛苦，對現存文化的危害性予以最深刻的揭露。

奧尼爾的劇作始終表現出反對虛僞道德、崇尙自然欲望的傾向，並以自然欲望的是否被滿足作爲對社會文化評判的尺度。奧尼爾肯定的情欲不是肉欲，而是靈與肉的統一。肉體的滿足必須和靈魂的高尙同時存在才有價值，而只有個體將肉欲作爲實現自己人性的標誌，並從中發現生存意義和信心，以生命爲代價時，才達到這種統一。奧尼爾筆下具有強烈本能欲望的主人公，因爲被現實文化剝奪了其他一切的精神依託，一生死抱住這唯一可以證明自己作爲人的價值的東西，希望從中尋回精神平衡並甘願爲之生、爲之死。奧尼爾試圖發現人類欲望和挫折的根源。他作品中絕大多數欲望強烈的主人公都是在嚴肅地尋找生活真諦和目的，但作爲被上帝拋棄的“孤獨的泥塊”（布朗語），他們又難以掌握自己的命運，而阻礙他們實現理想願望的主要原因又是他們自己的某些內在品質，也就是個體無意識中本能欲望與文化因素的衝突。人生而被攫

4 奧尼爾：《關於面具的備忘錄》，見《外國現代劇作家論劇作》，北京，社會科學出版社，1982年出版，第75頁。

於永無滿足的欲望，但又只能在文化制約範圍內獲至有限的滿足，而現代文化連這有限的滿足也不能保證，個體因之要衝破文化的制約，在與命運鬥與自己鬥的絕望掙扎中展露靈魂的傷痕累累。

愛碧（Desire Under The Elms）和克利斯汀（Mourning Becomes Electra）是以對真誠愛情的追求而宣告對傳統文化價值觀的背叛的。她們都生活在濃重的清教文化泯滅人性的社會現實環境，潛意識中也有對傳統道德觀的恐懼，但她們對愛的渴求壓倒了一切，並且採取了通姦這一爲清教道德最不可容忍的行爲，對虛僞冷酷的社會道德表示了極大的輕蔑。

愛碧是帶著強烈的物質貪欲嫁給老凱勃特的，表現爲對社會行爲準則的順從，但她一生在社會底層的痛苦經歷則使她保存有善良、同情的天性，因而當凱勃特的兒子埃本的青春魅力喚醒了她對愛的潛在渴望時，她就毫不猶豫地勾引了他，並最終從對財產的貪欲昇華爲純真的愛情。克利斯汀漂亮、追求感官快樂、嚮往青春的美麗，但卻不得不在冷酷的孟南家宅浪費生命，她最終也衝破重重阻攔，與海之子卜蘭特私通，釋放了被壓抑的人性。在滿足自己本能欲望的行動中，這兩位女性都表現出非凡的勇氣和力量，而她們愛的急迫則表明現實中愛的匱乏。她們深知自己的行爲爲社會準則所不容，因而才不顧一切地佔有愛、享受片刻的幸福，但當無意識中強大的文化力量使她們因潛在的恐懼而不能以正常的管道滿足自己的情感要求時，她們就以極端的方式伸張人性的尊嚴。愛碧相信，自己有權利獲得幸福比任何東西都重要，因而當兒子成爲自己追求幸福的障礙時，她也能毫不猶豫地殺死他：“要是他（兒子）來到世上就是爲了給我帶來這些 — 扼殺了你（埃本）的愛情 — 把你從我手中奪去 — 我唯一的快樂 — 我知道的唯一快樂……那麼，我也恨他，雖然我是他的母親。”對一個母親來說，還有什麼能比這種選擇更能表明愛的真誠呢？但她最後也自認有罪，並甘願接受世俗法律的判決，表現出內心的矛盾性。埃本在追求情欲時表現出的精神矛盾性更複雜。他受物質主義的影響更深，也有更強烈的物質佔有欲，同時還有對母親的固戀，這使他始終不敢正視自己的情感要求，害怕承擔責任，因而猶豫不決。當他以對父親報復爲藉口終於滿足了本能欲望後，對父親的本能恐懼、對農莊的貪欲和對自己真實情感的無法正確判斷，使其在緊張的精神衝突中導使情緒失控。他瘋狂地譴責愛碧愛的虛僞，認爲她只是利用自己生個兒子，從而佔有農莊，因而他也詛咒自己的兒子，但在愛碧悶死兒子後又告發了她。我們從主人公行爲的矛盾性可以看到文化與個體撞擊過程中個體身上潛藏的心靈矛盾和痛苦。

克利斯汀對愛情的追求比愛碧更艱難。愛碧來到農莊時除了強烈的佔有欲已一無所有，因而可以毫無顧忌地要求自己的欲望。在與凱勃特、埃本的衝突中，愛碧也明顯佔有主動。她可以騙得老凱勃特暈頭轉向，又能以美貌、真誠獲得埃本的愛情，而克利斯汀的情感滿足則只能被動地、隱蔽地完成，因爲阻礙她的清教勢力更強大，在她周圍都是充滿敵意的眼睛，而她自己的力量又是那樣地微不足道。這樣，儘管她內心強烈反叛清教道德，但暫時又不得不表現出對它的依從。另外，複雜的、愛恨交織的家庭關係，也進一步增強了克利斯汀行動的艱難性。作爲妻子，丈夫的冷酷扼殺了她的愛，促使她衝破孟南家族清教文化意識的束縛與卜蘭特相愛，爲了愛犧牲了在孟南家的一切；作爲母親，她沒有或者說背叛了對女兒和兒子的愛，結果導致孩子們對她的恨。在這種愛恨交織的家庭關係網中，克利斯汀成爲眾矢之的，已無法決定自己的命運。當她謀殺丈夫的秘密暴露後，女兒和兒子就高高舉起清教公理、正義的神杖，對她的雙重“罪行”進行了懲罰：殺死了卜蘭特，也就是宣判了除了卜蘭特的愛就一無所有的克利斯汀的死刑。克利斯汀在重重的阻礙中，儘管對自己的行爲有過負罪感和恐懼感，但她始終以進取的姿態追求自己的幸福，並以自己的渺小嘲笑清教力量的強大，以對人性自由的肯定爲陰森冷酷的孟宅增添了一絲生命色彩，最終以絕望自殺宣告與清教道德的毫不妥協，表現出對文化勢力的反叛。

可以說，愛碧和克利斯汀生命的意義就體現在以對傳統文化價值觀的鮮明的反叛姿態，打破了虛僞道德對人性的枷鎖，將被桎梏的靈魂的熱烈和真誠解救出來。虛僞的道德比真誠的反抗更爲殘酷，因爲它的目的是扼殺人性。激情勝於禁欲和僞善，哪怕在惡之中成爲誠實的人，勝似用傳統道德掩飾自己，正是在這種意義上，她們的反抗才具有悲劇美學價值。

愛碧和克利斯汀對愛的渴求與對社會文化準則的反抗是不妥協的、明確的，在衝突中體現出生命激情，而奧尼爾的另外兩個欲望同樣強烈的女主人公尼娜（Strange Interlude）和萊維尼婭（Mourning Becomes Electra）與壓抑人性的文化的關係卻複雜得多。這不但表現在她們與文化的衝突處於隱性狀態，還因為她們甚至自覺犧牲自己的本能欲望而與文化要求達成妥協，甚至成為其工具。但她們對文化準則的順從是當她們正常的人性要求在現實中得不到實現時用以自我保護的武器，而非其人格核心，因而她們同樣也是傳統文化的受害者。但可悲的是，這種順從不但沒能使她們得到自己所追求的，獲得幸福，反而毀滅了所有與她們有直接關係的人的幸福，可見她們所執行的文化準原則的殘酷性。

尼娜一生就是為了重獲精神信仰，說明她已意識到傳統文化已不能給她帶來精神安寧了。她認為自己生活在冷酷無情、壓抑人性的父權文化氛圍，她抱怨上帝也是男的，因而渴望一個母親式的上帝，使自己獲得寧靜、和平和歸屬。尼娜一生就是努力使自己成為這樣一個女上帝，並以重新構建完美男性"戈登"的行動體現了這一要求。尼娜生活在現代美國文化矛盾日益激化的時代，競爭與仁愛、個人主義與基督教精神、人的無限自由的許諾與自由實際上受到的限制的矛盾，使生活在其中的個體無從選擇。作為這種文化矛盾產物的尼娜的悲劇性，恰恰是在她要在文化矛盾激化的情況下追求矛盾各個方面的和諧，這表現在對代表其信仰的理想男性"戈登"的追求。對尼娜拉來說，這個完美的男性應該既是物質上的成功者，能給她安全感（丈夫伊萬斯），又能滿足她情感和肉體的要求（醫生達利爾），同時還能使她在無所歸依時得到安寧（父親式的馬斯登）。然而，她在現實中佔有的幾個男人都只能滿足她的一部分要求，需要她從中粘合才能成為自己所需要的完美男性，而她則成為他們欲望的中心和心中的上帝。尼娜對男人們的粘合過程實際上就是文化選擇過程，在選擇中，尼娜在利己主義和利他主義兩種道德觀中猶豫不定，導致其對男人們的佔有行為的病態性。尼娜本有強烈的性本能，在未婚夫戈登上戰場前，她希望戈登佔有自己，使兩人都得到快樂，但由於父親的阻礙，她遵從利己主義世俗原則壓抑了性本能，想等戈登有了財產和地位之後再與他結婚，但戈登卻戰死了，這使她一下子從對幸福的憧憬中失去了所有的生活目標，本能受到抑制。她陷入深深的悔恨、自責，並在對自己和社會本質缺乏清醒認識時就到醫院放縱情欲，不顧一切地尋找戈登的替代物，要讓自己“學會給予、付出自己，給男人幸福”，使戰爭中的倖存者從自己的肉體中得到快樂，但因爲她只是爲了得到一種信仰，而非出於對他們真正的愛而又加深了對這些戈登們的負罪感。她後來選擇自己並不愛的伊萬斯作丈夫，也只是爲了得到一個自己的兒子，獲得生存意義，因而當知道丈夫不能給自己一個健康的兒子時，她因恨而要拋棄丈夫，但又怕丈夫精神病發作而留在了他身邊；在這種情況下，沒有兒子意味著兩人都將終生痛苦，“獲得自己的幸福”與“使他人幸福”兩種願望衝突的結果使她選擇了與醫生達利爾通姦這種使兩種願望都得到實現的方法，但又將其視爲反道德行爲，而只能借助於人格面具（科學和義務）掩飾自我，在兩種道德觀的妥協中完成反道德行爲；而在愛上達利爾後，又爲了丈夫和兒子的幸福而拒絕與達利爾結婚，但又利用他對自己的欲望將他緊緊地控制在自己身邊，可又因爲毀滅了他的幸福和事業而深感內疚。尼娜就是這樣一個既有美德又有缺陷的普普通通的女人：爲了自己的情感要求不惜毀滅別人的幸福，但又對自己的行爲悔恨，從而又犧牲自己的幸福使別人得到幸福。她最終意識到自己無力擺脫生活的悲劇，因爲“生活只是一個拖長了尾音的謊言”，她最後只希望能在平靜中死去。

尼娜與達利爾的通姦過程，典型地說明了主人公在對不同的道德觀選擇時的心理矛盾。尼娜儘管堅信通姦是使自己和丈夫得到幸福的最理想的方法，是善的，但卻擺脫不了罪惡感；達利爾是醫生、科學家，又是伊萬斯的忠實朋友，一直關心著她的幸福，因而在“幫助”朋友之妻懷孕時，情感與理智、情欲與道德同樣也是反復較量的：

尼娜：哦，醫生，薩姆（伊萬斯）妻怕！

達利爾：（職業性口氣）胡說，沒時間害怕！幸福憎惡懦弱！科學也一樣！

（擔心地想）我這樣建議她對嗎？是的，很明顯這樣做是合理的……但這又背叛了我的朋友……不，我對他的義務是顯而易見的……

尼娜：你必須給他妻子勇氣，醫生。你必須使她擺脫罪惡感。

達利爾：只有當人故意無視他對生活的明確責任時才是罪惡的，其他的都是胡說！這個女人的義務是生個兒子，使她和丈夫都得到幸福！

（內疚地想）我健康一但他是我的朋友一這是榮譽問題。

……

兩人就是這樣互相以自我激發對方的本我，以“使伊萬斯幸福”這種利他主義原則爲面具，最終達成默契使兩種要求都得到滿足。但具有諷刺意味的是：尼娜和達利爾犧牲一生的幸福來使伊萬斯幸福，換來的只是伊萬斯平庸的物質主義的成功：奧尼爾對物質主義毀滅人性的罪惡真可謂耿耿於懷。

與尼娜相比，萊維尼婭一生都在導演別人和自己的悲劇，她顯然比尼娜更有力量。尼娜因爲追求兩種相互衝突的道德觀的和諧，使個人欲求在要求實現時又必須選擇更合適的行爲方式，從而導致行動的猶豫不決。尼娜的一生就耗費在毫無價値的修補殘缺的人生上，既沒有強烈的恨，也沒能爲愛犧牲一切，最終需要的只是一個中性男人 —— 馬斯登。萊維尼婭的愛和恨都同樣熾熱，她總能根據理智或情感的要求毫不猶豫採取行動。她也有強烈的本能欲望，但由於自身承襲的清教文化力量的強大，使她對本能的追求往往只能以隱曲的變態方式得到實現，並往往披著清教公理、正義的外衣。

造成萊維尼婭變態人格的直接原因是孟南家族意識，也就是現代資本主義賴以發展的精神支柱 —— 清教文化，因而萊維尼婭在孟南家族內部打的實際上也是一場戰爭，是人性自由與冷酷無情的清教主義的鬥爭。本能欲望驅使她拋棄一切文化禁忌，清教觀念卻使她擺脫不了罪惡感，從而導致人格變態。萊維尼婭愛父親，但有母親；她愛海之子卜蘭特，可母親又是他的情婦，而卜蘭特卻是她祖輩與家中女僕的私生子，於是萊維尼婭的愛一變而成爲恨，她自覺充當清教主義的衛道士，對阻礙自己欲望的母親和卜蘭特進行了懲罰。在執行文化準則的過程中，她的血管裏也奔湧着與母親同樣的血，只是因爲欲望受挫她才甘願充當清教道德刻板、冷酷的工具，泯滅了自己的人性。後來經過海島之行，她才把自己性格中被壓抑的、也是最本真的一面展露出來，她成了母親的翻版，並終於喊出“愛不是罪惡”，狂熱地追求情欲，以此嘲笑清教主義的冷酷，表示對清教思想的決絕。但過去的一切總在潛在地制約著她，也就是她所說的“死人總是不死”，她自身接受的清教意識已經剝奪了她享受一個女人權利的正常心理機制，結果她的決裂行動只徒然增加了精神痛苦，這使她即使在追求情欲時仍不自覺地充當了清教禮儀的忠實衛兵。她爲了保護所謂的家族榮譽，使家醜不外揚，就緊緊地控制住因對母親之死的負罪感而精神崩潰的弟弟奧林，不斷用清教意識強化他，讓他相信在這個世界上“沒有悔恨，只有公正的審判”，最終逼其自殺。萊維尼婭這種清教道德反叛者和衛道士的雙重身份是不可調和的，因而她剛剛體嘗到幸福就預感到絕望正遠遠逼來，最終永遠沒有體驗到真正的快樂和幸福。

萊維尼婭是一位現代女性，其行爲方式帶有明顯的現代非理性文化思潮影響的印痕，而這一思潮的核心就是宣揚舊的上帝已經死了，每個人都是自己的上帝，擁有絕對的自由。在這種文化意識的關照下，清教主義顯得那麼冰冷、嚴酷，當萊維尼婭從對清教主義的執著中清醒過來時，她就決然反抗清教文化的壓迫，只是因爲清教力量的強大她才不得不壓抑並扭曲本能欲求。在孟宅內進行的這場人性與清教主義的殘酷鬥爭中，萊維尼婭的罪孽最深重，她執導了所有活著的人的悲劇；但她又最清白無辜，因爲她沒有直接殺害任何一個人。她只是作爲一種強大的文化制約力量的標誌，諭示敢於對抗它的個體該得到什麼樣的結局，而由於無意識中自然因素的力量同樣強大，她只能爲自己選擇與孟家死鬼們同住在一起這種“比死亡和監禁更壞的報應”，以示決然將清教意識和個性同時拋棄。

與孟南家庭內部明森可怕的清教壓抑氣氛相對應，奧尼爾在該劇中以詩一般的語言描繪了一個人性得以自由實現的幸福之島，表示了對回歸自然人性的渴望。在這個自由的島上，人回歸了童年時的天真，一切生成好像是諸神之舞與嬉戲，世界自由而無限制，一切都返樸歸真。久在折磨中痛苦的孟南家的男男女女都將小島視作心中的聖地，渴望到海島洗涮塵世的罪惡，但不是沒能實現、就是在實現後只得到更大的痛苦。他們畢竟生活在科學高度發展的現代工業社會，不得不在高度理性化的社會中為生存而竭力掙扎。海島之夢只能在他們感到絕望時給以空幻的慰藉而已。這種強烈的對比，同樣表明了奧尼爾對現代資本主義文化壓抑人性的批判。

四

綜上所述，我們看到，奧尼爾實際上是以劇中主人公的悲劇命運，揭示文化與個體衝突的實質，從而提出病態文化是現代人生痛苦的根源這一悲劇主題。文化影響人格。奧尼爾以主人公人格的變態對美國文化的衰敗進行了批判，並以他們回復人性的抗爭，喻示了對人生價值實現的渴望。人生而有實現個性、得到尊重的強烈願望，但畸形發展的現代文化不但不能為個體提供合理的文化環境，滿足本能欲求，反而日益壓縮個體的生存空間，使人始終處在緊張、焦慮的精神壓抑中。二三十年代的美國已是一個高度發達的現代工業化社會，同樣存在著這種矛盾。奧尼爾在一封給妻子卡洛塔·蒙特裏的信中談到《奇異的插曲》時說："這個劇本中的每件事都使觀眾狂喜和痛苦，簡直難以置信……它產生於我個人的感情經歷及我與所有我熟悉的人的共同經歷。我與他們一起受苦和幸福……整個劇本是我、我的經歷，但其中的人物性格更像許多我熟悉的人。這個女人在許多方面是你，但她又完全不像你，可你就在她身上"，[5]說明尼娜式的精神迷茫是現代美國人的普遍心態。奧尼爾認為，現代美國文化的本質特徵是宗教、倫理、哲學都成為了人們頹廢的表現形式，人的精神成了荒原。二十世紀初的美國物質財富膨脹，然而，物的世界的增值是同人的世界的貶值成正比的，人在強大的、高度理性的物質主義面前感受到人性被壓抑的痛苦。美國文化的核心是信奉物質主義上帝的清教主義，在美國發展初期，清教主義表現出蓬勃的生命力和創造熱情，並以允許人性的適度滿足達到個體與文化的理解。但在現代工業社會，物質主義的極度膨脹則打破了文化與其創造主體的和諧，並對人性表示了極大的輕蔑。個體對傳統文化由懷疑、重估到最終發現自

---

5 O · Cargill，N·Fagin and W · Fisher："O'neill and His Plays：Four Decades of Criticism", New York university press，1961 年出版，第 235 頁。

己作為人的價值已不存在，於是竭力要掙脫社會文化的束縛，重塑一個精神偶像，重新獲得人與宇宙的和諧。但似乎矛盾的是，個體在竭力擺脫無意識中文化因素對自然因素的壓抑時，卻又表現出對文化因素的依戀。這一方面是因為文化對個體影響之深，另一方面是因為文化危機使人置於文化斷裂的兩難境地：舊文化放棄了對人的庇護，而新的精神避難所尚未建構。這樣，當人在表示與舊的上帝決裂時，又因對新上帝的茫然而無意識中加強了對舊信仰的依戀，甚至希求靠自己的修修補補殘存的宗教信仰中重新發現一個上帝。文化與個體衝突的這種矛盾性，使主人公既強烈意識到文化對自己的壓抑造成的自己的失望和精神被窒息的空虛，因而急需把它所代表的沾沾自喜和虛偽矯飾的精神價值統統拋棄，狂熱渴求滿足人性，同時又不斷以文化原則對自己的行為進行評判，從而造成永無休止的自我譴責、自我折磨，充滿負罪感。

奧尼爾生活在一個懷疑的時代，他本人也以"垮掉的一代"的方式對現實文化進行反叛，但這也說明了他沒能找到人生出路時的迷茫。他劇中主人公的心靈動盪，反映的就是奧尼爾的這種精神痛苦。作為美國文化核心的清教主義帶來的物質繁榮導致產生膚淺的樂觀主義，但它的過度膨脹則使人的精神成為荒原。在主人公的行為取向上，這種矛盾表現為：一方面因驕傲、自信而追求、完善自我，一方面是達到對文化本質認識後的絕望和孤獨。現代美國文化矛盾的複雜性造成了文化與個體衝突的多樣性，說明人們不管如何掙扎，結局都是必然的失敗。奧尼爾的劇作就這樣展現了一幅現代人生的悲劇圖景，但奧劇的價值不在於揭示人生的苦難，而在於表現人在悲劇性困境中以絕望努力追求失敗的過程中所體現出的精神力量，並賦予他們精神美學價值。這也是奧尼爾悲劇美學思想的核心。

尤金·奧尼爾的悲劇美學思想

奧尼爾是一位土生土長的悲劇拓荒者，他在美國戲劇史上的最大貢獻，是為美國這個樂觀的國家召回了悲劇的精神價值。針對當時美國沒有悲劇的說法，奧尼爾提出："我們本身就是已經寫成和尚未寫成的悲劇中最令人震諒的悲劇。"[1]他在美國現代社會表面繁榮下看到了掩溢着的人的悲劇，即一種人們精神上的不安和墮落造成的普遍的精神危機，因而要用自己的悲劇創作致力於探索美國現代社會病態的根源，並力圖發現人擺稅精神痛苦，重獲心靈平靜的途徑。奧尼爾的悲劇美學思想，就是為著這樣的目的，在對美國現實生活的不斷觀察、思考中形成的。

一

奧尼爾開始悲劇創作時，美國劇壇上正充斥著庸俗、淺薄的商業性戲劇（主要是情節劇）。奧尼爾認為這些戲劇缺少一種真正的力量和想像，而且並不為着挖掘生活意義的目的，因而毫無價值。他大聲疾呼："戲劇應提供給人們教堂所不能提供的意義……，戲劇應重新具有希臘的崇高精神，"[2]並努力使自己的劇作具有古希臘人理解的那種悲劇意義，即悲劇使人振奮，更加嚮往生活，使人在精神上獲得深刻的啓示，感到自己那些無望的希望在藝術中變得崇高。奧尼爾關注的是隱藏在生活現象後面的生活本質。他相信戲劇就是生活，自己"從來沒寫過任何不是直接或間接來自他親身經歷的事或親自體驗的印象，"[3]而生活又常常是一場不成功的鬥爭，悲劇實際上就是要展示生活這個"絢爛而諷刺

1 龍文佩選編：《外國當代劇作選》（1），中國戲劇出版社，1988年版，第248頁。
2 D·V·Falk："Eugene O'neill and the Tragic Tenson", New Jersey Rntgers Univ.press, 1958年版，第26頁。
3 陳瘦竹：《奧尼爾晚期悲劇的特色及其貢獻》，《戲劇研究》，1989年第7期。

的、美麗而冷漠的、輝煌而因混亂引起痛苦的悲劇”。[4]奧尼爾強調戲劇反映生活真實，但不是古希臘悲劇那種對生活作鏡子式的摹仿，而是表現靈魂的真實，即人內在的精神衝突和生活背後那股支配著人的命運的強大的無形力量。而現代觀眾審美能力的提高，也越來越不滿足於對生活表面的忠實反映，而迫切需要戲劇對生活作“詩的解釋和象徵的讚美”。這種戲劇真實觀，決定了奧尼爾從不有意在劇本中爲什麼人打抱不平，也不對人作任何社會、倫理的評價。在他看來，戲劇反映社會、政治問題就是誤入了黑胡同，這決定了他雖能找到社會病態的根源，卻無力開出醫治疾病的藥方。但由於奧尼爾是以對人精神危機的真實揭示來反映美國現代社會的病態性，所以他對現實的批判是獨特的、隱曲的，也是深刻的。

奧尼爾的悲劇觀受到希臘悲劇、伊莉莎白時代悲劇優秀傳統的影響。他的欲望悲劇《榆樹下的欲望》就具有古希臘悲劇的簡樸氣氛，“努力在似乎卑鄙下流的生活中去尋找接近希臘觀念的淨化心靈的崇高品質”，[5]而《悲悼》則直接取材於古希臘悲劇。但奧尼爾畢竟生活在現代社會，迥異的文化背景和審美視角決定了其悲劇觀的現代性。二三十年代的美國已是一個高度發達的現代工業社會，但物質主義的氾濫卻直接導致人的異化，人自身存在的價值被蔑視，人的精神信仰喪失，造成普遍的精神危機。在這樣的背境下，以重估一切價值標準，重新思考人的存在價值、人與宇宙的關係爲核心，形成了西方特有的反叛一切傳統的非理性主義文化思潮。一生都在不幸和痛苦中度過的奧尼爾，對社會底層人的生活有深切瞭解，因而對現實失望，對美國自詡的民族文化精神表示懷疑。他從當時流行的各種社會思潮、哲學思潮中尋找解脫人的痛苦的途徑，但他的思想狀況，使他更接近正在逐漸成爲西方文化主潮的非理性哲學，並逐漸形成自己的悲劇人生觀。他認爲，人生是充滿痛苦的，因爲人們生活背後存在著某種神秘的東西 ── “命運、上帝，造成

---

4 T · Bogard and J·Bryer：“Selected Letters of Eugene O’neill”, Yale university press，New Haven and London，1988 年出版，第 181，195、245、147 頁。

5 陳瘦竹：《奧尼爾晚期悲劇的特色及其貢獻》，《戲劇研究》，1989 年第 7 期。

我們現在的生物學上的過去”，[6]使人無法把握自己的命運，人的一切努力最終都只是失敗。然而，奧尼爾並非悲觀主義者，他堅信人靠追求失敗的行動就能創造自己的價值，征服生活，從而獲得生活鬥爭的真正勝利。這種積極的人生態度，奠定了奧尼爾悲劇的樂觀主義審美價值取向。

奧尼爾將自己認識到的美國人的悲劇看作整個人類的悲劇，這雖然抽象和偏頗，但卻表明他的真誠和嚴肅。他反對將自己的人物作道德區分，認爲人都是一樣的．沒有好壞之分，都有相同的感情、相同的野心和動機，面臨著同樣的生存困境，因而自己的劇本產生的任何社會意義，都“完全是因爲劇本本身並不含有宣傳，而只是按實際情況展示人性，”[7]他對人的命運的思考，使因此主要從現代心理學、美學的角度進行人的靈魂的“X 光透視”。精神迷茫的痛苦使奧尼爾總是尖銳地感到人在光榮的、導致自我毀滅的鬥爭中的永恆悲劇，感受到某種潛在的神秘力量對人的控制。人的悲劇的根源就在於人自身潛意識的矛盾和衝突，而人就是要通過驅使這種潛在力量外化的行動，表現人之所以爲人的力量和信心，而不是像動物一樣，在這種力量面前顯得微不足道。奧尼爾認爲，這才是生活的本質。奧尼爾的悲劇表現了人生的不幸，再現了人類狀況的悲劇性，即我們每一個人的命運就是我們注定要遭到挫折和失敗，但他更強調了人的價值就在於畢生追求這種失敗，在絕望的境地裏繼續抱有希望，並甘願爲之生、爲之死，從而體現人的尊嚴和自豪，因爲生命的意義體現在行動的過程而非行動的結果。失敗是表面的，死亡也不是悲慘的，因爲肉體的失敗在精神的勝利中獲得了加倍的補償，而在生活的不幸面前怯懦地低下頭，爲物質主義泯滅人性，並陶醉在物質成功的虛假驕傲中的人，才是真正的失敗者。羅伯特、揚克、愛碧、克利斯汀、萊維尼婭等始終堅持自己的幻想和追求，以死亡或自我懲罰征服必然的命運，體現了悲劇精神；而凱伯特、伊萬斯、馬可儘管在追求財富時雄心勃勃、一帆風順，但因他們顯然沒有尋求靈魂的解脫、愛情或任何與

---

6 T·Bogard and J·Bryer：“Selected Letters of Eugene O’neill”, Yale university press，New Haven and London ，1988 年出版，第 181，195、245、147 頁。

7 O·Cargill ·N·Fagin and W·Fisher：“O’neill and His Plays :Four Decades of Criticism”, New York university press，1961 年出版，第 110 頁、107 頁。

精神價值有關的東西，充其量不過是漫畫式的人物，靈魂枯竭的木頭人。奥尼爾如此強調人的精神的勝利，目的是使處於精神危機的現代美國人重獲悲劇性創造精神，恢復人格的完整，不再做物質的盲目奴隸，因爲只有這樣，人才是人，人生才有意義。奧尼爾的這種悲劇人生觀，構成了其悲劇美學思想的核心。

奧尼爾的悲劇主人公不再是古希臘悲劇中那種高大完美的英雄，而是既有美德又有缺陷的普普通通的人，悲劇的根源也不是神的意志或命運，而是人物無意識的衝突，悲劇人物本身就是悲劇的製造者和承受者。“我們大多數人都有著阻止我們實現理想的某些內在品質，因此我們前進時，總是看得比我們能夠達到的要遠些”，[8]於是人物自身的矛盾性在阻礙他們達到自己的目的時，又構成現代人生的悲劇性的二律悖反，即人的主觀願望與現實條件之間的矛盾。人有無限發展、無限探求的欲望，但現實社會又只能爲人的無限的潛力提供有限的實現條件，使人總達不到希望達到的目標。這種悲劇性矛盾本是一切社會共有的，也是生活的本質決定的。在一個合理的社會，這些矛盾總是可以被調和、平衡的，並會成爲社會發展的動力，而現代美國社會的病態發展，則使這種矛盾固有的平衡被打破。這種矛盾激化的直接產物，就是社會上普遍存在的精神危機，悲觀絕望。然而，人的無限要求滿足的欲望在受到外界力量的壓抑時反而表現得更強烈，而壓制力量的強大又使他們不得不壓抑自己的欲望，從而將人與外界的衝突內向化爲人自身的衝突，造成人自身的矛盾性，一旦人面臨重大的悲劇衝突，這種矛盾就成爲他們人生悲劇的直接原因，由此導致的精神痛苦必然更激烈，也更難以擺脫，對人生目的和自身價值的探求也就更艱難，但也因此使他們的鬥爭行動更能產生強烈的悲劇美感。

如同自己劇中那些具有詩人氣質的主人公一樣，奧尼爾在毀滅人性的物質主義世界中，對人的精神痛苦特別敏感，感受必然深刻。他以自己對生活本質的敏銳把握，指出了美國表面繁榮下掩蓋著的悲劇性，從

---

8 O·Cargill ·N·Fagin and W·Fisher：“O’neill and His Plays :Four Decades of Criticism”, New York university press，1961 年出版，第 110 頁、107 頁。

而超越了時代。但伴隨著超越者的總是孤獨與苦惱，正為美國夢沾沾自喜的人們，根本不相信對於他們來說還有什麼悲劇，因而奧尼爾悲劇的意義一時不被人理解，他也一度被評論家稱為“灰暗的現實主義者，冷酷而悲觀的自然主義者，信口開河的道德浪漫主義者”等。如他的中期劇本《與眾不同》(Different)因為表現了一個耽於幻想的女子由於夢想破滅而發瘋的悲劇，就被女權主義者指責為對生活的歪曲，原因是奧尼爾把生活看成是黑色的、殘酷的，而奧尼爾本只是要通過這個劇本講“一位永遠沉緬於幻想的理想主義者的故事，這種浪漫主義的幻想在我們每一個人身上都表現，而且總是遭到破滅。”[9]直到三十年代經濟危機和二戰的災難打破了美國夢的神話，人們才逐漸發現奧尼爾悲劇的價值，認識到他在美國戲劇史上的地位和意義，將他稱為美國現代戲劇的奠基者。

奧尼爾生活在現代美國社會激烈變動的時代，人們的生活方式、思維方式、價值觀念都發生了劇烈的變化，而且人們也面臨著越來越多的矛盾。最突出的就是：隨著社會越來越迅猛的發展，人們越來越更加難以理解世界和自己。感受著現代人的精神矛盾和痛苦，通過對生活的細緻觀察和思考，奧尼爾不但指出了美國現代社會的病態，而且還找到了病態的根源。他認為現代人面對的根本衝突：生與死、愛與恨等決不是孤立存在的現象，而是由社會環境決定的，因為美國這樣的社會實際上只產生受到難以名狀的失望的窒息，精神上空虛而毫無遠見的人，正是社會的病態性、荒誕性造成人的精神疾病。高度發達的工業文明導使人性的萎縮，使人再無昔日的自信和心理平衡。科學和物質主義撕碎了一切神秘的面紗，使人無法再靠幻想、回憶得到精神避難所，於是人們發現那個一向帶給人安寧和平靜的上帝已經拋棄了他們，“搬到另一個星球上去了”（The Great God Brown）。奧尼爾認為，這種舊的信仰的喪失和科學及物質主義在提供新的信仰上的失敗，是現代美國社會的病根和文化頹廢的根源。個體遽然失卻上帝這個永恆理性的撫慰，頓感茫然無措、無所歸依。基督教的上帝以道德罪惡感的沉重十字架，使人壓抑自己的人性，因而當人的自我意識覺醒，並對一切傳統價值重估時，首先

9 《外國文學》，復旦大學編，1980 年第 1 期，第 205 頁。

就推倒了這個厭惡人世的虛僞的道德偶像，打碎了加在自己身上的精神枷鎖，使人成爲唯一的存在，得到了絕對的自由。但人久在上帝永恆真理的光耀下生存，並已把上帝當作了生命的一部分，因而，儘管理性上無法接受上帝，可精神上沒有一個上帝又無法生存，結果，失去上帝後的自由只增加了他們的恐懼，並驅使他們恍然尋求一個無論什麼樣的新上帝，重獲精神平衡。奧尼爾認爲，正是這種文化斷裂造成了人的精神危機，他的劇作就是要揭示衰敗的文化如何造成了人的痛苦，以便發現療救的方法。

奧尼爾的悲劇美學思想是對造成人精神幻滅的病態文化的積極回答。他希望以自己的劇作顯示人內在的美好品質，以重鼓人的勇氣和信心，因而，奧尼爾的悲劇儘管反映的是人不幸的事實，卻始終隱含著樂觀主義情緒。他知道，儘管"人的現狀永遠阻礙完全實現人的理想"，但"不僅維護人的尊嚴，而且維護人的人性，正是個人對他囿於其中的悲劇事實所做的回答，"[10]"人儘管什麼也沒有了 —— 只有人的最後的姿態 —— 憑著這姿態，他贏了"（The Great God Brown）。個體承認自己在與文化力量的衝突中的渺小，但卻能把人類天性中的種種可能性推展到極限，並明知不可爲而爲之，從而體現人作爲人的真正偉大之處。奧尼爾最優秀的劇作大都體現了這種悲劇美學思想，它們構成了奧尼爾悲劇的精華，成爲經典之作。凱伯特在忍受永遠孤獨中表現出的堅強意志力，鐘斯和揚克尋找自我時對命運的不屈抗爭，艾拉和吉姆對種族歧視的反叛，愛碧、克利斯汀、尼娜、萊維尼婭在追求自己願望時表現出的執著、勇氣和力量，布朗和戴恩對完美人的渴望，無不表現出現代人在文化衰敗，個體價值被極端蔑視時，爲了重獲人的尊嚴所作的絕望努力，悲劇主人公在這個爲了未來和未來的高尚價值而同內心和外在的一切敵對勢力鬥爭並且失敗的過程中，終於獲得真正的精神上的勝利。

---

10 E · W · Jackson："O'neill, The Humanist Eugene O'neill：A World View", Vinginica Floyded Ungar，1979 出版，第 256 頁。

二

對生與死矛盾的哲理思考，是奧尼爾悲劇的一條內在線索，因爲對這一人生永恆問題的不同回答，最能表現出一個人的本質。一般來說，人一生最痛苦、最恐怖的莫過於死亡，但在奧尼爾的悲劇中，卻是死亡（精神的或肉體的）給予人最大的幸福，這雖似乎有悖常理，卻是奧尼爾對人生積極思考後得出的合理結論。在奧尼爾看來，人的生活只是一場持續不斷的、謀求生存的鬥爭，一場人必然會歸於失敗的鬥爭，因爲死亡最終會征服一切。這種死亡意識始終追隨著他的主人公，成爲人類生存狀況的根本事實。奧尼爾的主人公本性都是善良的、真誠的、渴望美好的生活，但卻被現實剝奪了一切可以實現自己做爲人的價值的可能性，因而當他們在探求生活目的的鬥爭中面臨重大衝突和選擇，需要顯示自己作爲人的力量時，他們就只能毅然選擇死亡，因爲就某種意義來說，死亡畢竟是對毫無希望的那種悲劇的一種安慰。生活的悲劇使死亡變得不那麼可怕，而死亡則使生活變得不那麼悲慘，就如他的早期劇本《東航卡迪夫》（Bound East for Cardiff）的主人公楊克在甲板上等待死亡時所說的：“死並不像人們想像得那麼壞……不論死後等待我的是什麼，它不會比現在更糟糕。”可見，從死亡中獲得幸福實際上是對不能給人生之快樂的現實的最強烈的諷刺和反抗，體現的恰恰是主人公生命意志的強盛。對奧尼爾來說，死亡的意義就體現在人以求生的意志去犧牲他的存在，展示人生的悲劇性，因爲真正的悲劇決不是對痛苦和死亡的沉思冥想，人還必須行動，才能進入必定毀滅他的悲劇性處境，從而發現死亡對人生的價值。

死亡悲劇意識是奧尼爾悲劇美學思想的重要組成部分。他中期最重要的劇作，都是通過主人公對死亡意義的理解來體現悲劇主題的。

羅伯特（Beyond the Horizon）夢想尋找天邊外的東方神秘的魅力，卻因意志不堅定，爲現實中一點點帶有詩意的愛情放棄了實現夢想的契機。在他完全陌生的物質主義現實世界，他注定是一個失敗者，但他並不因理想的破滅而逃避對生活的責任，而是越過越有信心，他把生活的苦難看作對自己的考驗，是用以“證明自己應該過一種更美好的生活。”

失敗給了他新的希望，並且在死亡中得到實現，完成了自己的新生："我最後得到幸福了 — 自由了 — 那不是終點，而是自由的開始 — 我的航行的起點。" 生活的酸辛儘管使其備嘗理想破滅的痛苦，卻使他更深刻地理解了死亡的價值。

如果說羅伯特對死亡意義的理解還是基於他幻想的天性，他的缺乏行動使他對死亡的渴望還帶有對生活的逃避性，那麼，當揚克上下求索、尋找歸屬，在死亡面前高傲地昂起頭，發出"死也要在戰鬥中死去"的宣言時，人固有的尊嚴超越了對死亡的恐懼，死亡對人生的意義也就得到了肯定。

愛碧和埃本（Desire Under the Elms）是在強烈的情感衝突中認識到死亡才是唯一幸福的天堂。作爲滿布物質佔有欲世界中的兩個具有強烈情感要求的人，他們渴求愛、美和完善，但卻無法克服物質主義造成的自身的缺陷，對自己的真實情感不能正確理解，結果爲了毫無意義的物質貪欲，他們自己爲自己布下了仇恨和不信任的陰影，最終兩人只能採取激烈的自我犧牲的行動，才把自己從自私、狹隘、迷茫的精神桎梏中解放出來，得到靈魂的自由。他們最後對死亡的無所畏懼並充滿了愛的歡樂，使死亡成爲證明他們愛情純潔的不容爭辯的證據。

尼娜（Strange Interlude）是現代美國社會精神荒原中漂泊無依、歷經磨難的女性，她勞碌一生，只爲把死亡了的愛情再重新召回現實。尼娜的未婚夫戈登是一個空軍飛行員，後來死在戰場上。在他出發上戰場前，尼娜希望他佔有自己，但因父親阻礙而沒能如願。尼娜本是一個有強烈本能的女性，代表其全部生活意義的戈登之死使她的精神支柱完全坍塌了，從此她再也無法擺脫死亡陰影的追逐。當她在醫院放縱情欲要在戰爭的倖存者身上找回戈登的影子時，她看到了戈登譴責的眼睛；而當她與伊萬斯結婚，以爲可以忘卻過去的不幸時，卻又常常覺得戈登躺在了自己的身邊，使自己懷了孩子。戈登的影子伴她一生，使其惶惶然迷惘，因而又不斷地追求安全感，而每一個追求幸福的行動最終又都歸於失敗。對不可知命運的恐懼，使她在自以爲得到幸福前都產生一種神秘的預感："一種黑色的東西……在幸福的中間……黑色的東西飄過來……死亡……來到我和幸福中間。" 她從幸福中感受到的卻是死亡氣息，又怎能真正得到幸福呢？因而，在悲哀地幻滅過之後，她所渴望的只是過上老年安穩的生活，在平靜中死去，因爲“平靜只存在於伊甸園的綠茵草地，而只有通過死亡才能找到它。”這就是尼娜經歷了生活的奇異插曲後，給人生做出的最後結論。

作爲一個被生活奪去了全部希望的女性，尼娜一生就是用自己的全部精神和力量重新創造一個希望，用塑造完美男性的努力，將死去的戈登的影子重新召回現實，得到精神安寧，從而征服對死亡的恐懼，“在經歷了長期與生活鬥爭的插曲後，這麼多舊的傷痕或許可以得到療救，舊的傷疤凸露出來，驕傲地證明我們曾經勇敢過、輝煌過。”但在塑造完美男性，重獲精神信仰並最終走向死亡的過程中，尼娜也充分表現出自己對男人們的佔有欲的自私性、狹隘性。與愛碧一樣，尼娜也有強烈的母性衝動和佔有欲，有充沛的生命力，但後來愛碧佔有埃本更多地出於真誠的愛情，而對尼娜來說：“戈登死後，所和的男人都死了”，所以她對自己身邊的三個男人的佔有根本不是出於愛情，他們只是作爲戈登的替代物才對她有價值。她與他們之間的一切關係，都附著戈登的幽靈。她的這種自我主義的佔有欲使她欺騙了丈夫，毀滅了達利爾的事業而自己也終爲生活所棄，最後只能以幻滅的痛苦去承受毫無意義的生活。

《悲悼》（Mourning Becomes Electra）以“家族詛咒”（實際上就是清教意識）作爲孟南家族仇恨和死亡的根源和唯一代代相傳的遺產。“孟南家思考問題的方式永遠是這樣的。他們對死亡苦思冥想，生命正在死亡，生出來就是死亡的開始，死亡也就是正在誕生”，[11]只要成爲孟南家族的一員，就逃脫不了死亡的追逐。活潑潑富有生氣的侍女、卜蘭特之母瑪利亞；反抗一切道德禁忌，追求感官快樂的克利斯汀；表面譴責情欲、內心也像母親一樣渴望肉體歡樂並最終喊出“愛不是罪惡”的萊維尼婭，總是在體味到人性幸福的同時就得到死亡的通知，唯一的不同是選擇的死亡的方式。而一向冷酷無情，遵奉清教精神的孟南經歷了戰爭的殘酷回到家，剛重新燃起已經熄滅的愛情之火，希望過正常人的生活，

---

11 龍文佩編：《尤金·奧尼爾評論集》，上海外語教育出版社，1988 年版，第 130、250，248 頁。

就被妻子謀殺了。可以說，死亡不放過任何一個想過正常人生活的孟南，因爲他們誰也擺脫不了毀滅人性的清教意識。但克利斯汀和萊維尼婭以死亡和比死亡更可怕的自我懲罰決絕清教道德環境，則爲死氣沉沉的孟宅增添了一絲生命色彩。

孟南家族是整個社會的縮影，家族悲劇也是整個社會的悲劇，是脫離了生活的正常軌道，失去了生命的源泉（精神的充盈）的畸形發展的社會必然要受到的生活的報復，因爲只有拋棄了窒息人性的虛僞道德，人人得以自由發展的安寧和諧的社會，才能使人過上正常人的生活，而這些恰恰是孟南家族和它所代表的那個社會所缺少的。

奥尼爾塑造這些生活中只有死亡或自覺追求死亡的悲劇人物，顯然並不是要說明人生的無望，而是以他們在追求死亡的行動中表現出的信心和力量，肯定人的創造精神，以照亮周圍這卑鄙、污穢的現實。他們生活在一個支離破碎、沒有信心的時代，以孤獨和死亡作爲力量的源泉，在無望中再造出信心和希望，並在強大的反派力量的壓抑下，以人的“卑微”投身自我犧牲的行動，達到對現實苦難的超越，這是一切傑出悲劇之所以產生巨大鼓舞力量的原因。“沒有超越就沒有悲劇，即便在對神祗和命運的無望抗爭中抵抗至死，也是超越的一種舉動”，[12]超越使人忘卻人生的痛苦而致力於展示人的潛在力量，以示自己應該享受更美好的生活。這種悲劇超越意識是人與生俱來的，是人內在固有本質的自然運動。人類生命意識的悲劇意識就是明知必死而求其生，明知生命有限而求其永生。人的全部存在價值、人格力量和精神風貌在平凡的狀況下難以展示，而只有在生與死的抗爭中，才會迸發出全部的熱能和亮光，才會顯露出超常性，才會使自己得以擴大和提升。對生與死的這種審美理解，形成了奥尼爾“死亡”悲劇憾人心魄的悲劇美感。

奥尼爾一生都在思考人如何擺脫生之痛苦，得到精神安寧，但由於他無視一切政治、經濟、社會的途徑，因而主要從個體探求自己在宇宙永恆中的地位時得到的靈魂自由，肯定人對生活的勝利。在奥尼爾的早期劇作中，死亡已經被作爲一種解脫人生痛苦的方式，但明確地將死亡

---

[12] （德）卡爾·雅斯貝爾斯：《悲劇的超越》，工人出版社，1988 年版，第 130 頁。

當作人生幸福的唯一途徑，則是奧尼爾在中期劇作中反覆思考後得出的結論。在這些劇作中，人不再是消極地接受死亡，而是熱情地追求死亡。在上面談及的幾部劇作中，都是通過死亡證明了主人公的精神力量，而他的另一些劇作則直接探討了死亡對人生的意義。這些劇作明顯地受到尼采悲劇世界觀和中國道家思想的影響。尼采強調以審美的眼光來看世界永恆生成變化過程，認為宇宙生命是一個整體，個體的毀滅猶如一滴水重返大海，只使我們感覺到生命的永恆，因而個體的痛苦和毀滅就不再是悲劇而是喜劇。尼采對死亡的這種達觀態度對當時正在探索生活意義，對人生痛苦感到迷茫的奧尼爾產生了巨大影響。而道家則認為，生死只是不斷輪回，是同一事物兩種變化著的存在形式，並無對立，故"生而不悅，死而不禍。"道家還把返回自然當作擺脫塵世苦難、享受人生至樂的聖途。奧尼爾對道家神秘哲學的興趣，代表了當時西方文化的一種趨向，即迫切需要一種新的哲學來代替傳統的宗教，藉以擺脫精神危機，醫治西方的"當代疾病"。因而，對奧尼爾來說，道家思想既是一種精神寄託，也是對社會反叛的一種精神武器。

這兩種宣揚超脫思想哲學的影響，使奧尼爾從理性上肯定了死亡對人生的意義，表現在其劇作中的主人公身上，則是由對生死相諧的感悟而達到對死亡恐懼的超越，通過與宇宙的和諧統一而重新獲得對生活的寬容和肯定。

《發電機》(Dynamo)是一部尋找信仰的悲劇。魯本不再相信舊宗教能給人安全感，對科學和實用主義也感到失望。為了得到精神安寧，他便瘋狂地崇拜象徵自然力的發電機，最終在精神迷亂中撲向發電機死去，終於與自然的神秘融為一體，擺脫了心靈痛苦。魯本內心有強烈的滿足原始宗教崇拜本能的動力，但由於他始終沒有正確地理解人與自然的關係，結果使創造力變成毀滅的力量，死亡成為其尋找生存意義的盲目鬥爭的必然結局，而不是自覺地與自然和諧的途徑。

《泉》(The Fountain)和《拉扎勒斯笑了》(Lazarus Laughed)的主人公卻克服了精神迷惘，使死亡成為被自覺肯定的人生歸宿。《泉》具有濃郁的浪漫幻想色彩。主人公龐斯·德利昂是一個夢想家，他一生追求過權力和財富，做過國王，迷戀過愛情，最終卻認識到這一切都毫無意義，從此悲觀厭世。最後，他又去尋找能曉諭自己生命意義的青春泉，當他正要俯身渴飲泉水時，印第安人的箭卻使他奄奄一息。面對著死亡和象徵永生的青春泉，他才豁然直覺到生活的全部意義："生活是永遠盛開的花，生活是永遠跳躍的泉……死亡、死亡、用死亡去親吻花兒盛開的土地。" 生與死、追求與失敗，構成了永恆生命自然輪迴的不可分割的部分，只有不斷的毀滅，才有不斷的新生，生命永遠在延續。這位曾深感生之空虛的夢想者終能帶著滿足的微笑死去。

拉扎勒斯將德利昂悟道的微笑變成了對死亡的大笑。這個劇本富有感染力地傳達了生戰勝死後的快樂。按照奧尼爾的解釋，此劇旨在說明："對死亡的恐懼是一切罪惡、不幸的根源，拉紮勒斯知道沒有死亡，只有變化。因而他是第一個也是唯一能充滿信心大笑的人，他的笑是對生命永恆的勝利的肯定。"[13]個人的生命屬於永恆變化的自然過程，人只有融入這個過程，才能得到自我肯定的快樂。拉扎勒斯告誡眾人："人類會消逝，就象雨點落入大海，大海是永存的！人也是永存的……死不能制服人！人能制服死！" 他要人們笑對死亡："你們必須在你們的恐懼導致死亡之前學會生活！" 死亡的意義在拉扎勒斯與周圍人的對比中得到充分體現。在笑聲中，拉扎勒斯越來越年輕，始終坦然安詳，而他周圍沒能超脫塵世苦難的人則永遠戴著生活不幸的面具。為驅除世人對死亡的恐懼，使他們重新獲得對生活的信心，拉扎勒斯以自己對生活的滿懷信心，與周圍其他因恐懼、自私、服從而變成行屍走肉的人進行鬥爭。這個劇本的悲劇主人公不是拉扎勒斯，因為他在生活中戰勝了死亡，而是那些帶著面具、喪失了生活快樂的人。劇本明確表達了奧尼爾樂觀的生死觀，給人以擺脫生活痛苦的希望和信心，但作為悲劇，它卻缺乏應有的悲劇力量。拉扎勒斯太超俗，反而失真，他的笑也總給人一種虛幻感。倒是當他為妻子的死感到瞬間的痛苦時，我們才會與他產生共鳴。這不能不說是這個劇本的失敗之處。

認識到生死相諧，方可生而無懼、死而無憂，忘卻人世難以擺脫的

---

13 T·Bogard and J·Bryer："Selected Letters of Eugene O'neill", Yale university press，New Haven and London，1988 年出版，第 181，195、245、147 頁。

痛苦。《大神布朗》(The Great God Brown)中大地之母西比爾用自己的肉體和寬容，將布朗和戴恩這兩個備受生活磨難的靈魂引入“總是戀愛、懷孕、生產、痛苦”的生命永恆的進程，驅除了他們對黑暗的恐懼；苦思人生奧秘的忽必烈（Marco Millions）最終領悟到，只有“把生與死和諧地融於一身，”才能實現永恆的快樂。這種以回歸永恆獲得的心靈安寧不同於那些不屈服於命運的主人公以積極主動的創造，而達到對生活本質的理解，而是得之於大自然的某種神秘的啓示：即人們所懼怕的生活中造成人痛苦的力量只不過是幻象，所以，這些因此而超脫了死亡恐懼的主人公，就遠遠不如那些以求死的意志去力圖控制生活，最終以人的驕傲蔑視死亡的悲劇人物那樣給人強烈的精神感奮。但對於一個對人生抱有美好願望，而又生活在人的一切幸福的希望都被摧毀的世界中的劇作家來說，這也是他所能給予人的最理想的幸福源泉了。

四

作爲一個嚴肅的悲劇作家，奧尼爾對人的關心是真誠的，對人的前途也是充滿希望的，樂觀主義是其悲劇觀的主調。但他畢竟生活在一個還看不到人擺脫精神危機的希望的社會，因而總不免迷惘和失望，這在其後期劇作中表現得特別明顯。經歷了三十年代經濟危機和第二次世界大戰這兩次人爲災難的衝擊，奧尼爾更加悲觀絕望，他說“在美國或任何其他地方，我都看不到任何前途”，[14]對人類能否得到幸福，他也不那麼肯定、樂觀了。他這一時期的精神狀況就如他在《送冰人來了》（Iceman Cometh）上演後舉行的記者招待會上所說：“現在有一種命運感……這種命運是消極性的命運，不是希臘古典戲劇中的那種含義……仿佛世事、生活受人擺佈，故意來捉弄我們……無論如何，喜劇破滅了，悲劇來臨。”[15]但人類的災難使他更深刻地認識到，在一個失去理性和精神追求，只盲目信奉物質主義的世界，人會受到什麼樣的精神痛苦，因而

14 Louis Sheaffer：“O'neill： Son and Playwright”, Boston，1979 年出版，第 149 頁。
15 龍文佩編：《尤金·奧尼爾評論集》，上海外語教育出版社，1988 年版，第 130、250，248 頁。

對人的命運也就更加表示關切。這種悲觀主義思想，決定了其後期劇作中的主人公不再像早期和中期劇作中的主人公那樣明知不可爲而爲之，在無望的追求中體現生命本身的壯美與活力，而是開始把幻想作爲逃避現實的一種途徑，體現了作者晚期悲涼的人生觀。他們在生活中既看不到任何希望，也不再有探求生活的願望和行動，對世界和自己都失去了信心，體現了另一種形式的死亡 —— 精神的幻滅。生活拋棄了他們，他們也不再熱愛生活，而只努力使自己成爲生活悲劇的旁觀者。他們只相信，生活的最大秘密就是根本沒有什麼值得發現的人生奧秘，於是他們酗酒、做白日夢。死亡也不再使他們體會到融入永恆的快樂，而是成了他們逃脫生活衝擊的一種手段。

在霍普酒館（Iceman Cometh）裏聚集著的就是這樣一群被生活拋棄、淪落到社會最底層的白日夢者。他們已沒有了現在和將來，惟有對過去的甜蜜回憶和對明天的幻想：霍普明天就要重返政界，雨果明天就要重新領導革命，黑人莫特明天就要重當賭場老闆……所有的人都相信，只要到明天，白日夢就能變成現實，他們就是靠著這種白日夢和廉價威士卡延續著自己的生命。劇本開始，他們都在等著一個叫希基的五金推銷員，因爲過去他一來總是請大家喝酒，讓他們更深地沉入白日夢中。但這次希基來後卻一反常態，一再讓他們放棄白日夢，正視現實、正視自己，從而得到真正的精神安寧。希基的這種道德拯救是合乎正常的道德規範的，但由於非理性世界的殘酷無情已使他們成爲社會的多餘人，他們面對現實無異於面對死亡。希基就是因爲正視自己而導致自己殺死妻子，最後也只有死亡；其他做夢者雖然在希基的鼓勵下走出了酒館，但很快就在現實中碰得頭破血流，最後都又乖乖地回到酒館。經歷了現實的這一次衝擊，他們終於正視了自己的真實的生存狀況：對他們來說，已沒有明天的夢，所以自己不必爲沒有實現這個夢而自責，而受良心的折磨，於是他們就更加心安理得地迷戀於自己的幻想，相信了希基對他們的生活所做的定論：“你們難道不知道現在盡可以拋掉假面具，不用悔恨、不用內疚、也不用對自己撒謊，說什麼明天要改過自新？你們難道不明白現在已沒有明天了？你們永遠不會有明天了！你們終於征服了生活”。這種生活的真諦就是：沒有自欺欺人的白日夢，不能自我麻醉，就無法在這個世界上生存。於是他們就更虔誠地酗酒，更認真地做夢，直到不知道自己在做夢。人的靈魂決定人是宇宙的精華、萬物的靈長，因而這種精神的死亡比肉體的死亡更觸目驚心。

關於這出劇的主題，奧尼爾曾經這樣說過："這是一出關於幻想的戲劇，其主旨就是不管你淪落到何等地步，即使是最底層，你也總會存有一個幻想，一個最後的迷夢。"[16]而在全劇一開始，劇中唯一一個擺脫了白日夢的無政府主義者拉里就引用海涅的詩交代了他們這些人的生存狀況："嗨，睡覺了是好的，更好的是死去，其實，最好還是不出世。"顯然，此時的奧尼爾已經不再像以前那樣對人還充滿希望，而是已經完全看透人都是生活在夢中，沒有夢就只有死亡。《送冰人來了》表達的人生觀是悲觀主義的，但卻不是變態的，因爲對於只有夢想的他們，白日夢和酗酒比道德上的自我拯救更能表明他們是清醒的，這與其說是絕望，更不如說是一種悲憤。

在《詩人的氣質》（A Touch of the Poet）中，奧尼爾也塑造了一個驕傲的做夢者梅洛迪，而他的確有值得驕傲的輝煌歷史：曾是一個出色的軍人，立過功，在情場上也一帆風順。然而今非昔比，舊夢難圓，他現在不得不做一個連生活都難以維持的酒店老闆，但虛榮心使他無視自己現實的失敗。他深知自己與現實格格不入："沒有愛過人世，人世也不愛我，雖在他們中間，卻不是他們中的一個"，所以他才固戀著自己的驕傲，以與排斥自己的社會對抗。他從不因世事的俗惡而放棄自己的尊嚴，雖"掉盡了痛苦的深淵，但決不低頭"，然而以哈福德家族爲代表的物質主義力量的冷酷無情，卻直接摧毀了他的夢想，於是生命力也隨之離他而去。"只有夢想才使人奮鬥，產生意志力 — 活下去"，[17]但物質主義卻打破人的幻想，造成人的精神幻滅，這也是奧尼爾一貫批判的。在一般美國人看來，哈福德家族所代表的新興資產階級創造了美國之夢，是美國的信心和驕傲，但在奧尼爾看來，他們狂熱追求的物質主義不過是

---

16 T · Bogard and J·Bryer："Selected Letters of Eugene O'neill", Yale university press, New Haven and London，1988 年出版，第 181，195、245、147 頁。

17 龍文佩編：《尤金·奧尼爾評論集》，上海外語教育出版社，1988 年版，第 130、250，248 頁。

另一種形式的白日夢而已。他們無限制地追求一切他們想得到的東西，明知其不能實現也不肯放棄，以爲如此便能實現自身的價値，結果卻掩蓋不住自己的精神空虛，毀滅了自己的人性。物質主義毀滅詩人氣質，美國之夢摧毀個人之夢。在這樣的社會，不論是以夢想維持人的尊嚴的梅洛迪，還是夢想佔有一切的哈福德們，都是生活的失敗者，作爲人對物質主義的失敗，但梅洛迪是受害者，哈福德們則是自己毀滅自己。

在後期劇作中，奧尼爾依然把死亡看作探討人生意義的主題，但宿命論色彩代替了以前的積極樂觀精神，死亡不再被肯定爲體現人生意義和快樂的源泉，而是逃避生活苦難的一種方式。霍普酒館裏看透人生的哲學家拉里一直渴望死亡這種美好的睡眠，但實際上對死亡充滿了恐懼；《進入黑夜的漫長旅程》（Long Day's Journey into Night）中的愛德蒙抱怨自己最大的痛苦是沒能做一隻海鷗或一條魚；《月照不幸人》（A Moon for the Misbegotten）中的喬茜所能給予帶有沉重負罪感的蒂隆的愛只能是祝願他“不久在睡夢中死去，在永遠的寬恕和平靜中得到安寧。”奧尼爾劇中的這些主人公無論是渴求肉體的死亡，還是對白日夢的沉迷，都是因爲對生活的絕望，是爲了逃避逼迫而來的生活現實和對生活及自我的責任。他們無法與虛僞貪婪的社會和諧，誰也逃脫不了生活的擺佈，因爲“生活施加於我們的東西在我們還沒有意識到它們的時候就已經加在我們頭上了”，（《進入黑夜的漫長旅程》中瑪麗語）直到最後什麼都成了他們與理想之間的障礙，而他們也因此永遠失去了自我。在這種情況下，任何抗爭的行動都只徒然增加了失敗的痛苦，而死亡和精神麻木則至少能使他們暫時忘卻塵世的苦難，使他們至死保持有人的尊嚴和驕傲。因此，他們都在不斷地追求他們的夢想，儘管他們理智上知道夢想已決不可能實現。夢想已不僅僅是一種朦朧的精神安慰，而是具有了明確的現實意義，因爲對他們這些不走運的“瘋子”來說，事實與他們不相干也不重要，只有白日夢才把生命賜給他們。

在《進入黑夜的漫長旅程》的獻詞中，奧尼爾感嘆自己“終於可以面對死亡了”，他也終於能夠坦然面對世界的苦難和痛苦了。他後期作品中的主人公既不再充滿激情，也不再悲天憫人。但這份坦然不是奧尼爾逃避自己對人生的責任，而是他瞭解人生的痛苦，又知道在自己所處的社會中痛苦無法解脫。但他畢竟是一個始終對人類抱有美好願望的劇作家，他的超然始終掩蓋不住他對人的同情和憐憫。人非草木，誰不珍惜僅有的一次生命？誰不希望自己的生活充實、快樂？人之所以願意去死或把自己變成沒有靈魂的木頭人，無非是生之痛苦過甚。將死亡或白日夢作爲自己主人公的唯一出路，這本身就表明奧尼爾對人生無出路的憤慨和對人的關心。人應該過更美好的生活，也能夠爲這一目標承受種種的不幸和痛苦，但在一個沒有希望的社會，他們連這種痛苦的權利也沒有了。

晚年的奧尼爾儘管對現實、人生感到絕望，卻無法不對人抱有希望，這使他的悲觀中又帶有樂觀。後期劇作中主人公的生活儘管已被證明毫無希望，但他們仍堅持幻想，因爲只有這樣才能使他們陰暗的生活多少具有一點亮色，而且能代表他們雖然失敗，但決不失人的尊嚴的願望，使人在絕望中總能得到一些精神安慰。在這些劇作中，人與人之間不再充滿緊張的衝突和鬥爭，而代之以理解和同情。這是作者看透人生後所能給人的最好的希望了，就如在寫完《送冰人來了》之後他在給友人的信中所說：“這個劇本有時候突然把人的靈魂深處剝得赤裸裸的，然而這不是出於殘忍，也不是出於道德上的優越感，而是出 於一種來自理解的同情。”[18]這種理解和同情是帶著作者的血和淚的。霍普酒館裏的房客們互相安慰白日夢；幻想破滅後的梅洛迪得到了妻女的原諒；蒂隆和喬茜之間將要激化的矛盾也因互訴衷腸而轉化爲聖潔的愛；泰隆一家（《進入黑夜的漫長旅程》）最終也不再互相怨恨。經歷了生活的艱辛，才懂得理解和同情的可貴，這種理解和同情就是基於他們懂得人是被生活嘲弄的，是他自己的犧牲品。同爲生活的棄兒，就應該互慰孤獨和爲人的艱辛，藉以維持在敵對世界生活下去的信心，感受到一點人性的溫暖。

奧尼爾以自傳性主人公愛德蒙（《進入黑夜的漫長旅程》）的新生，表明自己並未放棄對人的希望。愛德蒙是奧尼爾後期劇作中唯一得到新

---

18 Gelb, Arthur and Barbara ：“O’neill”, New York：Harper and Row Publishers，1973 年出版，第 837 頁。

生的理想主義者。與其他人相比，他的病主要是在肉體上，而非精神上，因而還有醫治好的希望。他雖有過迷茫，“既不知道走向何方，也不知道爲了什麼”，但他仍有探索生活奧秘的願望，有行動的能力。他曾當水手“走南闖北，跑遍了地圖上的每一個地方，”相信自己一定能追求到“自由到來的狂喜時刻”，得到“顯示生活全部秘密的那一瞬間”，從而得到寧靜，達到追求的目標，“抵達最後的港口，只有滿足的喜悅。這種滿足，人生再有多少卑鄙、可憐、貪婪的恐懼，希求與幻想都可能得到”。當他在大海上與大自然融爲一體時，他終於實現了這一願望。從愛德蒙的新生，奧尼爾似乎要說明：人性自由的那一刻終會到來，希望雖然渺茫，但總有希望，自己也終將能克服對人生的絕望，尋找到生活真諦。

與他的主人公一樣，奧尼爾一生有精神迷惘、痛苦的黑夜，也有領悟到人生奧秘時的狂喜。他面對的生活是複雜的、矛盾的，他對生活的思考是痛苦的、嚴肅的，但他始終關注著處於精神危機中的現代美國人的痛苦，始終沒有忘記諷刺造成人的精神痛苦的現代美國文化危機，這決定了他雖然努力不使自己的劇作有任何社會意義，卻無法使它們不透露出對現實文化的強烈反叛。死亡意識無論體現爲樂觀主義還是悲觀主義，都服從於這一潛在主題。

尤金·奧尼爾的《榆樹下的欲望》

在美國劇作家尤金·奧尼爾的戲劇創作中，《榆樹下的欲望》標誌著一個關鍵的轉捩點。在《榆》劇之前，他的劇作的主題是“人與命運鬥”，命運作為一種無形的神秘力量始終籠罩在每個人頭上；而從這部劇作開始，他的劇本開始表現“人與人鬥”，“人與自己鬥”，個體無意識衝突被看作悲劇的根源。在這部劇作中，奧尼爾通過人物之間、人物自身的矛盾性及其導致的個體的悲劇結局，揭示了人生悲劇性主題，蘊涵了對美國現代文化的批判，同時以主人公在和自己的命運進行抗爭時所表現出的悲劇力量，表達了自己獨特的悲劇美學思想。

一

很明顯，《榆》劇是一部欲望悲劇，“一出人為了在這兒建立起自己的天堂而拼命佔有土地、人與錢財這一可憐欲望的悲劇。”[1]在這部悲劇中，物質貪欲、情欲成為劇中人物內在的精神力量交叉混合、既矛盾又統一，構成一張無形的欲望之網，而人們則如這張網中的魚，在進入這張網前拼命要鑽進去，但一旦進去就馬上又想掙脫，但左沖右突，就是擺脫不了即將到來的悲劇結局。可以說這部劇作中的人物無不生活在悲劇之中，但悲劇的製造者恰巧就是他們自己，而且他們在造成自己悲劇的同時，還促成了他人的悲劇。《榆》劇中，人物之間的矛盾衝突、人物的命運結局都緊緊圍繞著對田莊的爭奪展開。田莊的主人凱勃特、他的第三任妻子愛碧、前妻的兒子埃本組成的父子關係、夫妻關係、母子關

1 T·Bogard and J·Bryer：“Selected Letters of Eugene O'neill”, Yale university press,New Haven and London，1988 年出版，第 194 頁、160 頁。

係剛開始完全是欲望關係，而且他們每人都因對物質的強烈的佔有欲望而靈魂被扭曲。這種佔有欲在他們之間形成一種強烈的悲劇張力，使他們在向著自己的目標前進時始終又擺脫不了緊張和恐懼，結果驅使他們只能採取極端的行爲方式實現自己的願望。

《榆》劇的深刻性在於把劇中人物的悲劇性處境置於社會文化矛盾之中。劇中的文化背景是清教主義中的物質主義因素，這種因素是清教文化中最具動態性，也是與人的精神靈魂根本對立的因素，是造成人物悲劇的一種無形但無時不在的壓迫力量。劇中人首先都是物質主義的信徒，每個人都把佔有農莊看作實現自己生命價值的標誌。如果說在物質主義發展初期人們追求財富、創造財富還是爲了享受物質成功的快樂，那麼《榆》劇的主人公佔有財富則純粹是爲了重獲一個新信仰，農莊因而可以說已經失去了現實的物質意義，而是成了人們獲取生活信心的保證。他們的物質貪欲只是形式，實質上滿足的是他們的精神需要和靈魂需要。正是因爲他們各自都賦予農莊如此重要的意義，他們才表現出如此強烈的佔有欲，不顧一切代價要得到它。這種佔有欲作爲主體的內在情緒力量，一直在驅使著他們擴張自己的欲望。

創作《榆》劇時，奧尼爾正迷戀於尼采關於主人道德和奴隸道德的倫理思想，在這部劇作中他就是以主人道德行爲作爲規範，塑造了具有堅定的意志力量的“主人”形象，他們不斷抗爭、伸張個性，每個人都想成爲自己的主人，他人的主宰，爲達到個人目的不惜一切。凱勃特始終遵從堅強而孤獨的上帝，並努力也使自己變成這樣的上帝（這種上帝實際上是他內在的意志力量，而非宗教意義上的上帝）。他在遍地石頭的荒灘建成一座人人嫉羨的農莊，並用自己變得像石頭一樣硬的心，把農莊緊緊地控制在自己手裏；愛碧是一個孤苦的女人，一輩子爲人當牛做馬，從來沒有自己的家，她之所以要嫁給比自己大 30 多歲的凱勃特，目的當然就是爲了佔有農莊；埃本一直堅信是凱勃特的冷酷逼死了自己的母親，並奪走了過去屬於母親、現在理應屬於自己的農莊，他因而仇恨凱勃特並千方百計要奪回屬於自己的農莊。這樣，田莊裏的三個人誰都覬覦著農莊，相互之間必然產生劇烈的衝突，使他們在相互牽制中又彼此折磨，但同時他們又都如被某種神秘無形的力量追逐著的獵物，天天惶惶不安，最終在無以排解的憂鬱、恐懼中走向悲劇結局。劇中三個人物的性格和命運是在不斷變化發展的矛盾衝突中得到展露和完成的。根據人物之間關係的變化，我們可以把劇中的矛盾發展分為這樣幾個階段：

1．劇始，凱勃特就要結婚，這意味著埃本和他的兩個哥哥都失去了繼承財產的希望，兩個哥哥因這個原因和對凱勃特的仇恨要到加利福尼亞謀生，埃本趁機收買了他們的繼承權，使衝突集中在他和凱勃特之間；

2．繼母愛碧來到農莊，矛盾在三者之間重新組合，每個人都受到另外兩股敵對力量的壓迫。悲劇張力加強，人人都更加緊張和恐懼；

3．愛碧和埃本私通，兩人正面衝突消失，但潛在矛盾存在並逐漸發展；

4．埃本誤解愛碧是想利用自己生個兒子獨佔農莊，兩人之間的潛在矛盾外現並激化，但衝突是單向的，愛碧對埃本沒有矛盾；

5．愛碧和埃本消除了誤會，放棄了對農莊的佔有欲，為愛情選擇死亡，凱勃特成為農莊的唯一佔有者。

在這些矛盾變化發展中，凱勃特始終是矛盾的主體，始終與其他人之間存在著不可調解的衝突。在爭奪農莊的鬥爭中，凱勃特充分表現出自己性格中壓倒一切的意志力量。他始終佔有主動，支配著他人的命運，最終打敗了所有的對手，獲得了農莊，並在孤獨絕望中表現出生命力的強盛。在濃重的物質主義佔有欲的壓迫下，人與人之間只有仇恨和恐懼，每個人都對別人構成潛在的威脅，人要生存就必須戰勝自己的對手，否則將成為別人的犧牲品。凱勃特的悲劇性在於他把佔有物質財富當作在茫然無措中可以使自己重新獲得安全感和生存信心的保證。他自覺犧牲人性，拼命創造財富、佔有財富，把一生都花費在創建產業上。但也就是在這個過程中，他和農莊融為一體了，農莊裏融進了他的血、他的肉、他的骨，代表著他生命的全部意義，而劇中其他人並不能瞭解這一點。正因為失去農莊就等於失去了他在世上的一切，所以他才那樣緊緊地控制著它，保護著它不被別人搶走，甚至計畫在臨死前也要“放一把火，看著它燒光……這所房子、每粒玉米、每棵樹，一根乾草也不留，我要坐著，看著這些東西和我一道同歸於盡，誰也別想得到我的東西。”也許這使他顯得過於冷酷貪婪，但他的行爲實在是因爲田莊就是他自己，若能瞭解這一點，他的冷酷也就引人同情了。

凱勃特心中的上帝造就了他堅強的意志和創造力。他認爲上帝就是像石頭一樣堅強，而他最瞭解的就是石頭，並且自己就像石頭一樣堅強，那他就應該能瞭解上帝。“上帝是堅強的，他不是軟骨頭”，這就是他心中對上帝的信念。五十年前，他曾因爲忍受不了創業的艱辛從這塊亂石灘逃到肥沃的密西西比河河谷去種莊稼，那是“只要犁一犁，播下種子”，就可坐等成爲富翁的土地，但就在莊稼成熟的季節，他好像聽到了上帝的召喚：“這些對我一錢不值。回家去，快！”他連已經成熟了的莊稼都沒收，就急忙回到自己曾逃離的地方，他要在岩石上建築上帝的教堂。他“每天舉著一塊石頭，爬山越嶺、上上下下”，把地圍起來，硬是在亂石堆中種出了莊稼，從而也使自己變成了一個像上帝一樣堅強的人。在這個過程中他也軟弱過，感到過孤單，也需要愛和瞭解，但田莊裏不但沒有人瞭解他，反而因他堅強的意志對別人造成的威脅而使他只得到仇恨和詛咒。在知道了愛碧和兒子對自己的欺騙後，他也有過片刻的幻滅感，打算放棄農莊，歸還給上帝，但他很快又在上帝的聲音中恢復了力量，在孤獨中再一次挺起身子：“好吧，你要什麼？上帝是孤獨的，不是嗎？上帝既堅強又孤獨。”凱勃特生命過程中表現出的這種頑強的生命力，使其超越了自身性格的缺陷而成爲具有崇高美學價值的悲劇人物。

與凱勃特相比，愛碧和埃本有著同樣強烈的物質佔有欲，但由於他們所要佔有的對象農莊此時已被強有力的凱勃特控制，他們的佔有欲的實現注定不能採取直捷的方式，而只能是隱曲的、變化的，而在追求自己願望的過程中，他們又表現出不同的行爲方式，顯示了性格上的差異。

從劇本可以看出，愛碧的佔有欲就像屋外的兩棵老榆樹，她“使人感到一種不祥的、充滿妒意和征服一切的母性心理”，她的“眼睛裏有一股堅決的、毫不退卻的神氣”，身上“有一種騷動、野性和不顧一切的氣質。”她也毫不掩飾自己的欲望，她的佔有是主動的、熱烈的。愛碧已經體驗過太多的生活痛苦，她瞭解生活的嚴酷性，知道要保證自己的幸福只有佔有財產，因而在佔有農莊的過程中她意志堅決。在農莊她表面上成了主人，甚至連凱勃特都受她控制，但實際上她無時不處於凱勃特的精神壓制之下。她勾引埃本，最初也是出於對凱勃特的恨和佔有財產的欲望，但在佔有埃本的過程中，她的本能欲望、自然情感逐漸壓倒了對物質的貪欲進而昇華爲純真的愛情。她對愛的佔有同樣是熾熱的，當最後不得不在兒子 —— 財產的象徵 —— 和埃本之間選擇時，她竟親手殺死了自己的兒子。對一個母親來說，還有什麼能比這種選擇更能表明愛的真誠呢？在死氣沉沉、冷酷無情的物質主義世界，即使她的死也是一束人性的光輝。

在農莊的三個人中，埃本的性格最複雜、矛盾。他也有強烈的佔有欲，但他沒有凱勃特和愛碧性格中那樣堅定的意志力，佔有欲也沒有他們果斷、明確。性格的軟弱、欲望的強烈，使他在爭奪農莊的鬥爭中過多地將與外界的矛盾化解爲內心的矛盾，從而加劇了他自己內心的痛苦，產生較多的焦慮與恐懼。他沒有勇氣和力量直接表達和實現自己的願望，而只能採取種種隱秘、間接的手段：用計收買兩個哥哥的繼承權說明了他的機智，但也表明他的軟弱；佔有曾是父親情婦的敏妮也是從中獲得戰勝父親的滿足。強烈的本能欲望使他不由自主地受到愛碧的吸引，但又因她是自己爭奪農莊的敵人而仇視她，當最終抵擋不住誘惑與愛碧結合時，他仍認爲自己這樣做只是出於對凱勃特的報復。其行爲的這種兩面性表明了他在愛情和財產之間選擇時的迷茫，而正是因爲對自己的真實情感不明確，才導致其愛的不堅定，缺乏自信，表現出過多的猶豫、猜忌，最終因誤解而情感失控，親手導演了兩人的愛情悲劇。在滿足自己欲望的過程中，埃本剛開始並沒有像愛碧那樣爲愛情犧牲物質貪欲，他之所以譴責愛碧虛僞，罵她是毒蛇並詛咒自己兒子的出生，也是因爲他相信自己和農莊都將被愛碧吃掉。只有當他從情緒迷亂中清醒過來，認識到自己真正需要的是愛情時，他才甘願放棄財產，與愛碧一起接受世俗法律的制裁。

愛碧佔有財產和愛情，埃本渴望獲得農莊以及最終的回歸人性，目的都是要獲取生存意義，而他們佔有的急切和最終的失敗，則揭示了現代美國社會一切傳統美德、信仰煙消雲散後人的精神危機。

二

在這部劇本中，奧尼爾努力將人物置於一種古希臘悲劇的簡樸氣氛。孤零零的農莊，清冷的石頭，屋外兩棵“把房子壓得透不過氣來”的老榆樹，生活在樹下的人們身上奔突著的原始欲望，形成一種潛在的、綿延不絕的精神壓抑力量，驅使著主人公在衝突鬥爭中展示性格的各個方面，走完悲劇歷程。在爭奪農莊的鬥爭中，勝利者似乎是凱勃特，因爲他最終仍緊緊地控制住了農莊，也因此不少評論文章稱凱勃特冷酷無情，是壓抑人性的清教主義的代表，資產階級佔有欲的典型，毀滅愛碧與埃本愛情的罪魁禍首等。得出這樣的結論不外乎兩個前提 A：愛碧與埃本的愛情是在與凱勃特的鬥爭衝突中毀滅的。但劇本清楚地表明：凱勃特始終不知道自己的妻子和兒子在通姦，倒是愛情主體之間的矛盾造成了死亡的愛情，直接原因是埃本的誤解；B：凱勃特作爲一種潛在的威脅力量，造成愛碧和埃本的緊張、恐懼，從而引發了悲劇。這種論據也不充分，因爲威脅是相互的，他們的愛情對凱勃特也是一種威脅：凱勃特總感覺到房間裏有種奇怪的東西跟蹤著他，使他不安與孤寂。對劇中人物的這種不確切的評價，一方面是因爲還沒有擺脫傳統的社會功利批評標準，帶有較多的主觀色彩，但更重要的是沒能真正把握奧尼爾賦予其人物的悲劇價值，沒有從奧尼爾的悲劇美學思想出發。

奧尼爾一貫反對將其人物作倫理、道德的區分，在他看來“沒有好人或壞人，都是人，事情也是如此。作好壞之分是愚蠢的”[2]，“沒有必要在劇本中專門爲什麼人打抱不平。”[3]他一再強調自己是要用不同的人物性格反映生活本身，“是按實際情況展示人性，也就是說用人的生活揭

---

2 T·Bogard and J·Bryer：“Selected Letters of Eugene O’neill”, Yale university press,New Haven and London，1988 年出版，第 194 頁、160 頁。

3 O·Cargill, N·Fagin and W·Fisher：“O’neill and His Plays：Four Decades of Criticism”, New York university press，1961 年出版，第 110 頁、107 頁。

示真理。”[4]他劇中的不同人物性格實際上只是代表著生活的不同方面，從而展示生活的豐富性，並以各自獨特的方式揭示生活悲劇性的實質和原因。從這個角度講，《榆》劇不是爲了批判資產階級的佔有欲，也並非表現肉欲、亂倫、復仇、謀殺的種種罪惡，而是要揭示“人”的悲劇性。這些“人”並非赤裸裸毫無靈性的肉體，而是有血有肉的善良、正直的人，不同的只是他們完成悲劇的方式：凱勃特始終自覺遵從心中的上帝而犧牲人性；愛碧和埃本則是由對物質主義的遵從到反抗，最終爲愛情放棄財產。可見，奧尼爾對他劇中人物的態度是明確的。他們都是相同的人物，有著相同的原始感情、野心和動機，相同的力量和弱點；他們都不滿足於現狀，都要竭力擴張自己的欲望，並在必然的衝突中戰勝他人獲得勝利。他們之間互爲手段、互爲威脅、充滿仇恨，從而造成一種綿延、滯緩的恐懼和壓抑，使他們誰都沒能過上正常人的生活。凱勃特在爭奪農莊的鬥爭中勝利了，但陪伴他的將是永遠的孤獨；愛碧和埃本爲了愛放棄了對物質財富的卑瑣追求，享受到人性的溫暖，但又只能以死亡爲代價。這說明，無論是以物質主義爲信仰，還是希望從人性中獲得幸福，結局都必然是悲劇性的。

“今天人們需要的不是沉思冥想，而是使自己能不因陷於這種紊亂的局面而感到痛苦。單單否認現實是不夠的，一定要有一些東西來代替現實”，[5]但人們因對自己和世界都難以作出正確的解釋而使“代替品”根本無法撫慰精神的荒原。《榆》劇中濃烈的物質主義氾濫氣氛，主人公精神的惶惑不安，就是這種時代病症對個體滲透的結果。劇中主人公都是在執著地尋找著人生的意義，他們也有真誠善良的人性，但衰敗的文化已經摧毀了他們享受人性幸福的正常心理機制，使他們的人格呈現爲畸形性、變態性。凱勃特自覺泯滅人性，使得自己對溫情和愛的渴求也變成對他人的精神壓抑和威脅，最終他只有放棄做正常人的要求，甘做

---

4 O·Cargill, N·Fagin and W·Fisher：“O’neill and His Plays：Four Decades of Criticism”, New York university press，1961 年出版，第 110 頁、107 頁。

5 （美）約翰．霍華德．勞遜：《戲劇與電影的劇作理論與技巧》，中國電影出版社，1978 年出版，第 133 頁。

物質的忠實奴隸。愛碧和埃本儘管堅信自己對純真愛情的渴求是高尚的，但他們無意識中對文化力量的恐懼，又使他們對自己的行爲產生懷疑：愛碧殺死兒子後自認有罪，埃本對愛碧的譴責以及告發她後的悔恨，都揭示了文化與個體衝撞導致的人內心隱藏的痛苦。奧尼爾以主人公們人性的毀滅，寓示了對美國現代文化的批判。

奧尼爾的悲劇主人公都是既有美德又有缺陷的普普通通的人。他們既是生活的強者，又是弱者；既可同情，又可責難。凱勃特的冷酷，埃本的虛僞，愛碧爲了愛情竟然殺死自己的親生兒子，這些都使他們在展示自己堅強的生命力的同時，又暴露出人性的缺陷。但這種缺陷恰能表明他們作爲悲劇人物的完整，因爲按照希臘悲劇觀念，真正的悲劇人物既不十分善良也不十分公正，而他們之所以陷於厄運，並不是由於他作惡，而是由於他犯了錯誤。但當面對強大的異己力量時，他們性格的缺陷便成爲他們悲劇的直接原因。現代的坦塔羅斯不但受到命運的懲罰，而且還自我折磨。《榆》劇的主人公們處在這種悲劇性處境，一方面表現出不可遏制的探求生活、實現自己價值的願望，但另一方面，他們的命運又如古希臘悲劇表現的那樣："你一旦踏上一條道，不管你做什麼，不管你怎樣試圖改變或糾正你的生活，你都辦不到，因爲命運或隨便你稱它什麼，會沿著這條路將你往前推。"[6]奧尼爾感受著作爲現代人的這種精神痛苦，又找不到拯救人類的現實途徑，於是他就在西方非理性文化思潮的影響下，基於自己的痛苦生活經歷與獨特感受，形成了自己獨特的現代悲劇意識。他相信人生而痛苦，悲嘆自己最大的痛苦是生而爲人："作爲一個人，我永遠是一個生活不慣的人……一個無所歸依的人……我一直喜愛死亡。"[7]奧尼爾認爲美國是迄今爲止歷史上最失敗的國家，因爲"一個人就是贏得了全世界，而喪失了自己的生命（靈魂），又有什麼益處呢？"[8]過去的美國人還能爲靈魂爭取到良好的價值，但現在再也

---

6 Gelb, Arthur and Barbara："O'neill", New York：Harper and Row Publishers，1973 年出版，第 353 頁。

7 Louis Sheaffer："O'neill：Son and Playwright", Boston，1979 年出版，第 165 頁。

8 奧尼爾：《論悲劇》，見《美國作家論文學》，三聯，1984 年出版，第 247 頁。

體會不到生命價值完善的喜悅了。

奧尼爾悲劇意識的核心是表現人在悲劇性的生活中竭力以自己的渺小征服無限的悲劇性抗爭精神。劇中三位主人公生活在靈魂失卻的環境，明顯意識到自己已不能掌握自己的命運，但仍竭力探求靈魂的完善。不管他們是選擇農莊還是愛情作爲證明自己生存價值、得到人的尊嚴的標誌，他們在追求自己的願望時，都表現出非凡的勇氣和力量，並把人的天性中的種種可能性推展到極限，在生活的鬥爭中顯示出自己作爲人的潛在力量，奧尼爾認爲這才是《榆》劇的最重要的特質，因爲他創作這部戲就是要力圖“使英格蘭地區受壓抑的生活多少有一點史詩色彩……這種詩的想像照亮了生活中即使是最卑鄙、最污穢的死胡同。”[9]在這個充滿物質貪欲、滿布仇恨的現實世界，他們有過孤獨、恐懼、痛苦，但都是在嚴肅地尋找生活的意義，追求著自己的願望，表達著自己對幸福的嚮往。儘管最後他們的所有追求都只證明他們失敗的必然，但他們能在絕望的境地裏繼續抱有希望，因而也就能進入奧尼爾爲他們安排的“星光燦爛、彩虹高掛的天堂。”[10]對現代人生的這種獨特理解，構成了奧尼爾悲劇的永久魅力，也是《榆》劇至今仍爲人嘆服的根本原因。

---

9 1925年奧尼爾寫給George Jean Nathan的信，轉引自劉海平：《奧尼爾戲劇美學思想初探》，南京大學出版社（哲社），1987年第2期。

10 奧尼爾：《論悲劇》，見《美國作家論文學》，三聯，1984年出版，第247頁。

克萊斯特《破甕記》的結構和喜劇藝術

德國文學史上最著名的浪漫主義文學流派有兩個，一個是十八世紀末出現的耶拿派或稱早期浪漫派，以施萊格爾兄弟、諾瓦利斯、蒂克等爲代表，另一個流派是十九世紀初的海德堡派或稱後期浪漫派，以阿爾尼姆、布倫塔諾爲代表。1809 年，阿爾尼姆與布倫塔諾到了柏林，並組織了一個"基督教德國聚餐會"，史稱柏林浪漫派，這一流派的文學成就遠遠超出前兩個浪漫派，而克萊斯特（1777－1811）則是這一流派中文學成就最大的。但克萊斯特雖然參加了這一流派，但實際上他的創作是很難用"浪漫派"這個簡單的標籤來概定的，因爲他的創作內容非常豐富，有浪漫的，有不滿現實、揭露現實的，也有歌頌國家主義的，也有反對法國大革命的，也有宣揚悲觀的宿命論的。克萊斯特從 1801 年開始創作，創作生涯不過短短的十年，但卻給我們留下了豐富的文學遺產，其中既有小說，但更重要的是他的戲劇作品。

一

克萊斯特的戲劇創作可簡單分成三類。一類是愛情悲劇，也稱爲"命運劇"，因爲這些劇本中的主人公都有純潔的感情和狂熱的情欲，但總是在某種神秘力量的壓迫下遭到毀滅，這些劇作宣揚了人在命運面前軟弱無力的神秘思想；第二類被稱爲國家主義的劇作，如《洪堡親王》(1810)，宣揚爲了國家利益而犧牲個人利益；第三類是喜劇，其中最著名的就是獨幕劇《破甕記》(1806－1808)，這部喜劇以出色的結構和引人入勝的戲劇情節而成爲歐洲戲劇舞臺上經演不衰的經典喜劇，也因而被與萊辛的《明娜·封·巴爾赫姆》、霍普特曼的《海狸皮大衣》並稱爲德國有史以來的三大喜劇。遺憾的是，克萊斯特的戲劇作品在他生前很少上演，即使上演也往往失敗，如歌德在1808年就曾在魏瑪劇院把《破甕記》改成三幕劇上演，但也宣告失敗。但他死後名聲卻越來越大，有人說他的戲劇才能已集埃斯庫羅斯、索福克勒斯和莎士比亞之大成；二十世紀他已被公認爲德國傑出的戲劇家；在六十年代，他的劇作竟成爲法國舞臺上演出最多的作品。至今已有越來越多的文學史家認爲克萊斯特在德國文學史上的地位僅次於歌德和席勒。

據作者在劇本的開頭說，《破甕記》是根據他在瑞士遊歷時看到的一幅題爲《法官或打破的罐子》的法國銅版畫創作的。這幅畫上畫的是一個法官嚴肅地坐在裁判席上，在他面前站著一個老婦，手裏拿著一隻被打破的罐子；被告是一位年輕的農民，法官正在嚴厲地訓斥他，把他當作罪犯，青年農民想辯護，可是明顯沒有力量。一個姑娘站在她母親和她的未婚夫 —— 那個青年農民之間，不知所措地搓弄著圍裙。克萊斯特在這幅畫的基礎上創造性地創作出一部輕鬆活潑，充滿民間風趣的喜劇。

這部劇的主要情節是說一個叫亞當的村法官一天深夜潛入村女夏娃房中，告訴夏娃她的未婚夫如普利希特將要去東印度服兵役，而到那地方的士兵都是九死一生，但他對夏娃說他可以幫助夏娃開一張假證明，使她的未婚夫不必到東印度去，接著他就乘機向夏娃強行非禮，這時恰巧如普利希特也來找夏娃，亞當跳窗逃走，慌亂中把房內夏娃母親珍愛的一隻罐子打碎，如普利希特追到窗邊，用門把手朝他頭上狠狠地砸了兩下，他認爲這個男人就是夏娃的另一個情夫皮匠雷伯利希特。這時夏娃的母親馬特太太聽到吵鬧聲來到夏娃的房間，一口咬定是如普利希特打碎了罐子，而夏娃也說是。第二天早晨，檢查官瓦魯特來檢查村治安情況，而夏娃的母親一手拉著如普利希特也來到村法庭要求法官逮捕打碎了罐子的兇手並要求賠償。一開始亞當千方百計想迴避，但最後不得不開庭審理，而又借不到假髮套，因爲他自己的假髮昨天跳窗時丟掉了，無奈，他只好光著頭來到法庭。在法庭上，他千方百計遮掩自己的罪行，先是威脅夏娃不要說出真相，然後又想方設法把罪行推到如普利希特身上，而如普利希特則指控夏娃與雷伯利希特有私情，夏娃則因爲害怕亞當報復不敢說出真情。後來當夏娃知道去東印度服役純粹是亞當捏造的時，就說出了真相，這時證人伯利吉特太太拿著亞當的假髮到庭，加上昨晚正好下了一場大雪，跳窗者的腳印一直通到法官的住處，至此真相大白，如普利希特掄起大棒向亞當打去，後者則從法庭狼狽不堪地跑到白雪皚皚的曠野。有情人也消除了誤會，和好如初。

《破甕記》成功地運用了“回顧式”（也稱“倒敍式”或“閉瑣式”）戲劇結構，這種結構形式顯然受到了希臘命運悲劇《俄底浦斯王》的啓發。這種結構的特點是：戲劇懸念在戲劇開端就已經形成，正面臨著危機和高潮，劇情的發展就是要由果及因，追本溯源，一步步揭示構成懸念的各種衝突，最後解決懸念，達到戲劇高潮。就以《俄底浦斯王》爲例，此劇的開端是因俄底浦斯犯了殺父娶母的罪行而招致神譴，給全城降下瘟疫，要求捉拿這個兇手，但誰也不知道兇手是誰。劇本就圍繞著這個懸念交代了一系列的往事，如“路口殺父”，“揭開謎語”，“結婚娶母”，“城邦瘟疫”等，最後神示應驗，俄底浦斯刺瞎雙眼自懲，全劇在一種悲壯、淒慘的氣氛中結束。《破甕記》一開始也同樣暗示“罐子已經打碎”，然後圍繞“誰打破了罐子”這個懸念設置矛盾衝突，一步步逼近高潮。但兩劇雖然採取了相似的結構，但由於作者塑造的主人公本質的不同，戲劇效果也就截然不同。俄底浦斯王的行爲表現爲動機的高尚和命運的不可抗拒之間的矛盾，其結局必然使人感受到“人的必然要求——掌握自己的命運”和這種要求的實際上不可能實現的悲劇性，而亞當的行爲則體現著本質醜竭力要表現爲美的滑稽性，其結局必然是喜劇性的。

《破甕記》對“回顧式”結構的成功運用充分證明了克萊斯特出色的戲劇才華，因爲採取這種結構而又能創作出成功劇作的劇作家並不多見，原因是這種結構一方面容易產生較強的戲劇懸念，造成緊張的戲劇衝突，並可以避免過多地在舞臺上正面表現事件的過程，使作者能夠抓住劇情向高潮發展的每一瞬間，集中筆墨刻畫人物的內心世界，但同時這種結構方法也是戲劇技巧中比較難以掌握的一種，它一般要求場景固定，出場人物相對要少，而且一般是僅靠人物語言來推動劇情的發展，因而才華稍遜就會使劇情流於純粹的敍述，使戲劇結構單調乏味，衝突也沒有張力。而《破甕記》則創造性地運用了這種傳統的結構形式，而且能做到揚長避短，使劇情始終處於緊張的衝突中，一直緊緊地抓住觀眾的注意力。

《破甕記》的矛盾衝突構成了劇情的豐富性，它們以“誰打碎了罐子”爲仲介，組成嚴整的戲劇結構。從衝突的表現及與戲劇高潮的關係來看，劇中人物之間的衝突可分爲兩類，一類是起輔助性的明衝突，包括馬特太太和如普利希特，如普利希特和夏娃之間的衝突；第二類是潛衝突，指存在於夏娃與亞當，如普利希特和亞當之間的根本性衝突。這兩類衝突即相對獨立，又彼此影響。明衝突是潛衝突發展的條件，只有解決了明衝突才能使潛衝突外化並發展爲尖銳的對立；潛衝突則是明衝突發展的目的和必然結果，也是解決明衝突的關鍵。

劇中矛盾衝突的設置與解決是同戲劇高潮相對立的，每一對衝突的發展和解決都形成一個高潮，明衝突形成小高潮，暗衝突形成大高潮，兩者環環相依、層層遞進，構成本劇波浪般迭進的高潮網路。劇本的高潮網路是這樣安排的：先是如普利希特被馬特太太指控打破了罐子，如普利希特則指出有第三者雷伯利希特 —— 因有人提供證據否定了雷伯利希特 —— 馬特太太提供新證人伯利吉特太太，如普利希特又將被證明有罪 —— 夏娃說出真相，證人提供假髮套和腳印痕跡，最後真相大白：法官成爲真正的罪犯。在這個網路中，最後兩個環節形成戲劇總高潮。馬特太太提供證人本來是要證明如普利希特有罪，結果反而把法官推向了被告席。至此，懸念解除，衝突結束，惡人受到懲罰，有情人終成眷屬。全劇有因有果，有始有終，構成一個完整的結構。

衝突是戲劇的靈魂，沒有衝突就沒有戲劇，但並非只要有衝突就是一部好的戲劇，這要看劇作家是如何組織安排這些衝突的。好的戲劇衝突應該能使觀眾始終處於觀賞期待中，就像狄德羅所說的：“讓我不但滿足於當前的情況，而且急於知道接踵而至的是什麼；讓一個劇中人使我期待著另一個劇中人，讓一個事件把我驅向另一個與之關聯的事件，各場戲都很簡潔，只包含劇情所必須的東西，這樣我就會覺得興致勃勃。”[1]《破甕記》爲了始終保持觀眾的期待，使衝突具有吸引力，一方面加強了懸念，增強衝突的生動性，另一方面在衝突之間巧妙地安排心理間歇，

---

1 狄德羅《論戲劇詩》，《狄德羅美學論文選》，人民文學出版社，1984 年，第 174 頁。

也就是說在前一個衝突結束，後一個衝突到來之前，給觀眾提供一種比較輕鬆的氣氛，使觀眾在心理上能夠適當的放鬆，就像音樂的節奏有舒有急一樣，否則觀眾始終處於緊張的心理狀態之下就很容易疲勞，這樣反而收不到預期的戲劇效果。在馬特太太提供的證人伯利吉特太太出場前，整個劇情就處於一種悠閒、輕鬆的氣氛，亞當在陪著檢查官喝酒，其他有關人員也都在休息或聊天，但這種輕鬆並非沒有衝突，而是在這樣安靜的背景下潛藏著更大的衝突，如就是在聊天中夏娃才從檢查官嘴裏知道所謂的到東印度服兵役之說全是騙人的鬼話，於是才決定說出真相，從而把劇情向最後的高潮推進了一大步。另外，在這之前，案情已經一波三折，而伯利吉特太太的出場顯然將決定著誰是真正的兇手，也就是說全劇的總高潮即將到來，在這種風雨欲來的緊張氣氛下安排這樣輕鬆的劇情，就可以讓觀眾利用這段時間從劇情中暫時脫身出來，一方面可以對這之前的各種矛盾衝突進行思考以猜測可能到來的戲劇高潮，一方面可以越來越增加對高潮的期待，這無疑是讓觀眾也參與劇情的發展，使戲劇衝突更有張力。

二

“喜劇是將人生無價值的東西撕破給人看”。從美學範疇來看，喜劇是狹義的滑稽，一般是通過表現現象和本質之間的矛盾，用滑稽性的情節和性格，造成否定性笑的經驗，從而達到鞭撻假惡醜，張揚真善美的審美效果。《破甕記》的全部喜劇性集中在對亞當這個喜劇性格的塑造上。克萊斯特運用了多種喜劇手法，成功地表現了亞當性格的喜劇性。

作爲戲劇舞臺上的丑角，喜劇性格最易產生喜劇性的因素是滑稽的外表、不合時宜的衣著、長相的奇特等，在中國戲曲中則直接以臉譜來代表。由這種人物外表的缺陷引發的笑的經驗，曾被一些評論家從倫理角度批評爲一種“幸災樂禍”心理，柏拉圖在《斐利布斯》、拉法格在《古今戲劇》中都持這種觀點。但不管這樣引起的喜劇性的笑是出於善意還是惡意，主體的滑稽外表易產生喜劇性卻是誰也不能否認的事實。《破甕記》對亞當外貌的集中刻畫共有二處：一是在他出場時：鋥亮的光頭，滿頭的傷，一隻馬蹄子一樣的腳；第二次是他退場時。這時真相已經敗露，四周一片喊打聲，他驚慌而逃，這時他光頭上擦滿了白粉，跛著馬蹄子腳在大街上狂奔，背上是從夏娃房中逃出時跌落的那付又高又亮，塗滿了油的假髮。這兩處外貌描寫只寥寥幾筆，但已經將這個貪淫好色、自作聰明、愚蠢虛僞的鄉村惡法官嘲笑得淋漓盡致。

喜劇化的外表雖然容易構成喜劇性，但若只有這樣的喜劇性顯然是遠遠不夠的，因爲喜劇要撕破的是喜劇性格的本質的醜。克萊斯特運用人物性格化的語言，直切人物靈魂深處的滑稽性，創造出喜劇性格的豐富性、複雜性。

亞當打破罐子後，儘管表面上仍想裝得鎮靜自若，但因心裏有鬼，說話時總給人一種“此地無銀三百兩”的感覺。如在審判開始前他說自己對即將到來的審判有一種“不吉利的預感”，並告訴書記官利希特自己做了一個奇怪的夢，在夢中他既是法官又是犯人，而且自己對著自己“叫駡、申斥、責備，把自己的脖子套進枷鎖裏”，最後兩人變成一個人逃跑了。這個夢實際上是他潛意識中恐懼的再現。也就是在這種潛在的恐懼心理的支配下，他在審判過程中總是不自覺地表現爲法官和犯人這兩種截然對立的身份，從而導致他語言行爲的荒謬。“喜劇的本質是生活現象和生活本質及使命之間的矛盾。就這個意義來說，生活在喜劇中是作爲對自己的否定而出現的。”[2]亞當竭力要掩飾自己的醜，結果他的每一次掩飾都只促使自己的醜的暴露，他一次次對自我肯定的努力實際上卻變成了對自我的否定。這種自己批判自己所導致的可笑性，無疑更增加了對喜劇性格的批判力量。

亞當的語言體現著他的喜劇性性格。戲劇剛開始，亞當爲自己身上的傷和假髮所做的辯解就明顯是自相矛盾的，他一登臺亮相就爲我們活畫出一副虛僞又愚蠢的嘴臉。在法庭上，他看到前來打官司的人對自己不利，他就自言自語說：“哎，真見鬼，你瞧！親戚們全來了！——他們總不會到我這兒來控告我的吧？”他還悄悄向夏娃打聽他們來的目的，碰了釘子後，他預感不妙，又自語道：“真倒楣！我簡直斷定不了這件事！——當我離開的時候，什麼東西嘩啦啦地響了一聲？”這種獨白與自我

---

2 《古典文藝理論譯叢》第六輯，第 109 頁。

招認又有什麼不同呢？但一般誰又會把一向為人尊敬的法官與荒淫無恥的罪犯聯繫起來呢？隨著矛盾衝突的展開，亞當越來越不自覺地表現出自己與案件的直接聯繫。當如普利希特在法庭上講述自己那天晚上是如何追打罪犯時，亞當和他之間有一段妙趣橫生的對話：

如：……那時我手中正拿著門把手……於是我就用那門把手重重地打了他的腦袋。

亞：是一個門把手嗎？

如：是的，就是門把手。

亞：怪不得——

……

利希特：說真的！你以為是鐵杆嗎？法官先生？

亞：是鐵杆！

如：鐵杆！那可不是鐵杆。是門把手倒過來的那一頭。

亞：是門把手倒過來的那一頭！

如：不過我必須說一下，在門把手上面有一塊鉛，就像一個劍柄。

亞：是，像一個劍柄。

在這番對話裏，亞當好像忘記自己正座在法官席上，而不自覺地流露出自己就是那個被追被打的人。這種近乎冥頑的蠢態，不但可笑，而且要使人厭惡了。

構成亞當喜劇性格的另一個重要因素是他行為的悖反常規。作為一個法官，他在法庭上不問案情的是非曲直就忙著做出判決、退庭。看這一招不行，他就胡攪蠻纏，一會兒說罪犯是如普利希特，一會兒又說是雷伯利希特，最後無人可倚，魔鬼竟也成了他的替罪羊；他甚至回避案情，荒唐地要借助哲學來尋找案情真相。知道檢查官瓦魯特要來，他的第一個反應就是裝病，而當意識到法庭上情勢對自己不妙時，他立刻說自己“支持不住了，要上床去休息。”這些過於悖反常理的行為無疑更增加了他的可疑性、可笑性，最後連毫不知情的檢查官也對他產生了懷疑：“就算你自己把罐子打破了，恐怕你也不會比現在更積極地把這種嫌疑推到這個年輕人身上。”亞當的這種實際上是一種自我否定式的行為，已把他由一個被動型滑稽人物轉化爲一個主動型滑稽人物，但他仍“身處滑稽之中而全不自知，”從而使其性格的可笑味更具有諷刺力量。

喜劇性格的喜劇性一般表現爲滑稽，而從審美屬性上看，滑稽又是一種特殊的醜。“醜，這是滑稽的基礎、本質……因此，只有當醜力求自炫爲美的時候，醜才變成滑稽。”[3]車爾尼雪夫斯基對滑稽的這種界定，實際上也就是黑格爾所謂的“本質與現象的對比”的矛盾。亞當喜劇性格的滑稽性表現在：他是罪犯，本質體現爲惡、醜，但他卻竭力要表現成一個清白、公正的法官。這就必然產生不和諧，引發諷刺性笑的經驗，從而導致自我否定。最後，當其罪犯身份已經明瞭，瓦魯特爲了使其免於玷污法律的尊嚴，實際上是包庇他而讓他迅速判決時，他反而比以前更加“鎮定”，而且還大談榮譽、正直，甚至當如普利希特要將他從審判席上打下來時，他仍是先彬彬有禮地告別，然後才撕下最後一張面具逃跑。亞當掩蓋醜行時的恐懼和醜行敗露時的“鎮靜”，都表現爲對自我的否定，而作者同時從這兩種矛盾的行爲中挖掘出的人的本質的滑稽性，則使劇本的喜劇性更加濃烈。

《破甕記》描繪了一幅“當時普魯士農村的出色的現實主義圖畫，”表現了“克萊斯特走向客觀的、批判現實主義的巨大才能，”[4]但不可否認的是，由於他在思想上仍然屬於貴族階級，使得這部劇本沒能更進一步揭示出戲劇衝突所賴以建立的社會矛盾和有關社會問題。劇本在給人豐富的欣賞快感的同時總還使人隱隱感覺到底力不足，原因就在這裏。

3　《車爾尼雪夫斯基》（中），上海譯文出版社，1979年，第89頁。
4　《克萊斯特小說戲劇選．譯本序》，上海譯文出版社，1985年。

普拉東諾夫的《地槽》

在回歸的前蘇聯二三十年代的作家中，普拉東諾夫作爲一個“具有獨特風格的天才”日益受到人們的關注。但令人困惑的是，人們對他的研究越深入，越感到“要和他處於同一位置，還需在精神上作出巨大的努力。”[1]這是因其獨特的象徵、誇張、怪誕的藝術風格，和其思想的深刻所致。普拉東諾夫曾是一個熱情謳歌時代狂熱的革命知識份子，但最後因不能“長久地忍受真理與現實之間的斷裂”，而開始冷靜地思索，並在俄羅斯民族探索真理的歷史與現實的關照中，宣告了狂熱現實的荒謬而超越了時代，走向歷史的必然。

一

普拉東諾夫的思想基礎是俄羅斯民族自發性的哲學觀與無產階級世界觀的結合。在他看來，生活的真理和意義是由人民的世界觀決定的，而十月革命的目的，也是爲了將傳統的俄羅斯歷史上的探索真理和布林什維主義結合在一起，爲了在大地上真正實現人民的真理。但當他這種理想的真理求索被置於“左”傾狂熱的現實中時，兩種異質文化精神產生了劇烈的碰撞，而衝突的結果必然是作爲時代主潮的烏托邦思想窒息他對真理的微弱呼喚。《地槽》創作於30年代初，正值烏托邦共產主義運動達到高潮，也是普拉東諾夫經受著種種不幸、痛苦，思想探索更爲艱難的時期。作品忠實地記錄了作者這一時期的精神痛苦。

《地槽》描寫的是在廢墟上建築全體無產者都能住進去的大樓和農村集體化運動兩個不和諧畫面，前者是狂熱的理想，後者是殘酷的現實，現實的殘酷源於狂熱的理想，兩者既相對獨立，又彼此交融，共同構成

---

1 《普拉東諾夫在今天》，見《蘇聯文學》，1988年第2期，第82，81頁。

了現實荒誕的鮮明畫面，冷峭地諷刺了思想幼稚病的狂熱。普拉東諾夫運用俄羅斯民族文學傳統的假定性藝術手段，在小說中隱喻着民族對生活中幸福求索的精神底層，並力求在“自己的想像中提出人們的一切毛病和過失，並試圖幫助人們成爲健康的人”。[2]但當他在自然和歷史的宏大背境襯托下，將社會問題置於更根本性的民族歷史運動中時，他只發現自己無法找到實現這個目的的途徑。失望和鬱悶的痛苦使他俯瞰現實高歌低吟、譏笑含淚，對人民真理的忠誠又使他將既怨又愛、既痛苦又無可奈何的矛盾紐結，化作求索真理、尋找人類幸福和人生意義的執著。他的思想是冷峻的、容智的、也是茫然的。他的智慧折磨著他，使他感受到現實與歷史的斷裂，並要犧牲自己去彌補這斷裂，但自己的微小卻徒然襯托了斷裂的荒涼，增加了自己的孤獨和憂苦。曲高和寡的鬱悶、孤掌難鳴的悲哀，發現了荒誕而又必須生活在荒誕中的痛苦，都使他在曉渝世人真理的同時對真理又產生了懷疑。但作爲一個人民作家，他不會背離主要的世界觀原則。他認爲“俄國人民從來不會出賣自己的政權，對它失去信心。她們知道，蘇維埃政權的錯誤就是他們的錯誤，如果罵蘇維埃政權，也就是罵他們自己。”[3]這決定了他在《地槽》中對現實運動的批判不是因爲反動，而是對現實沉重的憂患。

二

普拉東諾夫不像同時代的布林加科夫、阿赫瑪托娃那樣還較多地追求藝術性，他的新穎之處在於他獨特的思想世界。他的世界觀是在費多羅夫烏托邦宗教思想的影響下形成的，這是一種帶有自發性、樸素性的人道主義色彩的空想主義，因而他特別注重考察社會體制下人的個體幸福，並以能否實現個體幸福作爲衡量社會制度的最高標準。他認爲理想的社會應以人作爲出發點，把實現人的最大幸福作爲社會的終極目的。普拉東諾夫肯定了社會主義是能實現人類幸福的最完善的社會制度，符合人民意願，但同時他要求革命政權應有寬容、博大的胸懷，不要將革

---

2 普拉東諾夫《同高爾基的首次會晤》，《文學俄羅斯》，1966 年 8 月 5 日。
3 普拉東諾夫〈紅色的勞動〉（1920），《文學報》（前蘇聯），1987 年 9 月 23 日。

命意志強加於人民，將人民變爲思想的奴隸和機器，而應允許人民用自己的思考、用自己的心來接受革命和布林什維主義，從而更有力地證明社會主義是歷史發展的必然趨勢。這種美好的理想使他在現實的熱烈下面感受到人性被磨滅的悲劇時，對現實就充滿了憂患。在狂熱的現實中，一切人性的、自然的東西都被看作腐朽的資產階級的，對自然的享受被看作是富農分子的世界觀而非無產階級的世界觀。地槽的設計和建設完全是靠著信念和熱情來進行的，被組織起來的無產階級流浪者默默承受著一切精神和肉體的折磨，爲共產主義大廈竭盡自己已經枯竭的能量。正是這種執著和忍耐，使他們不再思考真理和人生的意義，而甘做一個隻知吃飯、睡覺、勞動的機器。在工地上，他們每天"都是以彎腰屈背的方式度過的，挖土的身體同樣地忍耐著"，卻不知道人應是自己的主人，應該享受生命的快樂。地槽的工會負責人只是當"由於操心和活動忘了自身的存在"時，才有"一種輕鬆感"，在"團結群眾和爲工人們組織不甚重要的娛樂的無謂奔忙中，他無暇顧及如何獲得自身生活的歡娛"；工人們吃飯也"不承認食物的價值，似乎人的力量只靠覺悟便能產生"。他們從不思考自己生活的意義，而是讓別人指出自己存在的價值，因爲他們思考的願望和能力也已都被剝奪了。小說中時代思想的化身、異化力量的代表、地區工會主席帕什金常告訴工人："反正幸福是會來臨的，這是歷史的必然"，說罷就垂下"已沒有什麼可考慮的"腦袋。爲了堅定工人的這種信念，他甚至用無產階級的喇叭去佔領工人們的休息時間，"使每個人都能從喇叭中明白階級生活的意義，"卻又說"社會主義沒有你們不要緊，可你們沒有它就白活了"。這種源源不絕的思想灌輸，使工人們愈來愈感受到自身存在的羞恥，認識到"這種被置於沒有思考、無法思考、要待別人指明自己生活意義的人生是多麼可憐"。[4]然而，人性的喪失決定了他們不但不會抗拒現實，而且還要自覺接受外在異化力量，最終實現自覺異化，犧牲自己的人性去認同狂熱的思想，從而造成身處生存悲劇而全不自知的可悲現實。小說中的幾個主要人物：流浪者沃謝夫、挖土工奇克林、知識份子普魯舍夫斯基、農莊積極分子等都

4 吳澤林：《地槽—理想與現實斷裂的象徵》，《蘇聯文學》，1988 年第 4 期，第 74。

是爲著狂熱的思想、信念而捨棄個體幸福的建設者。但他們不僅沒有從自己所致力的事業中感受到生存的意義和幸福，反而始終生活在難以擺脫的焦躁和苦悶中。沃謝夫爲尋找真理而苦惱；奇克林、普魯舍夫斯基念念不忘昔日愛過自己的女人；農莊積極分子日夜聆聽最新指示，一心要在整個俄羅斯農村建設集體農莊等，而他們所有希望的最終破滅，暗示了人性價值喪失必然的悲劇性結局。

人性價值的喪失決定了人與人之間不會建立正常的社會關係，而普拉東諾夫卻真誠地渴望社會主義社會能使人與人之間互相理解、信任，因爲“除了階級鬥爭之外，人還需要友誼、愛情”。他在 1935 年創作的中篇小說《江族人》中系統表達了這一理想，“人們不是只靠麵包相依爲生，而且是通過心靈互相感受、並互相理解，否則他們無法思考，無處消費生命的溫存和信任的力量、無從驅散自己的憂愁而得到安慰，並平靜地死去：如果人只靠自我理解而生存，那他就會很快腐蝕掉自己的心靈，在最壞的貧乏中耗盡自己，並在愚蠢的沮喪中喪生。”但在《地槽》中，階級性取代了人性，人與人之間的正常關係被冷漠、隔閡和敵意所代替。在這樣的現實中，任何對友誼、愛情的追求都只能失敗。工程師普魯舍夫斯基內心滿懷憂傷來到工人中間，希望得到同情和友誼，但立刻被指責爲喪失了領導的威信，破壞了無產階級的路線，“反對速度和領導”，這使他最終完全失去了對友誼的渴望，始終沒擺脫掉失望和憂鬱。在農村集體化運動中，一切都被打上了階級的烙印，富農與貧中農之間的非對抗性矛盾被人爲地激化爲尖銳的階級對立，人日益被分成截然相反的兩類，使集體化運動最終變爲一場消滅富農階級的階級鬥爭。普拉東諾夫用“能用鼻子嗅出富農階級”的無產階級的熊和將富農趕上木筏漂到海上等荒誕例證，將人與人之間的敵意予以極端化表現，並批判了國家機構日益喪失了粘合人們的仲介作用，變成了離間、分割人民的冷卻劑。這蘊含著他對人與社會、人與人之間日益分離的憂慮和痛心，及爲尋找社會和諧的真理而作的艱難思索。

普拉東諾夫探索的是歷史必然與人生意義，社會進步與人類幸福等

人類永恆的主題。他以整個社會現實和歷史作爲自己的客體，在冷靜的思考中洞察現實任何細小的矛盾，預示歷史發展的方向。他真切地希望革命政權能消除自身的弊病，真正成爲人民的政權，並努力探索能實現人與自然、社會，歷史與現實、未來和諧統一的世界真理，力圖爲現實指出一條符合歷史發展規律的道路。這種探索儘管還沒能超越人道主義思想的局限，但普拉東諾夫據此對社會現實荒謬本質的準確把握，確使他的作品具有一種深邃的哲理內蘊。

作者的精神探索在《地槽》中是通過自傳性主人公沃謝夫來實現的。沃謝夫是一個已經意識到現實的荒誕，但還沒有找到能夠避免荒誕的真理的普通勞動者，這決定了他不會做現實的盲目虔誠的信徒，而是常常能從現實中游離出來，以一種超然的審視態度觀照現實，以尋找它蘊含的生活本質和世界真理。但他又在自身參與的現實建設運動中，去反省一切的坎坷和苦難，去承擔思考真理的重負，因而他又絕無超然的心平氣和，而是充滿憂慮和痛苦，感受到"這世界充滿使人不幸的貪婪、累積着苦惱的憂傷"，不知道"整個世界的確切制度和應該竭力追求什麼"。沃謝夫的探索不是爲着擺脫自我的困境，"我自己的生活我不擔心"，而是要思考"公共生活的方案"，爲人民大眾指出一條幸福的道路。這促使他能以"不思考真理就無法生活下去"的執著，在廣袤的俄羅斯大地上和淵遠的歷史長河中進行真理的求索。

在地槽工地，"漫長的白天開始了，淒涼而炎熱，盲目的太陽冷漠地掛在貧瘠的土地上方，沒有別的地方讓人生存"。沃謝夫從工廠來到這樣一個死寂的世界，希望在勞動中和勞動者體內發現他所尋求的真理，並且願意"爲勞動犧牲自己那被思考和無法理解的事物弄得疲憊不堪的虛弱的身體"。但他需要的是生活本質。社會的表層事件對他不具有吸引力。因而當認識到工人們的忍耐只是因爲不能思考，他們建造的大樓是給"全體無產階級住的"，而他們自己卻不能住進去這些理想與現實、個人與集體的斷裂時，他感受到地槽建設的空想性和缺乏歷史根基，因而不再留戀於未來房屋的建造，"不再是瘋狂事件的參與者"。但當整個社會到處都激蕩著瘋狂時，他又別無選擇，當他在另一股狂潮 —— 農村集體化運動中重又感到困惑和迷惘時，建設的熱情同樣又轉化爲對真理的憂患。他痛苦地告訴奇克林："我害怕的是我心中的疑惑，連我自己也不知道是什麼，我總感到在遠處有什麼特殊的或者是華美的而又不能實現的東西，所以我活著很悲傷"。他悲傷說明了他清醒，也表明他追求的失敗。他感受到正在建設的共產主義事業的虛妄性，卻不能確切地知道未來的路該怎樣走。所以儘管他"思想中潛藏著的希望已允諾將來把他從默默無聞的共同存在中拯救出來"，他仍擺脫不了痛苦和憂患。

沃謝夫的真理探索也並非總是灰暗、絕望的，偶爾閃現的真理的光輝也曾使他充滿發現的快樂。真理的閃現儘管是短暫的、甚至是模糊的，但卻立刻顯示了它的力量。當沃謝夫領悟到生活的真理和意義是被"像積極分子這樣的人壟斷了，他們掌握著一切，而人民卻什麼也沒有"時，他感受到從未有過的幸福。積極分子死後，沃謝夫要用真理來取代狂熱，他做的第一件事就是領導集體莊員們"打開組織大院的大門，使大院與廣闊天地融爲一體"，因爲"他知道天地隔絕了人們的生活願望。在廣闊的天地裏，心臟可以跳動，不僅因爲清冷舒暢的空氣，還由於戰勝了大地上一切混沌事物的真正的快樂"。這種新的社會力量寬容、博大，代表著歷史發展的必然，然而它暫時卻難以穿透橫亙在它面前、斷裂它的地槽。沃謝夫最終還是發現自己已不知道世上什麼地方會有共產主義，對生命意義和整個世界起源的真理探索也毫無必要。這樣他因憂患而探索，又因探索而更加憂患，感性的憂患經過現實凝煉而終結於理性的痛苦，這是現實社會失敗的標誌，因爲它沒給人帶來應有的幸福。

現實與歷史，個體與社會斷裂導致的痛苦和迷惘同樣籠罩著小說中其他思考著人生意義的人物。札切夫是一個革命殘廢軍人，本身代表著歷史標準，但他卻是爲現實扭曲了的怪人。他與新興的官僚主義者、與建設中的一切荒謬現象作鬥爭，但同時也參與制造荒謬的運動。他促進著地槽的建設，並爬著親自把載著富農的木筏送進大海，但立刻自己在胸中感到了苦悶和悲傷，因爲他知道"社會主義不需要憂鬱的畸形人階層，也會很快地同樣把它消滅在遠方的寂靜之中"，表現了歷史標準得不到延續時的矛盾和困惑。奇克林、普魯舍夫斯基是在經受了背離歷史的苦痛後才回歸歷史的。在小說中，他們的精神回歸是通過對一個共同女性的回憶而象徵出來的。作爲地槽的設計師，普魯舍夫斯基想出了唯一的一座無產階級公共大樓的方案，並且用不斷為物體和設備操心來充實自己的頭腦和空虛的心靈，代替對人們的友誼和眷戀，但他並沒有因此而得到精神的安寧，而是始終感到憂傷和恐懼，始終懷念著一個曾經愛過自己的女人，他曾因為害怕結婚（結婚沒有社會意義）而拒絕了她的愛情。從作品的象徵主題來看，這個女人象徵著歷史和真誠自然的人性。普魯舍夫斯基和奇克林對她的回憶，本質上是對歷史回歸的呼喚。這個女人最後成為現實狂熱的犧牲品，暗示他們已經永遠失去了回歸歷史的契機，必將陷入無法擺脫的失落感和孤獨感。普魯舍夫斯基最後意識到："無論怎樣的建造，無論怎樣的富足，無論什麼親密的朋友，都難以克制他心靈上的衰敗"，他感受著心靈忐忑不安的運動，卻不知"不安和運動又來自何處"，只感覺到理智的衰老是趨向死亡，這種對理智死亡的理性認識，是對人性復歸的絕望。

小說的結尾是意味深長的：集體農莊莊員們又加入到建設地槽的無產階級隊伍中來。這說明，儘管地槽的"開頭已被所有的人忘卻，它的結尾也無人知曉，留下的只有一個方向"，地槽的建設必將越來越熱烈，歷史與現實的斷裂也將深如一道鴻溝，作者的憂患只會愈深、愈苦。

四

在現實中求索真理的失敗和對人類命運的真誠關切使普拉東諾夫把希望寄託於未來；作者在小說中既飽含感情地描寫了充滿朝氣的少先隊員及他們帶給人們的希望，同時又集中筆墨描寫了一個假想的、象徵未來社會希望的小女孩 — 娜斯佳。這個本該無憂無慮、在陽光和愛中生長的社會主義幼苗，因為過早地承受了社會的重負，理解了現實中所有的階級關係而被扭曲為一個具有明確階級性的人。因而，儘管她被工人們看作自己工作的具體而明確的目標和未來共產主義社會的希望，實際上她只是割斷歷史的狂熱現實的標準繼承人。她最終與孕育自己的地槽合為一體，預示了地槽建設的必然結局。

普拉東諾夫擺脫憂患的最後一線希望也隨著娜斯佳的夭逝而消失了。作品中思考著現實的幾個主要人物：沃謝夫、奇克林、札切夫都把娜斯佳作為自己生存的唯一希望。他們為她收集玩具、營養豐富的食品，甚至用身子爲她做枕頭、呵氣爲她取暖。爲了她沃謝夫寧願重新“一無所知、無所希冀、在徒然的理智的模糊的渴望中苟活下去”，但他們卻無法阻止她一步步成爲病態社會的畸形產兒。沃謝夫曾耐心地爲娜斯佳收集現實運動留下的廢品作玩具，是希望她能記住歷史並延續歷史，因爲“每件玩具都是對一個被忘卻人的永久紀念”。娜斯佳夭逝後，沃謝夫吹響未來希望的號角也變爲嗚咽和悲悼:“如果共產主義不先在兒童的感覺中和深信不疑的印象中存在的話，如果沒有純正的小人兒，如果真理不能在她身上成爲歡樂和運動的話，那麼他現在需要生命的意義和整個世界起源的真理還有什麼必要？” 札切夫也因此而“什麼也不相信”，因爲“共產主義 — 這是兒童的事”，他爬向城堡，再也不回地槽。娜斯佳之死使她也沒能接受沃謝夫給她帶來的玩具，象徵她不能承受歷史的重托，不會成爲未來新時代主人，而新時代真正的希望在哪裏，作者自己還在思索。

《地槽》表現出的憂患意識是“一個人的痛苦，因爲這個人的心靈甚至呼吸都與他周圍世界有所不同”。普拉東諾夫“向前看得很遠，他知道農村裏的偉大試驗將有什麼結局”，他也預言地槽最終將成爲埋葬建設者們希望的墓穴，因而在那個時代，“他是第一位真正理解一切的人。” 5

5 《普拉東諾夫在今天》，見《蘇聯文學》，1988 年第 2 期，第 82，81 頁。

歌德的《少年維特之煩惱》

在約翰·沃爾夫岡·歌德（1749－1832）豐富浩滿的文藝作品中，長篇小說《少年維特的煩惱》（1774）是他在“狂飄突進”時期的代表作，也是德國文學中第一部具有國際影響的作品。

《少年維特的煩惱》的主要情節都有所本，既是他所處的時代社會的產兒，也是歌德青年時代生活的結晶。在自傳《詩與真》中，歌德說自己的作品“僅僅是一篇巨大的自白的一個片段”，他善於把使他心動的事情，把自己的喜歡和煩惱轉化為詩，使自己的內心得到平靜。《維特》無疑是他的這些煩惱中最富深義的一個，它直接反映了歌德的生活經歷，字裏行間處處打上了他的思想和感情的烙印。歌德自己就毫不猶豫地聲明：“我們所歌唱的主題，最要緊的乃是愛情。”

《維特》說是一部小說，毋寧說是一首哀傷的愛情詩，是作者初嘗愛情就一口苦澀的回味，那種綿綿久長的餘味使一個純真的人像啼血的夜鶯一樣不停地啼着，他想啼的是苦，可啼出的卻是一縷縷的血。這是真正屬於歌德自己的東西，是用他自己的心血哺育出來的，其中有大量出自他心胸中的東西。這部小說是他為了擺脫自己青年時期所感到的壓迫和痛苦而寫的，這種痛苦也是時代的痛苦，他借寫自己的痛苦寫出了整個時代的青年人的精神狀況。

小說最出色的部分當然是對維特“煩惱”的描寫，尤其是對他在追求煩惱過程中的心態的刻畫，充分表現出一個游離於時代主流之外的優秀的青年人面對社會和自己心理的壓力時所表現出的絕望的掙扎而又無能為力的微妙過程。維特的煩惱當然不是先天就有的，他本是一個快樂的孩子，可他只把愛情看作快樂的唯一源泉，之所以這樣是因為他不能見容於社會，社會也不願接受他。剛開始維特是為了逃避一個姑娘的愛情而來到一個鄉村，在這兒他感到“一種奇妙的歡愉”充溢著他的整個靈魂，他完全沈浸在對寧靜生活的感受中，周圍的一切都那麼諧和，人們都那麼地純樸，他終於發現“那些能像小孩兒似的懵懵懂懂過日子的人”，才是最幸福的人；發現“只有自然，才是無窮豐富；只有自然，才能造就大藝術家”。他的心也就像他所看到的這一切，純淨如水，沒有一絲污染，也不願有任何污染。愛上綠蒂，也就是因爲她正與他心目中的美的標準吻合。當他第一次見到綠蒂時，綠蒂正在給六個孩子分麵包：綠蒂穿著雅致的白裙，袖口和胸前繡繫着紅色蝴蝶結。她手裏拿著一個黑麵包，按六個弟妹年齡的不同依次切給他們大小不等的一塊，而小傢伙們則規規矩矩地接過，說聲謝謝，然後一起津津有味地吃起來。這幅圖景就是維特自來到這兒以後經常想畫出來可一直沒有畫成的心中最美的圖畫，他一下子被這幅畫中的少女吸引住了：寧靜的心被打破了，煩惱也隨之而至。從此他沒有了自己，綠蒂就是他自己，他的陽光 ，他的時刻表，他的中心。他的日記中充滿了一個真心的戀人所能有的一切的情感：

“不，我不是自己欺騙自己！我在她那烏黑的眼睛裏，的的確確看到了對我和我的命運的同情。是的，這是我心中的感覺；然而，在這一點上，我可以相信我的心不會錯……我感覺：她……呵，我可以，我能夠用這句話來表達自己的無上幸福麼？——這句話就是：她愛我！她愛我！——而我對於自己也變得多麼可貴了呵，我是多麼——這話我可以告訴你，因為你能夠理解它——多麼崇拜自己了呵，自從她愛我！”

“今天我不能去看綠蒂，有一個免不掉的聚會拖住了我。怎麼辦？我派了我的用人去，僅僅我了在自己身邊有一個今天接近過她的人。我急不可耐地等著佣人回來，一見到他就有說不出的高興！要不是害臊，真恨不得捧住他的腦袋親一親！”

“‘我將要見到她啦！’清晨我醒來，望著東升的旭日，興高采烈地喊到，‘我將要見到她啦！’除此我別無希求；一切的一切，全融會在這個期待中了。”

“阿爾伯特已經回來，而我就要走了。儘管他是一位十分善良、十分高尚的人，儘管我在任何方面都準備對他甘拜下風，可眼睜睜看著他佔有那麼多完美的珍寶，我仍然受不了！——佔有！——一句話，威廉，未婚夫回來啦！倒是個令你不能不產生好感的能幹而和藹的男子。”

“顯然，在世界上，只有愛才能使一個人變得不可缺少。”

“清晨，我從睡夢中醒來，伸出雙臂去擁抱她，結果抱了一個空。夜裏，我做了一場夢。夢見我與她肩並肩坐在草地上，握著手，千百次地親吻：可這幸福而無邪的夢卻欺騙了我，我在床上找她不著。唉，我在半醒半睡的迷糊狀態中伸出手去四處摸索，摸著摸著終於完全清醒了。兩股熱淚就從緊迫的心中迸出，我面對著黑暗的未來，絕望地痛哭。”

“多不幸啊，威廉，我渾身充滿活力，卻偏偏無所事事，閒得心煩，既不能什麼不幹，又什麼都不能幹。”

……

爲了醫治自己的“病”，維特離開綠蒂，去做了公使的秘書，但世態的炎涼，等級的歧視，上流社會的矯揉造作都讓他受不了，他總愛表達自己的意見，結果當然是他最後只好離開自己的工作。這番經歷對維特來說至關重要，如果說以前他陷在對綠蒂的無望愛情中時有時還相信自己能夠擺脫眼前的苦惱，重新尋找到生活的支點的話，自此之後他就連這點希望都沒有了，他清楚地知道，在這個世界上，除了對綠蒂的愛，自己什麼都沒有了。他明白了自己只不過是個漂泊者，一個來去匆匆的過客，只有綠蒂是自己的歸宿。他回來了，但一看見阿爾伯特當着自己的面摟著綠蒂的纖腰他就會不寒而慄，爲什麼？因爲他覺得後者不是能滿足她心中所有願望的人，他甚至想到阿爾伯特死後自己會取而代之。他陷入了一個感情的誤區，那就是他無法理解：“怎麼還有另一個人能夠愛她，可以愛她，要知道我愛她愛得如此專一，如此深沉，如此毫無保留，除了她以外，我就什麼也不知道，什麼也不瞭解。什麼也沒有了呵！”他感覺到空虛，一種可怕的空虛，一種只有把綠蒂抱在懷裏才能塡滿的空虛。不知有多少次他幾乎就要擁抱她了，可理智告訴他她屬於另外一個人，而且這個人同樣愛她，並且品德高尚。憤懣與憂鬱在他的心中越來越深地扎下了根，兩者緊緊纏繞在一起，久而久之就控制了他的整個存在。他精神的和諧完全被摧毀了，內心煩躁得如烈火焚燒，把他各種天賦的力量統統攪亂，最後落得個心力交瘁。爲了擺脫自己目前的苦境，他拼命掙扎，結果越掙扎陷得越深。他開始嫉妒、仇恨，他在實際生活中遭遇的種種不快，在公使館裏的難堪，以及一切的失敗，一切的屈辱，這時都統統在他心裏上上下下翻滾起來，這一切都使他覺得自己的無所作爲就是應該。他發現自己毫無出路，連賴以平平庸庸活下去的本領都沒有，於是他就一任自己的感情、思想、欲望毫無希望地傾吐著，毫無目的、毫無希望地耗費著自己的精力，既破壞了人家的安寧，又苦了自己，一天一天地向著可悲的結局靠近。

對於維特的現狀，最擔心的當然是綠蒂。這個天真無邪的姑娘對維特一直是那麼的愛，可她並不知道自己心中的真實的感情。做了阿爾伯特的妻子以後，她就努力要做一個好妻子。對她來說，阿爾伯特顯然是一個無可挑剔的丈夫：親切、和藹、溫柔、忠誠、富有同情心、有事業心，也就是因此，當她意識到維特的存在使自己丈夫不快時，她就下決心要想盡一切辦法打發維特離開，她勸維特忘掉自己，去找一個值得他愛，也能夠愛的姑娘。但在她內心又清清楚楚地感到自己要和維特分手是多麼困難，而維特如果被迫離開了她，又會如何痛苦。這個生活中本來只有陽光的姑娘不禁集中心思考慮自己目前的處境來。她明白自己與丈夫一輩子都會在一起，因爲她瞭解丈夫對自己的忠誠和愛，而他的穩重彷彿天生就是爲一位賢淑的女子創造幸福的生活的，她感到他對於自己和自己的弟妹都是一個永遠不可缺少的靠山。可另一方面，維特之於她又是如此珍貴，從見面的第一天起她就感到兩個人意氣相投，她已習慣與他分享自己的一切快樂和憂傷，若他走了，自己的一生必將出現一個永遠無法彌補的空虛。她真希望能馬上把他變成自己的哥哥，也真希望能把自己的一個女友許配給他，這樣她就可以永遠和他在一起而又不會影響與自己丈夫的感情，但她在心裏把自己的女友挨個想了一遍，發現她們沒有一個配得上維特，這時她才深深地意識到，自己內心只是想把維特留給自己，雖然她自己不願意承認。一旦意識到這一點，她那純潔、美麗、總是那麼輕鬆、無憂無慮的心也變得憂傷而沉重起來，眼睛也讓烏雲遮蓋了。就在這時，她聽到了維特的腳步，而在這之前她明確告訴維特等到耶誕節再來。看見維特，她不知道自己說了什麼、做了什麼，她害怕自己單獨與維特在一起，就糊裏糊塗地叫女僕請她的幾個女友來，但內心裏又不願意她們來。當維特念完自己譯的幾首莪相的抒情詩時，他們再也控制不住自己的感情，兩顆一直在一起跳動的心終於偎合在一起："這幾句詩的魔力，一下子攫住了不幸的青年。他完全絕望了，一頭撲在綠蒂的腳下，抓住她的雙手，按在自己的額頭上。綠蒂呢，心裏也一下子閃過維特會做出什麼可怕的事情來的預感，神志頓時混亂起來，抓住他的雙手，把它們捺在自己的胸口上，激動而傷感地彎下身子，兩人灼熱的臉頰便偎在一起了。世界對於他們已不復存在。他用胳臂摟住她的身子，把她緊緊抱在懷裏，同時狂吻起她顫抖、囁嚅的嘴唇來。"維特狂喜地發現，綠蒂愛自己，他不無自毫地宣稱："阿爾伯特是你丈夫，這又怎麼樣呢？哼，丈夫！難道我愛你，想把你從他的懷抱裏奪到我的懷抱裏來，對於這個世界就是罪孽麼？罪孽！好，爲此我甘願受罰；但我已嘗到了這個罪孽的全部甘美滋味，已把生命的瓊漿和力量吸進了我心裏。從這一刻起你就是我的了！我的了，呵，綠蒂！我要先去啦，去見我的天父！我將向他訴說我的不幸，他定會安慰我，直到你到來；那時，我將奔向你，擁抱你，將當著無所不在的上帝的面，永遠永遠和你擁抱在一起。"

維特的自殺顯然是一種自覺的行爲，但並不是出於絕望，而是一種信念。他知道，在他、綠蒂、阿爾伯特之間必須有一個人離開，而最合適的人選就是自己。在這樣的情況下，他爲了還給自己所愛的人以安寧，就毫無畏懼地選擇了死亡。只要是爲綠蒂而死，他就是幸福的："我願勇敢地死，高高興興地死，只要我的死能給你的生活重新帶來寧靜，帶來快樂。"這死，彌補了他生活中的一切不幸，滿足了他生活中的一切夢想，對他來說，這是一杯美酒，是像大自然一樣安靜的睡眠；"周圍萬籟無聲，我心裏也同樣寧靜。我感謝你，上帝，感謝你賜給我最後的時刻以如此多的溫暖和力量。"深夜的那一聲槍響，送走了一個按照社會價值標準本應成爲一個有爲青年的維特，卻永遠留住了一個靈魂完整、不與社會同流合污的自由的維特。

這部小說在描寫維特的愛情悲劇時顯然是當作當時的一個普遍現象

來寫的，作者為此特意安排了另外兩個事件作為維特悲劇的背景和補充。一個是長工戀自己的女主人的故事，女主人一發現這種感情，就辭了他，另外雇了一個長工，結果出於嫉妒，第一個長工就把第二個殺了。維特根據自己的經歷覺得這個人太不幸了，相信他即使成為罪人也仍然是無辜的，他向法官求情，當然被拒絕。為救這個不幸者所作的無望的努力，也是維特最後為生所作的努力，是一股行將熄滅的火苗的最後一次閃動，從此他就更深地沉入痛苦與無為中，直到自殺。另外的一個是綠蒂父親的秘書因暗戀綠蒂而發瘋的事，這是一個普普通通的單相思事件，但在同樣"輾轉反側"而求所不得的維特看來，卻很羨慕他的瘋，他稱這位瘋子為兄弟，是個幸福的不幸者。他這時真願意瘋，卻偏偏時時能體會到自己的痛苦。他質問上帝："難道你注定人的命運就是如此：他只有在具有理智以前，或者重新喪失理智以後，才能是幸福的嗎？——可憐的人！但我又是多麼羨慕你的神經失常。"這些故事顯然是以歌德本人和他聽到的真實事件為基礎的。他有一個萊比錫大學的同學，叫耶路撒冷，他因戀慕同事的妻子被拒斥，在工作中常受上司的挑剔，在社交場所又常被貴族男女所侮辱，最後自殺。這些維特們都是在最美好的年華告別人世的，為的只是保留自己的自尊，而當時的社會的冷酷、虛偽，對維特這樣個性強烈、不為世俗所拘的青年人來說顯然是一種壓抑力量，在這樣的社會中，只有阿爾伯特這種從來不失去理智的人才是時代的弄潮兒，才是為社會機器所需要的螺絲釘，才能獲得名譽、地位和尊敬。一個不需要想像和激情的時代，注定會對維特這樣敢於熱情、迷醉、瘋狂的人冷嘲熱諷，在社會看來，在阿爾伯特這樣明智的人看來，維特這樣"熱情從來都離瘋狂不遠"的人完全是酒徒、瘋子。就像維特在和阿爾伯特爭論自殺問題時所諷刺的那樣："甚至在日常生活中也一樣，只要誰的言行自由一些，清高一些，超乎一般人的想像，你就會聽見人家在他背後叫：'這傢伙喝多了！這傢伙是個傻瓜！'——真叫人受不了。真可恥，你們這些清醒的人！真可恥，你們這些智者！"在這樣的環境裏，維特這樣把自由和愛看得高於一切的人注定要麼永遠成為時代的多餘人，要麼採取極端的方式表示自己的絕不妥協。

作為狂飆突進運動最豐碩的果實，《維特》自然代表了這個充滿激情的時代的精神。這種精神要求衝決一切封建等級制度，要求推翻貴族特權，恢復人權。"個性解放"和"感情自由"成爲他們要求全面自由發展自己的最高理想。但當他們受著這種理想的激勵而奮勇向硬似鐵的封建思想堡壘衝殺時，他們很快發現原來理想和現實並不是一回事，覺醒者中有很多人就此滑入憤懣傷感的情緒而不能自拔，在歐洲的大地上到處遊蕩著維特似的多愁善感者。《維特》的思想基礎和感情基礎就是這樣的社會現實，它的價值也就在於表現了一個時代的煩惱、苦悶和希望。但作者在表現這種時代病時又超越了這樣的現實：他讓主人公因理想破滅而自殺，寧爲玉碎不爲瓦全，從而使眾多的青年人從中受到鼓舞，他們從中看到了自己的影子。小說一問世，就很快風靡德國和歐洲，形成了一股"維特熱"，許多青年人不但模仿維特的衣著打扮，甚至模仿他自殺，以至歌德在 1775 年該書再版時特意在第二編之前加上一節序詩：勸青年"做個堂堂男子而不步維特後塵。"這種"洛陽紙貴"的情況就如歌德自己在一首名爲《威尼斯警句》的詩中不無得意所說的："德國人模仿我，法國人讀我入迷：/英國啊，你殷勤地接待我這個憔悴的客人；/可我是何等的歡欣鼓舞啊，/中國人也用顫抖的手，把維特和綠蒂畫上了花瓶。"這部小說之所以會如此轟動，就在於它表達了整個時代的要求，這一點還是歌德自己在《詩與真》中說得最明白："這本小冊子影響很大，甚至可以說轟動一時，主要就因爲它出版得正是時候。就像只需一點引線就能使一個大地雷爆炸似的，當時這本小冊子在讀者中間引起的爆炸也十分猛烈，因爲青年一代身上自己埋藏著不滿的炸藥。"

這部小說是以第一人稱的書信體寫成的，主人公直接面對讀者袒露自己內心的情感世界，讓讀者直接感受到他的喜怒哀樂。即使寫景，也始終充沛着主人公的情感流動。這是小說非常突出的特點。通過這樣的描寫，我們不但能感受到主人公情緒的變化，而且能時時體會到變化的原因，那就是與自然相對的世俗社會，是它破壞了人的自然感情的平衡，把一個純潔的青年推向絕望的境地。景色描寫成了主人公情感的催動者、烘托者，他憂它憂，他喜它喜。維特剛到瓦爾海姆時心情愉快，他接觸到的都是一塵不染的自然，是五月的甜蜜的清晨，他時時"躺臥在飛泉側畔的茂草裏，緊貼地面觀察那千百種小草，感覺到葉莖間有個擾攘的小小世界”；他感覺到“周圍的世界和整個天空都像我愛人的形象似的安息在我心中。”這裏淳樸的村民，流著鼻涕的小孩，空氣、陽光、打水的少女，一切都透著一股脫離凡俗的清新。而當他開始煩惱時，這些曾經把他周圍的世界變成了一個天國的自然美景卻成了到處追逐他的魔影，他把自己對世俗世界的恨意都移到了美好自然裏，景因情生，“廣大的世界”於是變成了“一座張開著大口的墓穴”，而當他決定結束自己的生命時已是雨雪交加的冬季。自然的變化與主人公情感的變化完全吻合在一起，具有了一種詩歌的意境。特別是最後維特翻譯的荷馬和莪相的詩，前者明朗、寧靜，後者陰鬱感傷，也同樣起到了渲染氣氛的作用。當維特在綠蒂面前念到：“春風呵，你爲何將我喚醒？你輕輕摸著我的身兒回答：‘我要滋潤你以天上的甘霖！’可是啊，我的衰時近了，風暴即將襲來，吹打我枝葉飄零！明天，有位旅人將要到來，他見過我的美好青春；他的眼兒將在曠野裏四處尋覓，卻不見我的蹤影……”，莪相的這幾句詩，由即將離開塵世的維特念出，自然襯托出他那淒慘的命運和悲涼的心境。可以說，小說中處處都把主人公的情感描寫當作中心，一切都爲此服務，使整部小說籠罩著一層濃郁的詩意。

維特是以自然情感作爲與周圍庸俗的道德對抗的唯一武器的，自然，成爲他檢驗一切的標準，他最大的理想，就是能皈依自然。這是自盧梭以來就在歐洲響起的一種反叛的聲音，是經受了長期壓抑要求使人重新變成人的大呼。維特讚美一切自然的東西，反對一切規則和束縛；他主張讓天才自由發揮，反對一切所謂的教養對人性的桎梏；他讚美先民的樸素生活，諷刺矯揉造作的貴族和庸俗的市民；他重視自然純潔的感情，重“心”而輕“禮”爲此他甚至爲殺死所愛的女人的長工說情，否認他的罪行；在愛情上，若得不到自己的所愛，他寧願選擇自殺也不願苟活於世，他對綠蒂的愛，也就是在綠蒂身上體現了他的這種自然觀。他的一切都是出於自然的，而他的毀滅也自然是對那個不允許自然的社會的批判。《維特》把一向被人輕視的德國文學提高到也能與其他歐洲國家的文學並駕齊驅的地位，也是德國有史以來第一部直接反映德國日常生活的作品，而作品中充沛的情感，也表明一向被人看作古板的德國也是有真情實感的。

雨果的《歐那尼》

在法國文學史上，維克多·雨果（1802－1885）是發動了一場文學戰爭的小說家、詩人、戲劇家、文學評論家，是十九世紀法國，乃至整個歐洲浪漫主義運動的精神領袖，也是整個法國文學史上最有才華的作家之一。他的文學生涯達六十年之久，從他的一生，可以找到十九世紀法國重大歷史進程和文學發展脈絡的痕跡。

《歐那尼》是一部五幕詩劇，是雨果的戲劇代表作，也是雨果完全按照自己的浪漫主義創作原則寫成的。圍繞著這部戲的上演，守舊派和革命派展開了一場激烈的戰鬥，這就是法國文學史上劃時代的重大事件，即所謂"《歐那尼》之戰"。一方面是古典主義保守派糾集遺老遺少，在劇院搗亂，幾乎對演員的每一句臺詞都要發噓、哄笑，還做出種種醜惡動作，使演員難以正常演出；在劇院外，他們對劇本和演出造謠中傷，利用報紙進行歪曲報導，妄圖在社會上造成《歐那尼》徹底失敗的假像；但另一方面，以雨果的追隨者為中心的革新派也毫不示弱，他們團結起來，決心構成一道鐵幕，來捍衛他們心中的英雄。他們在劇院外書寫"雨果萬歲"的標語，在劇院內為保衛劇本每一個字的順利演出，進行堅決的鬥爭。於是這部劇本演出過程中就出現了讓人奇怪的情況：每當幕布拉開，劇場就會響起一陣暴風雨般的聲音，其中既有"噓噓"的倒彩聲，也有熱忱的青年們熱烈的喝彩聲，就是在這樣緊張的戰鬥氣氛中，《歐那尼》一連演出了 45 場，持續了一百多天。終於有一天，支持者與反對者都沉浸於劇情之中，從而宣告了古典主義的徹底失敗，浪漫主義取得了決定性勝利。

劇中的三個男主角都體現了雨果的美學觀點，都不是簡單的好人或壞人，而是多重性格的組合體。他們都體現了中世紀的騎士精神，既愛榮譽，又愛美人，當愛情與榮譽產生矛盾時，又都能為榮譽犧牲愛情，只不過在三者之中，強盜最講信譽而已。此劇一反古典主義的陳規陋習，並採取了很多奇情劇手法，完全給人一種耳目一新的感覺。

雨果在《〈克倫威爾〉序》中強調新戲劇的“地方色彩”和“時代色彩”，這使《歐那尼》充滿了五光十色的異國情調，點綴出古色古香的中世紀歷史特色。但作者的本意顯然並不是要還原西班牙的一段歷史真實，而是要借此反映法國七月革命前夕“整個青年一代和1830年法蘭西的一個場景”，反映“七月革命時期鼓舞了法國青年的精神的真髓”。[1]戲劇的衝突雖然複雜多變、人物之間也矛盾重重，但本質上只是無權無勢的青年人同主宰一切的最高封建統治者之間的矛盾鬥爭。劇本充溢著對封建統治者的憤怒控訴和抗議，激蕩著青年人反抗整個黑暗社會的叛逆精神。在以前的古典主義戲劇中，國王和上層貴族是歌頌的對象，但在這個劇本中他們卻成了醜惡的化身，受盡嘲笑和憎恨，而一向受到古典主義戲劇排擠的強盜卻成了崇高的勝利者，這正如劇中一個人物所說：“三個情人，一個應該是上斷頭台的強盜，一個是公爵，一個是國王，三人同愛一個女人，同時包圍著她，三人一齊進攻，結果誰勝了呢？原來是強盜”。這可不是簡單的愛情上的勝利，而是整個道義、思想和人格上的勝利。

作者讓國王卡洛扮演了一個卑鄙小人的角色。他身爲國王，卻荒淫無恥，他私下貪戀莎兒的美色，但卻又假惺惺地將她賜給即將走向墳墓的呂古梅，其最終目的只不過既滿足淫欲，又保持住國王的尊嚴，這是十足的小人行經，但卻又非常切合他作爲無恥國王的身份。更有甚者，當他發現一直與自己作對的強盜歐那尼也在追求莎兒，而且莎兒也只愛這個強盜時，他竟然提議同歐那尼“平分她的愛情”。欲望的膨脹使他就像一條越牆穿洞的狗一樣，不惜放下國王的“高貴”身份，做了一個專門跟蹤盯梢莎兒的真正的強盜；最後他發現莎兒要跟歐那尼逃跑時，他竟趁黑夜親自把莎兒搶走：

卡洛：……請你放心，現在抓住你的，不是強盜，卻是國王。

---

1 勃蘭兌斯：《十九世紀文學主流》，第 5 分冊，人民文學出版社，1982 年版，第 36、34，32-33 頁。

莎兒：啊，不，你才是強盜呢，難道你不慚愧麼？我倒替你臉紅了。半夜三更，強搶婦女；難道說，這就算是一個國王的德政嗎？我那位強盜抵得過一百個象你這樣的國王！

但國王的強盜行爲雖然能把莎兒搶去，卻不能獲得莎兒的心。於是，他先用封她做"王后"、"王女"做誘餌，看此計不成，他兇相畢露，惡狠狠地威脅說："一個男人被你的魔力吸引了以後，不是變成天使，就是變成魔鬼"，"因爲你厭惡我，才叫我變成老虎。你現在聽到老虎在吼叫了"。

卡洛性格的複雜性表現在他不只淫邪，而且野心勃勃。他既貪戀美色，又覬覦羅馬帝國皇帝的寶座。此時帝國皇帝宴駕，他決定乘機奪取這個"登峰造極"的皇位，"作一個人間的支柱"。爲了實現這種個人野心，當他發現自己無論如何也不能使莎兒就犯時，他爲了籠絡歐那尼，不僅寬恕了歐那尼"犯上"的罪行，而且還爲其復位封爵，並親自下令，將莎兒賜給了歐那尼，恩准二人結婚。但這樣做並不表明卡洛"要解決巨大問題、創造偉大業績的殷切願望淨化了他那熱情奔放的抱負"。[2]他只是爲了更大的野心，才暫時拋棄邪念，他對自己說："從此以後，你的愛情要寄託在日爾曼和法蘭克身上，帝國就是你的情人！"這種貪欲和野心使他在賜給歐那尼爵士領章時，特別提醒歐那尼："你要忠君愛國，因爲我已封你做爵士了"。

老公爵呂克梅從另一個角度證明了貴族階層的腐朽和無恥。他是世代簪纓之後，位高勢重，但卻極端自私、猥瑣。他雖然已是"歪歪倒倒走向大理石墳墓去"的60多歲的老朽，但卻死乞白賴地要佔有年輕的莎兒。在莎兒的美貌、青春面前，他雖也有"自慚形穢"的感覺，但仍死死要求她"不惜任何犧牲"，陪伴他這個"只配進棺材的老廢物"。還假惺惺地用殉難天使的幸福和世人稱讚的榮譽，欺騙莎兒心安理得地爲他做出一切犧牲。他不但自私，而且可鄙可笑地愛妒嫉，不管哪個男子接

---

2 勃蘭兌斯：《十九世紀文學主流》，第5分冊，人民文學出版社，1982年版，第36、34，32-33頁。

近莎兒，他都妒火中燒，不能自已。但這個垂死的貴族似乎還有一個“可敬的美德”，那就是還維持著貴族的榮譽感，如當卡洛王帶兵到他家追拿歐那尼時，他出於“不能出賣客人”的貴族榮譽掩護了情敵歐那尼。但他卻由此接受了歐那尼以生命相許的諾言，拿到了歐那尼的號角，相約只要他吹起這只號角，歐那尼便需聞聲自殺，這和貴族傳統的榮譽感顯然又是背道而馳的。特別是最後他發現自己的一切努力都成爲泡影時，眼看著莎兒同歐那尼將要結成幸福的一對，他的妒嫉就自然變成了殘忍。在一對青年即將踏上幸福的婚床時，他像從地獄裏走出來的魔鬼一樣，吹起了向歐那尼索命的號角，逼得一對高尚的青年雙雙死在還沒踏進的洞房之前。這種結局表明：歐那尼即使能躱過卡洛暫時的妥協，但也躱不過整個貴族勢力的利刃和毒藥。這就有力地揭示出：國王、公爵是扼殺一切美好事物的封建黑暗努力的代表。

歐那尼和莎兒是體現叛逆精神的浪漫主義英雄，是當時法國“追求自由”的青年一代的代表。

歐那尼高尙、英勇、驕傲，從一出場就使整個劇作洋溢著一股青春豪氣和反叛精神。他出身貴族卻偏偏淪落爲強盜，天天被法律追逐，只有帶領一批“鐵石心腸，不怕硬，也不怕軟”的綠林大盜，在山林草莽之中與國王抗爭、與不公平的社會抗爭。他不畏權勢，敢於痛罵呂古梅公爵是“老糊塗，老昏君，”嘲笑他這個“頭垂到胸口，快要歸天大吉！”的老頭，卻垂涎一個年青小姐的姿色，並威脅利誘要娶她作自己的太太；他對國王更是懷著“不共戴天的仇恨”，他當面對國王宣佈：總有一天，“我要提起鋼刀，殺進你的胸膛，剜出你的靈魂”。

一個偉大的心靈之所以偉大，就是因爲在這顆心裏蘊藏的愛和恨都同樣深刻。他愛莎兒，但不同於呂古梅的自私猥瑣；他追求莎兒，但也不同於國王的貪婪強暴，他的愛是純潔的、真誠的、熱烈的而又無私的。當他發現國王、公爵都像老虎撲向羔羊一樣在搶奪莎兒時，他不惜性命，奮力爭奪，堅決要把莎兒救出虎口；當他發現自己已經處於危境時，他又千方百計擺脫莎兒對自己的愛戀，以免給她帶來更大的災難。他最後出於榮譽觀念而輕易將自己的性命交給自己的仇人雖然顯得極爲幼稚，但卻因此而顯示出他心靈的偉大，情操的高尙。

莎兒是個純潔、善良的溫順女子，但當歐那尼的悲苦身世，英勇豪邁的行爲和真正的情愛深深激發了她的愛情以後，這個柔弱的女子卻具有了真正悲劇英雄才有的精神和氣質。她威武不能屈，富貴不能淫，當國王威逼利誘她時，她發誓："我寧死跟著那位社會法律所排斥的罪犯，我的聖主歐那尼，整年累月，到處漂泊，忍饑挨餓，有難同當，不辭千辛萬苦，不怕戰爭逃亡，而決不情願跟著皇帝去做女王！" 最後，當歐那尼決定遵從貴族的榮譽觀念按約自殺時，莎兒卻不願受這種愚蠢的約定的束縛，她向著前來索命的公爵宣佈："我的愛情給我力量，我一定要保護他，反抗你，反抗全世界"。她甚至撥出原來準備刺殺國王的匕首，對著公爵叫道：

你要奪我所愛的人，

不如進虎穴去奪虎子。

你不見這匕首麼？昏瞶的老兒！……

從藝術的角度講，《歐那尼》最突出也最重要的貢獻是掙脫了古典主義"三一律"的桎梏，首先是人物的活動場所不是像古典主義戲劇裏那樣固定在宮廷或貴族府邸的某一場所，而是不斷變化：第一幕在西班牙薩拉哥薩城莎兒小姐的臥室，第二幕在呂古梅公爵府前的廣場，第三幕在亞拉岡山中的古堡，第四幕甚至轉移到德國亞琛地方查理曼大帝的墓地，到第五幕又回到了薩拉哥薩，是歐那尼祖傳的簡武安公爵府邸。在時間上，雨果完全是根據劇情發展的需要，把整個戲安排在許多天內完成，而不像古典主義那樣一定要讓故事發生在 24 小時之內。雨果認爲古典主義的"動作一律"是合理的，但《歐那尼》的劇情卻非常豐富，除了歐那尼、呂古梅、卡洛三人爭奪莎兒這條主線外，還添設了反王黨叛亂和卡洛王爭奪羅馬帝國皇帝寶座的副線。如此豐富的情節與自由變換的地點、時間結合起來，就大大拓展了戲劇的容量，使各個階層、各種力量都能夠登場亮相，使看慣了刻板的古典主義戲劇的觀眾難免眼界大開，情不自禁地被吸引住了。

其次，《歐那尼》處處貫穿著雨果一再強調的對照或對比原則，這就打破了古典主義戲劇單一、單調的戲劇風格。一邊是人物的對比：一邊是高高在上的國王和大公，一邊是被社會拋棄的孤女和強盜；一邊是人物性格對比：前者醜惡滑稽，後者美好崇高。另外，每個人自身也都充滿著對比：歐那尼的愛和恨，莎兒的溫順與剛烈，國王的貪色與野心，以及呂古梅的妒嫉殘忍與榮譽觀念的對照，都是他們對立統一性格中對立面的對比。這些對立或對比原則的成功運用，便把滑稽與崇高、可怕與輕鬆、悲劇與喜劇等對立因素融成一氣，造成了戲劇風格的生動活潑，豐富多彩。

古典主義戲劇堅持字分“雅”、“俗”，“俗”字不能進入崇高悲劇，但《歐那尼》不管這一套，雨果也毫不在乎地將這些陳年舊規扔在腦後。他認爲沒有什麼貴族的字和平民的字，“一切字都是平等的，自由的和使人喜歡的”。所以在《歐那尼》中，雨果不但大量採用民間口語和俗語，而且還刻意追求語言的誇張、峭拔。比如，劇本中有一句臺詞：“我的獅子”，這是俗語，古典主義戲劇中與此對應的是“我的君侯”，前者爲俗，後者爲雅。這是莎兒在激動心情下稱呼歐那尼的，在排演這句臺詞時，扮演莎兒的名演員馬爾斯小姐堅持要換掉前者，否則就罷演。雨果堅決不答應，最後寧肯換掉演員，也不許她改。這些富有民間激情的語言與劇中人物慷慨激昂的情緒交相互應，充滿一種浪漫主義激情，在當時尤其風魔了廣大青年觀眾。

當然，劇本在思想和藝術上的不成熟之處也像它的優點一樣是很明顯的，象歐那尼就時時表現出動搖性和軟弱性。他缺乏明確的政治理想，仍以腐朽的貴族榮譽觀念作爲處事的規範，爲此甚至兩次放掉殺死卡洛王的機會，又糊裏糊塗把生死權交給了公爵，最後竟感恩於卡洛王的寬恕和恩賜，放下了武器，向國王低下了一直高昂的頭，結果最後導致了他同莎兒悲劇性的失敗和死亡。

從藝術角度講，由於雨果過分追求誇張、離奇的戲劇性，所以在人物性格和某些細節的處理上往往顯得不真實，這不但使反對者揪住不放大肆攻擊，就連同一陣營的人也忍不住對此進行批評，如曾積極參加捍衛劇本演出的巴爾扎克就曾著文逐場指出人物和細節的失真之處。他批評卡洛王性格虛假：“老天爺！雨果先生的歷史是在哪兒讀的？……卡洛王這個角色的語言、行動，就沒有一星半點可能用在他身上”。他甚至挖苦劇本中卡洛王在壁櫥內對外邊的大聲說話充耳不聞，在墳墓內聽外邊陰謀者的竊竊私語又句句真切，說："科學院不久就要寫一篇漂亮的論文，研究查理五世的耳朵了，我們等著吧"。[3]

當然，巴爾扎克的批評是用現實主義的有色眼睛來要求一部浪漫主義的劇本，結論難免小題大做。"海水不能用尺量，道路的長短不能用斗量"。作爲浪漫主義作家，雨果也同許多浪漫主義作家那樣，他們選用歷史題材的目的只是借古人的嘴巴，抒發今人的情懷，不太強調藝術描寫的歷史真實性和具體性，他們給人提供的是另一種藝術樣品。對此勃蘭克斯有過中肯的評價："七月革命" 前夕的法國青年欣賞《歐那尼》，主要是該劇 "表現了他們的反抗精神和對獨立的渴望，表現了他們的勇氣和忠誠，表現了他們的理想和愛情的憧憬，只不過是用更加高昂的調子唱了出來，他們的心也隨之融化了"。還說："即使我們不瞭解歷史，也很容易一眼看出它是多麼不忠於歷史，……但其中反映 1830 年的政治思想和夢想的那種真實性，以及其中展現出的那種令人驚歎的政治洞察力，卻使我們如醉如癡"。[4]

---

3 巴爾扎克：《歐那尼或卡斯體的榮譽》，《文藝理論譯叢》第 2 期，人民文學出版社，1957 年，第 20、22 頁。

4 勃蘭兌斯：《十九世紀文學主流》，第 5 分冊，人民文學出版社，1982 年版，第 36、34，32-33 頁。

夏多布里昂的《阿達拉》

宗教在中世紀曾經成爲桎梏人類靈魂的鎖鏈，不知有多少人在教士溫柔的傳教聲中心就像失去水分的禾苗慢慢枯死，人類的精神和靈魂竟然就在這樣溫柔的騙局中沈睡了數百年，所以，在經受了文藝復興和狂飆突進運動洗禮後的知識份子看來，回到中世紀無異於重新回到愚昧和黑暗。但這只是指一部分人來說的，當時代風雲逆轉的時候，特殊的溫床往往會滋生出特殊的秧苗，宗教重新成爲一種謳歌的物件就是一個典型的例子，而弗朗索瓦·勒內·夏多布里昂（1768－1848）則是這段歷史逆潮中的一個極力翻捲的浪花，並且有時在外來光亮的照耀下還會反射出一種燦爛的色澤。

夏多布里昂的精神生活與他作品中的主人公是一致的，都屬於在一個自己所屬的階級處於沒落階段時竭力徒勞掙扎的一個見證。

夏多布里昂生活的時代對他所屬的這個階級來說已經算得上是一個悲劇時代，以往的豪華和地位現在被革命的烈火燒成廢墟或至少說是傷痕累累，對他們來說，失去生活的豪華和穩定當然是痛苦的，但更痛苦的或許是在顛簸流離、困頓絕望的情況下想起過去的優遊。的確，在這個不幸的時代要想獲得精神的安穩確實太難了。在這種情況下，總是能給處於不幸中的人以精神上的安慰的、產生於羅馬暴政統治之下的基督教，無疑就給很多像夏多布里昂這樣精神上已經失落的貴族帶來不小的精神安慰。也許有人會問，在歐洲歷史上基督教不是一直扮演著一個壓制個性的封建統治的幫兇的角色嗎？爲什麼在十八世紀又成了以精神自由爲主導的浪漫主義文學的一個旗幟呢？但提這個問題的人首先應該看看這種基督教色彩濃厚的浪漫特色在提倡精神自由的前提下反對的恰恰就是與封建統治格格不入的法國革命，說白了，這是在某些人的感傷時代出現的一種精神回潮現象。美化中世紀，讚美基督教，就是爲了彌合夏多布里昂這樣在精神上已經失勢的貴族心靈上的傷口。革命的時代是暴力的時代，也是人的命運最變化莫測的時代，在這樣的情況下，人的精神總是處於高度的緊張和恐怖狀態，對世界和人生的看法就自然帶有一種世紀末的味道，在頹廢的總的精神境況下，自然也傾向於在神秘的靈的世界求得暫時的安慰。就像在這樣的時代總是迷信橫行一樣。夏多布里昂的作品，就在很大程度上保留了法國大革命以及之後的政權重疊變化給人們帶來的精神變化的痕跡。

夏多布里昂的《阿達拉》被稱爲法國第一部浪漫主義小說。其最主要的特色就是在濃厚的宗教色彩下揭開人的精神世界的神秘內幕。小說中的一切：人物、自然等都是圍繞這個宗旨展開的，小說的情節並不複雜，人物心理結構也並不是多麼豐富多彩，也無非是描寫了兩個、實際上主要是一個在宗教和愛情的兩難選擇中作出悲劇性選擇的人物，但作者的成功之處就在於把這樣一個簡單的命題通過大量的極具煽動性，極其煽情的描寫而給人一種感情難以自抑的感覺，一種人和上帝、和自然渾然一體的虛幻卻美麗的境界，加上貫穿這部作品的那種奔流不止的情感宣洩，直給人一種大暑天吃冰激凌的爽快感覺，但稍後也會在回味時因吃得過多而隱隱感到一點不適，甚至有點噁心，這是一種奇怪的感覺，一種把各種味道混合在一起但卻並不難吃的廚藝，能做到這一點，已經算得上是大廚師了。

這部小說首先給人震撼的是它對蠻荒之野所蘊涵的那種沖決一切的力量的讚美。在文明人看來，原始大森林只會充滿野蠻和無知，但在作者的筆下，這裏卻處處呈現出一種不受拘束的神秘力量的氾濫和恣肆。在他筆下，這種自然的景色是對立存在的，但也只因爲有了這種對立，所以才顯出生機和活力。小說一開始就描寫了梅斯夏賽貝河兩岸的風景：西岸是動：“落木受滔滔白浪的衝擊，在梅斯夏賽貝河中順流而下，滾滾的河水簇擁著它們，嘯嘯奔騰而去，把它們卷到墨西哥灣，堆積在淺沙灘上……時而，磅礡的大河在翻山越嶺時揚起雷鳴般的吼聲，咆哮而過”。在這種千姿百態的自然景色下生活著數不清的生命：青蛇、小鱷魚在睡蓮構成的小島上隨波逐流，順水而下；成群的野牛在一片片遼闊無垠的草原上遊蕩；此起彼伏的鳥嘴啄樹幹的聲音，各種動物走動、吃草，啃樹葉所發出的輕微的響聲，波濤轟鳴聲，細微的呻吟聲，低沉的哞哞呼號聲，悅耳的啁啾聲，這一切組成一種婉轉、粗獷的諧音，充塞著這人跡杳然的蠻荒，整個森林被一種鼎沸的活力充溢得像要飛起來；東岸與西岸相反，這裏呈現的是生命的另一種色彩，一種心滿意足，恬靜悠然的狀態：各種形狀、色澤、香味的樹木相互混雜而生，有的彎曲著樹幹倒懸在水流上，有的聚集在嶙峋的岩石和崢嶸的山巒上，有的散佈在深壑幽谷中，競相向令人目眩的高空伸枝奪秀，野葡萄、紫葳、藥瓜在這些樹木的根部互相纏結，攀附枝椏，蜿蜒匍匐在枝梢，藤蔓淩空飛渡，從楓樹飛向鵝掌楸，從鵝掌楸飛躍至蜀葵，盤結成千百個洞穴，千百個拱穹，千百個柱廊。這些在樹木間恣意馳騁的藤蔓時常橫越一些河汊，在支流上架起一座座色彩繽紛的花橋。這是造物主造就的一個充滿了生命氣息的神秘之國，是遠離世俗塵囂的一個世外桃源。在這樣超凡脫俗的世界，男女主人公發生了一段同樣是超凡脫俗的悲劇愛情。顯然，在這樣既躁動又安靜的自然世界，作爲自然之子的他們同樣也感染了來自大自然的這種神秘暗示。他們的感情發展也同樣與大自然息息相關。當他們產生了愛情但夏克達斯又不願意離開阿達拉一人逃走時，阿達拉捏著捆綁著夏克達斯的繩索，兩人一起在森林中踽踽而行，他們時而灑淚，時而綻開笑顏；時而仰視長空，時而俯視地面；他們聆聽著鳥兒的啼轉聲，手臂迎著落日的餘輝，手兒溫順地互相緊握，胸脯時而如小鹿狂跳，時而似平鏡般寧靜；夏克達斯和阿達拉的名字有間隙地被頻頻呼喚；當兩人在大森林中就要結合時，阿達拉的內心也是最矛盾的時刻，洶湧澎湃的激情與心中的宗教感情在激烈地交鋒，這時"荒野上黑幕低垂，一片昏暗；壓頂的烏雲逼至樹林的濃蔭下。雲光撕裂，電光劃出塊瞬息即逝的火紅菱形。一陣狂風從落日那邊刮來，刮得滾滾烏雲翻騰不休，相互堆積，越聚越濃；霹靂在林中引起了大火，大火像燒著了的頭髮似的迅速蔓延；火柱和煙柱直沖雲天，雲天則向茫茫火海傾吐雷電"。狂風的怒號聲、猛獸的咆哮聲、大火的劈剝聲和劃破長空熄滅在水中的電光所帶來的頻頻驚雷聲，彙集成一種混亂嘈雜的呼號，響徹在這一片紛亂中。而當夏克達斯和奧布裏神甫埋葬阿達拉時，則是"涼月淒寂，寒光慘澹，彷佛是悠悠銀燭在爲守靈的長夜照明。銀裝的月娘在深更半夜冉冉升起，宛若披白穿素的貞女來到同伴的靈柩上哀哀哭靈”。可以說，大自然在小說中的作用就是作爲培育主人公愛情的溫床，也是埋葬他們愛情的來自天國的伊甸園。他們在其中生，也在其中領悟到生命的溫暖和悲戚。自然不是靜寂的，而是一個有血有肉的人，一個充溢著愛情的精靈。它孕育了他們的愛，也把大自然本身的殘酷覆壓到他們身上，他就像希臘戲劇中的歌隊，隨著劇中人物的喜怒哀樂唱出不同的樂調，烘托著人物走向自己命定的結局。

在如此神秘的大自然的激發下，主人公內心不斷膨脹的愛情與欲望時時就像那電閃雷鳴一樣要噴薄而出，恣肆的感情激浪總使他們不由自主地向天地、向他們面前的一切傾訴或興奮或痛苦的靈魂，這就自然使整部小說貫穿著一種濃鬱的抒情色彩。作者顯然也是有意借充滿力量的大自然來襯托主人公內心那同樣源於自然的愛情力量。小說中直接抒情的文字比比皆是，完全達到了情與景的和諧一致，而且又互相烘托，讓人讀之不由不隨之而情緒激蕩。作者以情寫景，以景襯情，景隨情生，情因景濃。當夏克達斯一再向阿達拉要求愛情而阿達拉一再拒絕他時，後者是這樣訴說自己的矛盾的：“呵，我年輕的情人！我愛你猶如愛烈日中的樹陰！你美得像百花盛開、涼風勁吹的荒野。倘若我附身在你的身上，我會渾身顫抖；倘若我的手落在你的手上，我彷佛覺得我將香消玉殞……然而，夏克達斯！我將永遠不能成爲你的妻子”。當夏克達斯知道了阿達拉原來是自己恩人的女兒時，愛情加上兄妹情誼使他們的感情更加不可自抑，他們緊緊擁抱，而夏克達斯則舉目向天說：“在閃電的電光下，當著大神的面把我的妻子摟在懷中。與我們的不幸和我們愛情的偉大相稱的婚禮儀仗，掀動著藤蔓和綠色拱穹的叢林，你們的藤蔓和拱穹彷彿是我倆新床的帷幕和床頂，充當我們新婚花燭的光焰熾熱的松樹，氾濫的河水，鬼哭狼嚎的群山，可怕而又壯麗的自然，難道你們是一副爲了欺騙我們而準備就緒的豪華的排場？難道你們不能在你們神秘莫測的恐怖中暫時藏匿一個男人的歡喜？”在剛享受到幸福時就意識到悲劇快要到來的夏克達斯的這段既是欣喜又緊張的傾訴，生動地把他內心情感的動蕩與身邊大自然的變幻無常融爲一體。至於小說的最後部分，即阿達拉吞服毒藥前後夏克達斯和神甫圍繞愛情與自然、宗教的爭論，以及夏克達斯爲阿達拉之死所感到的悲傷，就更是直接的袒露了。

與小說所描寫的這一段悲劇愛情相對應，小說通篇籠罩著一層濃得化不開的感傷色彩，一種帶有貴族沒落色彩的感傷。小說的主題就是感傷的：一對真心相愛的男女卻因爲一個早年立下的盟誓而歸於幻滅，而兩人作爲“自然之子”的身份更讓這種悲劇顯得不忍目睹。夏多布里昂自身的經歷和他的身份使他嗜愛這種感傷，他認爲面對天國的神聖莊嚴，個體的存在本身就是要不斷懺悔與贖罪，在上帝的神聖光輝面前人只有承認自己的渺小才能獲得上帝的眷顧，這是一種存在意義上的感傷，個體是無法擺脫的，只有融入上帝的神秘，消弭自己，才能與上帝同在。在我們看來，這顯然是一種落後的消極的人生觀、愛情觀，但在夏多布里昂的時代，這種思想卻是進步的，因爲這種感傷畢竟抒發的是自己的感傷，突出的是“我”，這與在這之前的古典主義文學是有明顯區別的。愛與死本就是憂傷的源泉，而小說採用第一人稱的寫法直接講述愛與死的故事就讓這種哀傷的主題更加泣人瀝下。從主人公的身世講，夏克達斯十七歲時就因戰爭而背井離鄉，先被西班牙人洛佩士收養，但又因厭倦城市文明而重返森林，但一到森林就做了俘虜；與阿達拉相愛讓他感受到生命的力量，但偏偏阿達拉又不能與他結合，他本想爲她準備一個溫暖的婚床，但結果只能在她的墳墓前悲泣；他本希望與她一起在溫暖的上帝之光下享受愛情的甘露，結果吞下的只是生命的一杯苦酒；而他自己也不斷悲嘆自己的身世飄零，甚至預言自己死後“沒有任何一位朋友會在我的屍體上蓋些青草，使我免遭蒼蠅叮螫。一個慘遭不幸的異族青年的軀體是不會有人關懷的”。與夏克達斯相比，阿達拉的悲劇從她剛有生命就開始了：她是母親與洛佩士的私生子，後來母親被迫嫁給西馬漢後又讓她信奉基督教，並在臨死前讓她宣誓爲上帝保持童貞，她剛開始並沒有看到自己誓言裏所包含的危險，作爲血管裏流著西班牙血液的基督徒，她根本就看不起周圍那些異教徒，但後來見到夏克達斯後，她開始意識到自己誓言所包含的危險，她一方面要屈服於情欲，一方面又被上帝的光圈壓抑著，本就幼弱的少女之心在這兩種同樣強大的力量的壓制下處於崩潰的邊緣，總使她在剛剛感受到愛情的光明與歡樂的時候就已感覺到一種絕望和悲傷正遠遠飄來；她常常無緣無故地顫慄，常常用幽深抑鬱的眼睛看著自己的愛人，那裏有一種神秘的力量吸引著她，喚醒了她內心的那種要沖決一切的欲望，她愛他，可又拒絕作他的妻子，夏克達斯總是在她那似乎平靜的面容下看到她內心的痛苦。他們的愛情沒有幸福，只有悲傷和眼淚，最後她只有以死來使兩種矛盾得到解決。這種痛苦是以直接抒發的形式表達出來的。在談到母親要自己發誓一生忠貞於神的事情時，阿達拉這樣說到：“呵，我的母親，你爲什麼要這樣講呢？呵，宗教，你造成了我的痛苦，同時也造就了我的幸福，既毀了我，而又安慰我！而你，親愛的而又可悲的愛情對象，你耗盡了我的心血，直至使我落入死亡的懷抱，呵，夏克達斯，你現在看清是什麼造成了我們殘酷的命運了吧”。而當阿達拉知道了自己的誓言原來是可以消除的、而此時一切都已經晚了時，她既留戀生命和愛情又覺得服從上帝的正確，因而一遍遍向夏克達斯和神甫訴說自己內心的苦痛，她的每一句話都好像是她吞下的催死的毒藥，只讓人肝腸寸斷，日月變色，人間尙有如此淒苦，真讓人的靈魂難以承受。

阿達拉的痛苦主要來自愛情與宗教的衝突。宗教成爲支配人物命運的一道看不見但無處不在的生命圈，把人牢牢地束縛住，當人安分守己時它還能給人帶來暫時的安靜，而一旦人想掙脫它的束縛，它馬上就變了臉色，愈來愈緊地控制著你，使你的每一次掙脫都只換來更緊的束縛，而作者的態度顯然是主張愛情應該服從宗教，主張野蠻應該得到文明的薰陶，最終應歸依基督教的。作品中的三個人物可以說都是基督教中人。阿達拉是作者理想的爲宗教而殉難的崇高形象。她雖然生在野蠻部落，但卻始終忠於自己從未見過面的西班牙父親的基督教，當與夏克達斯產生了愛情後，宗教與自然情欲產生了劇烈的衝突，她猶豫過，痛苦過，掙扎過，但最後還是忠實於自己的誓言，以身殉教。作者儘管真實地寫出了她的矛盾心態，但對她最後的選擇是持讚美態度的。與阿達拉不同，夏克達斯本來是一個徹頭徹尾的野蠻人。他只信奉本族的偶像，即使被西班牙人洛佩士收養他也拒絕改信基督教，但在追求阿達拉的過程中，他因愛“人”而慢慢對所愛之人的宗教信仰也產生了好感，特別是被奧布裏神甫救了之後，他參觀了神甫的教區，目睹了教區內男耕女織，其樂融融的幸福景象，使他對基督教進一步產生了好感。一個細節很好地說明瞭他的這種轉變。當他在神甫的教區參加神甫的祭禮時，這時“群山背後露出了曙光，把東方染得通紅；曠野上升起一片金黃色和粉紅色的霞光。一輪紅日由如此瑰麗的光輝爲它開道，終於從萬道霞光的無底深淵中噴薄而出，冉冉升起，而它的第一道光芒正好照在此時神甫高舉在空中的聖餅上。呵，宗教的魔力！呵，基督教祭禮的宏偉場面！由一位年高德勳的教士當祭司，以一塊岩石爲祭台，茫茫曠野作教堂，純真無邪的土人爲祭眾！不，我絲毫不懷疑，祭禮就在我們誠惶誠恐地匍匐在地上時完成了；而且，我也絲毫不懷疑，上帝已在此時自天上降落人間，因爲我已感覺到他降落在我心中”。一個充滿反抗心的野蠻人消失了，一個匍匐在上帝腳下的子民誕生了。當然，夏克達斯的轉變最關鍵的因素是阿達拉臨死前要求他信奉基督教，這樣兩人才好在天國相會。至於神甫奧布裏，更是一個通體煥發著上帝光輝的聖者形象。他的出場就是救贖，就連他的穿戴、面容，都是一個典型的替上帝受難的形象。他隻身一人來到美洲傳教，以至雙手都被印第安人砍掉都毫不退縮，並自始至終熱愛著印第安人，終於把自己的教區變成了一個沐浴著上帝光輝的世外桃源，這也是作者心目中的理想社會的生活圖景，是人間的天國。阿達拉死前神甫對他們兩人的長篇教誨，充滿激情，簡直就像教堂裏的佈道，卻毫無宣教的乏味，而是讓人不由自主地受到感動。以小說寫宗教，而且閱讀的感覺仍然是一部小說而不是福音書，小說在文學界和宗教界產生那麼大的影響力也就不奇怪了。作者最後還寫到基督教遇到的災難：這個教區後來受到蠻族的進攻，神甫不願拋棄信徒一人逃走，被野蠻人活活燒死，臨刑前他還在爲劊子手禱告，使得殺他的幾個野蠻人被他的精神所折服，改信了基督教。這種顯然是誇張的描寫，顯然是進一步渲染基督教的神聖和偉大，最終實現了作者寫這部小說要“促使讀者愛宗教，並指出宗教的作用”的目的。

繆塞的《一個世紀兒的懺悔》

阿爾弗雷德·德·繆塞（Alfred de Musset）出身於小貴族家庭，他創作了他所屬的那個浪漫時代的最生動的戲劇，也完全按照自己的生命摹寫抒寫性靈的詩歌，當許多同時代的作家無不爲時代的急流裹挾著奮勇向前時，他卻蝸居於一己私室，不聞不問地專心寫作。但他的敏感和脆弱、激動和失望卻是間歇性發作的不治之症，這使他的作品沒有貫穿始終的因素，這使得我們至今還難以在文學使上給他進行恰當的定位。

他的個性很複雜，常常使人覺得無法應付，難以捉摸，他在《納慕娜》這首詩中的幾句話倒很適合於他：

他表面樂陶陶，但卻十分陰鬱……

十足地微不足道，但非常穩健，

可鄙地很天真，但卻十分厭煩，

可怕地很真誠，但卻非常刁鑽。

剛開始創作的繆塞是屬於上流社會的貴婦的：刻意雕琢的激情，不加節制的活潑豔麗，流光溢彩的青春的力量，使他的平常的題材煥發出毫不成熟的魅力。他像戴著一副憤世嫉俗的面具，對社會、政治、宗教、女人抱一種冷嘲熱諷的態度。就如他 19 歲寫的使他初露頭角的詩篇《西班牙和義大利故事集》，他在其中以一種漫不經心的驕傲態度，寫妻子欺騙丈夫，情婦欺騙情夫，寫貴族們的毫無節制的尋歡作樂，寫在青春激情的驅使下人們的淫蕩，特別是對女性的描寫，簡直是帶有一種仇恨、惡毒和憤怒寫出來，誰也不知道年齡這麼小的繆塞何時已經如此地參透人生。出身於貴族的他當然不會和雨果這樣的堅定的反叛者永遠站在一起，雖然他也隨著雨果們舉起來前進的旗幟，他屬於那種生活優裕，拿文學當作消遣的文人，也許正因此，他的早期作品透露出當時文壇少見的一種純粹氣息，一種透明的玩世不恭。他不能說是一個偉人，但完全可以當之無愧地被稱作詩人。他同當時的很多貴族青年一樣，當發現自己已不可能像拿破崙時代的青年人一樣衝鋒陷陣，建功立業，而復辟後的政權又不能滿足自己的理想的時候，他們最大的願望就是在醇酒美婦的懷抱裏消磨青春，毫不吝嗇地揮灑自己的最有創造力的才華。

如此年輕的繆塞為何會如此對人失望呢？為何他在二十歲的時候就有了一副四十歲的飽經滄桑的臉呢？他是過於熱情了，而年輕的熱情一旦遇到阻礙就很容易陷入失望，這很難從某一個事件尋找其中的原因，但他自己耿耿於懷的是他在青春初萌時就被一個情婦欺騙，被一個朋友出賣。他的敏感和自尊使這些在上流社會的人看來不值一哂的小事變得越來越嚴重，而他的軟弱又使他從不輕易表現出自己受傷的心，於是他有時裝得玩世不恭，對世界上的一切都冷嘲熱諷，有時又裝得無比堅強，對一切熱情的東西進行蔑視和攻擊。若沒有喬治・桑的出現，這個被時代和家庭寵壞了的法國青年人也許就一直這樣了，即使有發展，或許也只是在這條路上走得更遠而已。

喬治·桑屬於精神豐滿健康的那種女人，她始終保持著心靈的平靜；而繆塞則屬於神經質型的，很容易衝動也同樣容易絕望。作為藝術家，喬治·桑不如繆塞，但作為人，繆塞則不如喬治·桑。兩個藝術家在經歷了最初的熾熱和瘋狂後，最終也像許多類似的情侶一樣陷入懷疑和厭倦的怪圈。繆塞對喬・治桑的背叛痛恨不已，而喬治·桑則從繆塞身上看出男人都自私狹隘。但不管他們之間的事是多麼難解，但一個誰都不會否認的事實是：自從這次分手，繆塞開始拋棄以前的矯揉造作和紈絝作風，之後的作品都顯示出他要擺脫以前的假面具，重新從令人墮落的誘惑中擺脫出來的努力。表現在人物身上，則更多表現為純潔、真實、自然，即使在弄虛作假、尋歡作樂時也是那麼自然。一種理想主義的光環籠罩著他這些作品中的重要人物，尤其是女性 —— 喬治・桑高度理想化的替身。其中最主要的代表作品就是其自傳性小說《一個世紀兒的懺悔》。

這部小說以第一人稱寫成，主人公是一個生不逢時的時代多餘人，是一個患了“世紀病”的貴族青年，這種病的症狀是不滿現狀，圖謀反抗，但又不知從何抗起；反對貴族社會腐化墮落的生活，但自己又身陷其中而不知自撥；良心未泯但又厭惡自己的良知，只希望沉迷於幻覺和縱欲而忘掉自己的理想，這種矛盾的結果往往是主人公意識到自己在生活中已毫無希望，於是就用更深的麻醉使自己在精神上死亡，直至連肉體的感覺都消失殆盡。這種病往往是一個時代的特殊產物，是一個沒有希望的時代在個人內心的折射和反映，一旦有一個人染上這種病，就會很快傳染開去，從而衍生出充斥於整個時代的時代病患者。至於這種病是如何發生的，在小說第一部的第一、二章交代得很清楚，這也是整部小說的序幕。主人公出生在帝國戰爭的年代，他們的父親在憂鬱的妻子的子宮裏給了他們生命以後就上了戰場，所以他們本身就是憂鬱的種子。他們是與鮮血和死亡一起長大，是呼吸著憂鬱的空氣長大的。等他們能夠思考的時候，他們發現一切光榮都已經成爲過去，拿破崙的時代已經結束，信仰也已經喪失，據說靈魂也已經死亡了。這時有人站在講壇上說光榮是一件美事，但自由是比光榮更美的事，聽到這種聲音，年輕人的心激動得發抖，父輩的血重新在他們身上激蕩起來，但就在他們聽完演講回家的路上，“他們看見有人帶著三隻裝有人頭的筐子到克拉馬墓場去，那是把自由這兩個字說得太響亮了的三個青年人的腦袋。”在這樣的時代，青年人的生活中包含了三個因素：“在他們的後面是一個永遠摧毀了的過去，可是許多世紀以來專制政體的一切陳腐的東西，還在它的廢墟上蠢動；在他們的前面是黎明中的一個廣大的前景，未來的最初的光明：而在這兩個世界之間……有一種好像是海洋一樣的東西，把舊大陸同年輕的美洲分離……”。總之，目前的世紀，它使過去和現在分離，它既不是過去也不是現在，可是，同時兩個都很像，而人們不知道自己在那裏自己每行一步，究竟將會有怎樣的結果，不知道是走在一顆種子上，還是在一粒殘飯上。最大的虛僞成爲社會的風尙，快樂本身就已經不存在，“什麼都不相信”成爲青年的座右銘，他們嘴角露出一個奇怪的笑容，從此就不顧一切地投身到最瘋狂的荒唐生活中去了。

小說的主人公沃達夫患上世紀病的原因很簡單：他是一個貴族，當時才十九歲，沒有遭遇過任何不幸和得過任何疾病，性格既高傲又開朗，抱著一切希望和一顆熱情洋溢的心，但在一次宴會上，他發現自己的情婦竟當著自己的面和自己一個最親密的朋友勾搭調情，從此他就得了這種病。爲什麼如此簡單，因爲在這樣的時代裏，他只有和這個女人的戀愛的生活經驗，懷疑她就等於懷疑一切，詛咒她就等於全部否認：失掉她等於失去了一切，於是在他的生活中陽光被懷疑的烏雲所遮擋，他開始不知道自己該幹什麼好。他和自己的那個最親密的朋友決鬥受傷，像幽靈一樣參加各種舞會、歡宴，但在他內心卻仍然在進行著激烈的鬥爭：他一方面蔑視自己的情婦，但一方面卻仍然渴望滿足自己的欲望。這時在他生活中出現了一個叫戴尚奈的律師，他實際上是沃達夫內心的那種渴望放棄一切道德原則，毫不懺悔地投身於放縱生活的墮落力量的化身。這是一個今朝有酒今朝醉、天不怕、地不怕的人物，他只有肉體，沒有靈魂，同樣，女人在他眼裏也不代表什麼愛情、美，只是肉體。爲了治好朋友的病，他先是想方設法讓他忘掉背叛自己的情婦，然後勸他在妓女和美酒的懷抱中忘卻過去，最後甚至把自己的情婦送給他。他的人生經驗是：你要提防厭倦，這是一種不治之症："一個死人比一個厭世的活人還好。你是富感情的人麼？你得當心愛情；對一個放蕩者來說，這比病痛還要壞……如果你要生存，就得去學殺人……如果你有軀殼，就得要當心病痛，如果你有靈魂，就在提防失望"。他就像歌德筆下的靡菲斯特，屬於看透時代病症的惡的化身，但恰恰體現了時代殘酷的真理：在一個沒有信仰和靈魂的時代，追求純真無疑是愚蠢的，只有比別人更深地沉入墮落的地獄，也才能比別人生活得更快樂，這種人才是時代的寵兒，是"當代英雄"，但沃達夫偏偏要在這樣的時代追求所謂的真愛情，而且把這當作生活戰爭的唯一目標，這就難免要失望。他羨慕沒有思想的醉漢的生活；他狎妓，但當夢醒時反而更加痛苦；他渴望救贖，徹底擺脫精神的痛苦。

誰也無法不被他那深刻的懺悔以及悔恨的淚水打動！這是一個想回頭但又無力的浪子的眼淚，在正常的社會，浪子少，道德高尙者多，而在他所生活的社會，甚至連好心要拯救他的人給他開的藥方都是別回頭，"浪"得還不夠。這樣的時代，這樣的社會，你讓誰救他？

轉機是他父親的死。他回去奔喪。一天晚上他在一條林蔭道散步時，遇見一個衣著樸素但舉止高雅的太太，後來在避雨時，又遇到了她，這時他才從別人嘴裏知道她叫玫瑰花兒比莉斯，因爲她是一位有德行的女人，她此時正在照顧一個病人。她一直活躍在鄉間充當天使，把愛和和平帶給大家。她注視病人的眼神深深吸引住了已不相信還有愛在人間的沃達夫，他愛上了她。愛使他感覺到自己又活過來了，但某種疑懼始終使他不敢吐露自己的愛情。他愛現在這樣的溫情和自然，他意識到比莉斯吸引自己的是那種聖潔的美，是一種精神上的吸引，自己對她的愛包含著尊敬的成分。他問自己：假如我對她說我愛她，將會得到怎樣的結果呢？她或許會禁止我來看她。向她傾吐我的愛情，我會使她比現在更幸福些嗎？而我自己也將會更幸福些嗎？他已經不相信自己還有承受責任的能力。爲了逃避，他決定旅行，而同時比莉斯太太也離開了村莊。酒越陳越好，情越拒越烈，當他們再見面時，終於在一次刻意安排的旅行中相愛了。但愛的幸福是短暫的。當比莉斯一遍遍吐露自己熾熱的愛，愛得不知如何是好，愛得發狂時，沃達夫反而開始懷疑她的愛情，過去生活的一切經歷都回到了他的腦子裏，過去的生活邏輯重新開始運作：女人總是騙人的，愛情都是虛幻的；他開始懷疑她向自己隱瞞了什麼，開始覺得她對自己所說的一切都是謊言。他回憶起第一次見到比莉斯的情況：當時她讓自己挽著手送她回去，他當時的感覺是幸福，現在卻越想越可疑：爲什麼第一次見面她就把手給我？爲什麼她最初逃避我，最後竟那麼快地委身於我，這裏面一定有虛僞？“當我認爲她將永遠不可能屬於我的時候，難道不正是她來主動向我吐露了她對我的愛情嗎？”他的邏輯是：只有品行不端的女人才會這樣，比莉斯這樣做了，所以她一定品行不端。嫉妒的火焰一旦燃燒就不可遏止，他開始以猜疑回報她的真誠，開始把惡毒的言辭潑在她玫瑰一樣的心上，但比莉斯容忍了這一切，並且回報給他更多的溫柔和愛情，而沃達夫就把更多的懷疑放到她身上。爲了折磨她，他一遍遍地向她講自己在巴黎的放蕩生活，講自己的情婦，並且讓比莉斯化裝成自己過去情婦的樣子。每一次這樣做之前，他都爲自己的罪惡後悔，他想向她懺悔，發誓一定要讓她幸福和快樂，給她最真摯的柔情，但奇怪的是，他只有在以惡毒的玩笑破壞和毒化這些本應最快樂的日子時他才感到滿足。可憐的比莉斯太太，當自己的情人在和自己幽會時突然說出巴黎一個妓女的名字時，當他當著她的面和一位品位低劣得多的女人調情時，她竟默默忍受了。儘管沃達夫盡了一切的努力，但過去生活遺留的病症卻越發瘋狂起來：用責備和詬罵來侮辱自己最寶貴的東西。冷酷和嘲諷，溫柔和忠誠，無情和傲慢，追悔和順從，幾乎有規則地連續着，逐漸地，比莉斯感覺自己是被人輪流當作一個不貞的情婦，或是一個被包月的妓女，因此也越來越悲哀。此時兩人之間的愛情變成一場救贖和反救贖的鬥爭，比莉斯由情婦變成了母親，責任取代了愛情，而沃達夫則越來越像一個生病的孩子，每當不痛快時就撒潑，而母親則有耐心地一遍遍地安慰他，親吻他。對沃達夫來說，他就像一個已習慣了黑暗的人突然走進燦爛的陽光中，他只感到昏眩。比莉斯太太如果真像妓女一樣待他，他反而可能爲自己的惡作劇心安理得，但她卻是如此的寬容，如此的真誠，他這樣一個浪子在她面前只感到自己的無恥，感到自己不配享受這樣的幸福，他因一個女人的欺騙而對所有的女人都仇恨，現在卻偏偏遇到一個自己不應該仇恨的女人。比莉斯太太完全理解他，正因爲理解才寬恕他，她要以自己的犧牲來拯救這個生病的孩子。她對沃達夫說："在你來到這裏以前，在這個村子裏，我的生活是多麼安靜！我自己曾多次許願，絕不要改變這種生活。這一切都使我變得特別需要人的照顧。好吧！這沒有關係，我是屬於你的。在你高興的時候，你對我說過，上帝命令我像一個母親一樣來照顧你。我的朋友，這倒是真的，我並不天天都是你的情婦，有許多時候我是、或我願意是你的母親。是的，當你使我痛苦的時候，我在你身上再也看不出你是我的情人了，你只不過是一個害病的孩子，多疑的倔強的孩子，我願意護理他，治好他，以便能夠再找回那個我所愛的人，我要永遠地愛他的人。"顯然，這時在她心中更多的是母愛，這使她即使在遇到真正適合自己的愛情時也爲了孩子決定放棄。史密斯的出現改變了他們的生活，這是一個同樣富有犧牲精神的青年，他爲母親和妹妹的幸福毫不猶豫地犧牲了自己的幸福，與沃達夫相比，他顯然是和比莉斯生活在同一個世界，一種沃達夫永遠嚮往但卻無力達到的世界，一個靈與光的世界，比莉斯與他真心相愛。但爲了救沃達夫她決定放棄這個可以使自己真正幸福的愛情，決定永遠陪伴著他，無論天涯還是海角。但當沃達夫意識到自己在感情上已經就要失去比莉斯太太，意識到比莉斯太太對自己已只有憐憫時，他竟一時衝動要殺掉她，幸虧他在動手時看到了比莉斯太太胸上的基督受難像。基督的光輝照亮了他已被嫉妒和仇恨充塞的心，他覺醒了，最後他獨自走了："他對他出生的城市最後回顧了一次，並且感謝上帝的賜福，使得因他的過失而造成三個人的痛苦，現在只剩下一個不幸的人了。"

法國著名文學批評家聖伯甫曾這樣評價這部小說："這本相當富有戲劇性的小說，結構很藝術，筆調輕盈，色彩鮮明，並且充滿了激情。"[1]這確是點睛之論，小說最大的魅力就是以詩一樣的激情把主人公內心情感的動蕩宣洩出來。小說的許多篇章與其說是小說，不如說是詩，特別是表現主人公內心的矛盾衝突時，這種抒情性表現得特別明顯。而且從整部小說的節奏安排和結構安排上，也很符合散文詩的規律，而以第一人稱的敍述方式無疑使這種抒情得到最淋漓盡致的發揮。小說的戲劇性也很明顯，主人公發現自己情婦的不忠就很有戲劇性：在晚宴上，他因爲叉子掉在地下彎身去拾，無意間看見自己情婦的腿正和自己好朋友的腿緊緊地貼在一起；他若無其事地抬起身，看他們的表情，沒有任何變化，同樣的道貌岸然；過了一會兒，他假裝叉子掉了，彎下身去拾，發現他們的腿還緊緊地在一起，看看他們的表情，仍然是道貌岸然，他同樣不動聲色，但內心已經燒起了一團火：他無法相信：一個是自己最愛的情婦，一個是自己最親密的朋友之一，爲什麼他們口裏說著愛自己，卻當著自己的面調情，於是他對人、事的看法發生了根本的變化：在這之前他是個無憂無慮的孩子，之後他就成了個憤世嫉俗的時代病患者。這些都是很有視覺效果、舞臺效果的情節。沃達夫和比莉斯太太的戀愛同樣充滿了戲劇性。論年齡，比莉斯太太比沃達夫大十歲，論經歷，沃達夫雖然年輕但已成爲巴黎浪子，比莉斯太太卻是個很有宗教情操的聖女；沃達夫在巴黎的享樂場受騙所以懷疑一切，比莉斯太太早年因受騙失身，結婚後丈夫早亡，但她因此更關心不幸的人，這樣兩個不屬於同一個世界的人偏偏在遠離世俗的鄉間相見。沃達夫久在荒唐生活中沉迷，遇到比莉斯這樣溫柔沉靜的女人自然很快因好奇而產生吸引力，比莉斯太太呢？出於種種成熟的考慮千方百計迴避他，或許借此考驗他。兩人爲此都日益憔悴，最後在林中散步時，或許是巧合或許是精心安排，

---

1 《一個世紀兒的懺悔》"譯者前記"，人民文學出版社，1980 年版，第 9 頁。

兩人才相愛；而一旦相愛，馬上又彼此痛苦。最後爲了對方的幸福又分手。本應只有鮮花和陽光的愛情只因爲人物自身性格的原因而一波三折，跌宕起伏，產生了無窮的張力。

有人說這部小說開闢了法國心理小說的先河，此言不虛，對沃達夫變態心理形成過程的細緻刻畫，特別是對他和比莉斯太太相愛後複雜心理的描寫，堪與任何心理小說媲美。

繆塞生活的時代本身就是複雜多變的；法國大革命之後，先是拿破崙第一的第一帝國的興亡，接著是路易十八兩次復辟，隨後是查理第十登基、七月王朝復辟、法蘭西第二共和國以及拿破崙第三的第二帝國時期。動盪不安的社會現實本就是滋生憂鬱病的溫床。繆塞是從參加雨果的進步文學社團步入文學的殿堂的，所以他早期也和雨果、戈蒂耶一起，以浪漫主義的旗幟，對古典主義的清規戒律進行了猛烈的攻擊，對當時的社會矛盾也進行了有限的批判和揭露，但當他看到社會現實並沒有像他預想的那樣發生根本變化時，貴族妥協的血取代了鬥士的血，他看到了人民間醞釀的不滿，但又知道這種不滿的物件中也包含著自己；他預感到社會的不公將引發動亂，但他又害怕這種動亂。他逐漸陷入了悲觀主義和懷疑主義。在實際生活中，他也同樣陷入了危機；他看到了腐化生活的可恥，但自己又不由自主往泥潭中沉沒；他渴望純潔的愛情，但當真出現這種感情時，他又無法承受，如他與喬治．桑的愛情悲劇，結果，面對陰森的現實，他就像自己小說中的沃達夫一樣得出這樣的結論："本世紀的一切毛病都來自兩個原因，人民經過 1793 年和 1814 年，在心頭上留下了兩個創傷。過去所曾經存在的已不復存在，將來總要到來的尚未到來。" 在這樣的時代，他注定和自己的主人公一樣，成爲時代的犧牲品。

霍桑的《紅字》

納旦尼爾・霍桑（1804－1864）是美國十九世紀上半期著名的浪漫主義小說家。他馳騁豐富的想像，採用奇特的情節，運用深刻的心理描寫和象徵手法，描寫自然和超自然的景象，渲染神秘的氣氛，使他的作品具有一種新奇、深邃的藝術魅力。

霍桑的思想充滿矛盾，其中最重要的矛盾體現在他的宗教信仰方面。一方面，他反抗新英格蘭的清教主義傳統，抨擊宗教的狂熱和狹隘，譴責虛僞的宗教信條，但同時他本身又深受這種宗教的影響，並且以此爲世界觀認識社會和整個世界，特別是善惡觀點，簡直就是他生活的思想基礎和創作的思想基礎，這使得他的小說無不充滿著宗教的神秘色彩。從政治角度講，他首先是不滿於當時的社會現實，但同時又對社會改革抱一種根深蒂固的懷疑態度。所以，他最後也只能退回到抽象的愛和人性善尋找人類的出路。在科學與自然的關係上，他顯然也是一個時代的落伍者，一方面他接受了現代人的生活方式，但同時卻又認爲科學和機器只是破壞人的全面發展的“惡毒的精靈”。當然，這些思想矛盾並不就否定了他創作的藝術成就，也可以說，恰恰是這些矛盾造就了他藝術上的獨特風格。霍桑是美國文學史上最早成功地運用心理分析的作家；他把自己的小說稱爲“心理羅曼史”，他不要求“細節描寫的真實”，他把客觀世界只看作是包含某種隱秘意義的象徵物，而更注重刻畫“人心的真實”。因而，霍桑被公認爲美國文學史上浪漫主義小說和心理小說的開拓者。這一切，都集中地表現在他第一部也是最傑出的長篇小說《紅字》中。

《紅字》以 17 世紀北美清教殖民統治下的新英格蘭爲背景，小說開始的場景是鎮監獄的門前，而這個場景的中心人物是海絲特・白蘭，一個年輕、美麗的女子。她懷裏抱著一個三個月大的女兒 —— 珠兒，站在行刑台上，等待着政教合一的加爾文教（即清教）在大庭廣眾面前宣佈對她的判決。那麼，受審的女罪犯是什麼人？她又犯了什麼罪?

白蘭出身英國破落貴族家庭，後嫁給了一個畸形的年老學者齊靈窩斯。婚後，兩人決定移居波士頓，途經荷蘭時，丈夫因有事留下，妻子先行獨自來到波士頓，一住近兩年。期間丈夫杳無音信，據傳他在趕來的途中被印第安人俘虜，生死不明。在獨居生活中，海絲特·白蘭與當地牧師亞瑟·丁梅斯代爾相愛，生下珠兒，白蘭因此為清教教義所不容，被投入監獄，並在刑台上當眾受辱，還要終身佩戴一個紅色的字母A（英文Adultery的第一個字母）作為懲戒。當局一再逼她說出通姦的同犯，但她斷然拒絕。受刑當天，齊靈窩斯正巧趕到，目睹了這一場面。牧師的良心雖然受到譴責，卻沒有勇氣承認自己的罪，健康每況愈下。不久，齊靈窩斯以醫生的身份搬到丁梅斯代爾那裏與他合住，說是為了更好地觀察他的病情，給予更好的治療，實際上只是為了折磨他，削弱他的精力和體力。最後，白蘭意識到齊靈窩斯的罪惡企圖，向牧師提出攜珠兒一起私奔，去建立新生活。珠兒這時已7歲了。7年來，白蘭一直執著地愛著牧師，把這種愛完全傾注在養育殊兒和服務社會公益上，她雖過著十分清苦孤寂的生活，但她也贏得了鄉親們的同情和敬愛。一次她與牧師在森林中會見時，表白了她對他的愛情，並摘下紅字，以示自己的決心。牧師受清教意識的束縛，認為私奔是罪，罪上加罪，因而猶豫不決，但最後還是勉強同意了，計畫在他做完慶祝上帝選擇日的祈禱文後離開。霍桑把出逃安排在選擇日是大有深意的，他要通過牧師的口來說明加爾文教的教義，即一個罪人不可能根據自己的願望獲得贖罪，他靈魂的拯救完全取決於上帝的選擇。同時，霍桑通過丁梅斯代爾堅持要在這一天履行他最後的職責，進一步揭露了他本人和宗教的偽善。丁梅斯代爾使出全身解數講完了娓娓動聽的佈道。然後，他雙手緊抓住白蘭和珠兒的手，跟她們一起走上刑台。這個刑台正是7年前白蘭手抱珠兒、胸戴紅字當眾受辱的那個刑台，也正是7年前他曾假意規勸白蘭繳出同犯，而自己卻隱瞞罪責的那個刑台。現在他站在上面終於袒露了自己的罪責，並因心力交瘁倒在台上死去。至此，把復仇作為生活中惟一目的的齊靈窩斯，其圖謀也告結束，一年後鬱鬱而終，死前，他立下遺囑把財產留給殊兒。珠兒隨其母親去了歐洲，後與一貴族結婚，過著美好的生活。白蘭回到波士頓，繼續行善，死時，她的墓碑上鐫刻著一個紅色的A字。

霍桑寫作《紅字》的時代，資本主義經濟的發展早已打破了殖民時期的舊秩序，資產階級社會金錢至上，弱肉強食，道德淪喪的種種弊端和病態已經越來越充分地顯露出來了。霍桑想通過這部小說探討這一切的墮落是怎樣產生的？霍桑將《紅字》的背景放在殖民地時期，實質上是把兩個犯了戒的清教徒的故事當作引子，藉以提出和思索自己時代的問題。

霍桑寫的是一篇通姦故事，但通觀全篇，卻看不到任何發自作者之口的譴責，相反，倒處處看到白蘭聖潔的光輝，胸前的紅字也越來越失去罪惡的色彩，而成爲她自身美德的外在標誌。一個按世俗標準應受批判的通姦者卻成爲道德的最高尙者，這鮮明地表現了霍桑的本意並不是要指責犯罪的當事人，而是要找出促使當事人犯罪的背後原因，這是小說的最大魅力，也是最與眾不同之處。

小說以恥辱的紅字爲中心線索，突出了白蘭所受的不公正待遇，表明真正犯罪的不是白蘭，而是虛僞、偏狹的宗教制度和不合理的社會現象。小說一開始就展示了白蘭犯罪的背景：十七世紀中葉殖民地時期新英格蘭馬薩堵塞州的波士頓。作者先以陰暗灰色的筆調描寫了殖民主義者建造的監獄，那木制的大廈、厚重的、釘滿鐵釘的橡木門，一切都顯得蒼老、晦暗，在這個背景上，作者巧妙地安排了白蘭在獄吏的押送下，通過市鎮廣場來到刑台示眾的場面，押送白蘭的面目猙獰的獄吏，代表著清教法典的全部無情；作者接著描寫了市民對這個胸前佩帶紅字的女人的態度，展示了殖民地時期新英格蘭的社會風貌和人們的精神狀態。他們中雖然也有個別人表示出一點同情，但更多的是惡毒的咒罵，這說明，在政教合一的清教徒思想的嚴酷統治下，人們已把宗教和法律視爲一體，政權和宗教這兩股勢力深深地沉浸在人們的精神和性格之中，使他們成爲毫無同情心的人，在這樣的情況下，還有真性情的白蘭的出現就成爲已失去自己獨特的精神生活的他們宣洩他們渾然不覺的精神變態的最好的途徑。在這樣的世界面前佩帶紅字示眾，顯然是一種比肉體懲罰深重得多、嚴酷得多的一種精神懲罰，更何況示眾之後，這個紅字還要一直戴在胸前作爲恥辱的標誌。作者寫當時海絲特感到的痛苦就像“她的心臟被投在街上，讓所有的人來踐踏一樣。”這是真實的，因爲對白蘭來說，不但旁觀者的譏刺使她痛苦，而且她自己也在譏刺自己，這是清教意識深入人心的標誌，所以她一方面順從自然欲望與人通姦，但同時也接受世俗道德觀念把這當作一種“犯罪”，她爲此而感到的懺悔，以及採取的贖罪方式，都典型地說明了這一點。但作者的用意並非在於判斷她是否犯罪，也不在於揭露殖民地時期清教徒對人民群眾的精神統治，他感興趣的是個人犯罪和人性中的善惡問題。在作者看來，白蘭的通姦是合乎人性的，宗教法典，監獄、墳墓自然是罪惡的象徵物，但同時他又認爲白蘭是有罪的，而宗教和法庭又是對人類罪惡的一種抑制力量，又是順乎清教徒所奉行的“天理”的。這實際上體現出霍桑本人的思想矛盾，即在批判清教主義的同時，他自己也陷入了宗教神秘主義之中，這種矛盾清楚地表現在書中的人物形象塑造上。

海絲特·白蘭是一個年輕美麗、熱情奔放的婦女；她出生在一個破落的古老貴族世家，從小受到父母的寵愛，喜歡壯麗華美的事物。她有一種“豐盛的、肉感的、東方人的特質”。但不幸嫁給一個行將衰老的男人，畸形的學者。她的丈夫熱衷於典章書籍，對妻子缺乏溫暖，加之夫婦長期分居，於是她有了新的生活，有了這胸前的紅字。

當在眾人面前受刑的時候，當全人類都用手指著她時，她還有一種反自然的神經的緊張支持着，而且盡她性格中的全部的戰鬥力量，使她能夠把對自己的懲罰變成一場慘澹的勝利，但當她從監獄裏走出來時，她卻要獨自面對似乎永無止境的生活，而且日日承受不可知但都同樣痛苦的考驗：“因爲每經一天，每過一年，都將在恥辱的累積上層層堆起它們的不幸。在長年歲月中，她要放棄她的個性，而變成宣教師與道德家眾手所指的一般的象徵，而且用這個象徵，他們可以生動具體地表現出他們關於女性脆弱與罪惡情欲的意象。這樣，他們將教育那些年輕而純潔的人們望著她：這個在胸上燃燒著紅字的火焰的人……拿她作爲罪惡的形象、肉體和實際”。但在這樣的壓力和屈辱下，她卻沒有像別人所想的那樣離開此地以躲避恥辱，而是仍然決定留下來，因爲有“那麼一種不可抵抗、不可避免的情感”強迫她留在這裏，那就是她對丁梅斯代爾的愛，她的愛是熱情而又堅貞不渝的，最後看到自己心愛的人被自己的丈夫折磨，她甚至提議和丁梅斯代爾一起私奔，這需要多麼大的勇氣，出於多麼聖潔而真誠的愛啊！但是這種人間之愛在嚴酷的清教徒思想統治下卻不被承認，也得不到同情，就連白蘭也承認自己確是有罪，她之所以留在自己受辱的地方，一方面是因爲愛，但另一方面也是因爲她認爲自己犯了罪，需要刻苦自律、自沈來贖罪。就這樣，這個看來嬌弱的女性，卻以罕有的堅強個性和善良的本性，身負恥辱的紅字，在那個陰鬱的社會裏獨自生活下來。

很明顯，白蘭的存在也是作者的困惑，一方面他認爲白蘭是一個公開受苦的罪人，但同時又對她表示了明顯的同情。的確，在白蘭身上既有人性的因素，又有宗教的色彩，但人性因素居於主導地位。她不是屬於那個社會的，佩帶在她胸前的紅字使她和那個社會隔絕起來，她是被社會擯棄的人，因而她能更多地用異己的眼光“看待教士和立法者設置的一切”。她的命運使她趨向成爲一個自由的人。但是在白蘭身上仍被作者打上了宗教原罪的印記，因此清教徒法庭設計出來的懲罰才能以千變萬化的形式，使她受到無窮無盡的痛苦。

如果說白蘭是公開受罪的罪人，那麼同案犯丁梅斯代爾則是一個潛在受罪的罪人。他本是一個神聖的僧侶，一個神學家。他博學多識，善於辭令，是個很有前途獲得更高教職、而且人人對此深信不疑的青年牧師；他對上帝的敬畏發展到病態的地步，但卻因此讓人敬重。他沒有自由的見解，只有在感到信仰的壓力時，他的心情才能寧靜。“在信仰的鐵欄裏，一面是囚禁他，一面卻也是支持他。”然而丁梅斯代爾畢竟也是個有血肉之軀的人，他也嚮往着人間幸福的愛情。白蘭的愛使他感到快慰和溫暖，但他又覺得這種愛是有罪的。他也並不是完全忽視自然世界，忽視感受生活中真實的美的機會，當他偶爾用一種非正統的觀點去看世界時，也會感到一種愉快和歡欣。“正如那緊閉而窒息的書齋，被打開一扇窗戶，放進一股清新的氣息來。”但這樣的時刻是非常短暫的，牧師的生命在一種宗教的、腐朽黴爛的氣息中逐漸消損。他熱心地研究神學，一絲不苟地履行教區的職責。看到白蘭所受的痛苦，他多次想公開自己的秘密，與白蘭一起受苦，但軟弱使他一次放棄，於是他更煩惱，爲了排遣內心的不安，他就採取了“羅馬的腐舊的信仰”，每天晚上，在他的密室裏，“這位新教徒與清教徒的聖人”，“時常一面自己苦笑著，一面用一條血淋淋的鞭子猛擊自己的肩膀”，同時他還有絕食的習慣，“他把絕食嚴格地當作悔罪的行爲，一直作到他的雙膝顫抖爲止”；同時，“他一夜一夜地徹夜不眠，有時在完全的黑暗中，用最強烈的光照着自己的面孔”；最後，他在深夜中竟然一個人站在白蘭曾站過的行刑台上，大聲喊叫起來。此時的年輕有爲的牧師，已被悔恨和痛苦折磨得近於病態了。當他最後在眾人面前公開袒露了自己的罪惡，猛地扯開自己的衣服時，人們在他的胸口上看到了什麼？——一個血淋淋的A字！他的死，也是一種殉教，他既是自己情欲的犧牲品，也是清教禁欲主義的犧牲品。霍桑以他的痛苦和死亡，批判了宗教禁欲主義的無情和違反人性，但他顯然並不否定“負罪行善”的基督教義。丁梅斯代爾的生活遭遇和思想言行和海絲特一樣，都是“負罪行善”的典型體現，不過一個是公開地受辱，一個是秘密地自責，他們兩人最後都得到了解脫，成爲了真正的聖者和殉道者。

丁梅斯代爾最後承認他與白蘭有罪，但卻不是最罪孽深重的人：“願上帝饒恕我們兩個！海絲特，我們不是世界上最壞的罪人！世上還有一個人，他的罪孽比這個褻瀆神聖的教士還要深重！那個老人的復仇比我們的罪惡還要黑暗。”他這裏指的是齊靈窩斯，但真是如他說的那樣嗎？

羅傑·齊靈窩斯原本是一個英國學者，一個理智好學、沉靜安詳的人。他把學識看得比愛情還重，所以在科學研究方面取得的成就越大，他對妻子的冷落也就越深，這使得年輕健美、渴望享受世俗生活的海絲特·白蘭備感失落。兩年前他把自己的妻子送往新大陸，本想處理完事務之後立即趕到，誰知自己中途被擄，落入異教徒手中。兩年之後再見到妻子時，妻子已成爲刑台上示眾的罪人。在得知事件的原委之後，他決定對那個破壞了他的家庭溫暖的人進行復仇。他改名換姓出現在波士頓，對他的仇人進行暗中查訪。他本能地覺得年輕的牧師就是他獵獲的物件，於是他就以一個精通醫道的教民的身分主動關懷牧師的健康。他把自己僞裝成爲一個最可信賴的朋友，隨時隨地跟蹤著可憐的牧師，他像個技術高明的探寶者，“極力鑽入病人的胸懷，挖掘他的主義，探索他的記憶。小心翼翼地觸摸著一切，宛如搜尋寶物的人在黑暗的洞穴裏。”他渾身籠罩著一種獸性，他像一個掘墓人在挖掘墳墓，探尋那埋在死人胸上的珠寶一樣，“向牧師幽暗的內心裏作長期的探尋”，“他偷偷摸摸，小心翼翼，東張西望，摸索前進，像小偷潛入一個人的臥室裏，想偷取那個人視如眼中瞳仁的寶物一樣”來試探丁梅斯代爾的靈魂，並不時用言語暗示、引誘敏感的牧師說出那個隱藏的秘密，牧師憑直覺覺得有個敵人就在自己身邊，這無形中加重了他的憂鬱與病態，最終為此而死，而齊靈窩斯最後也終於利用藥物達到了自己的目的 —— 發現了牧師胸上的紅字。

在霍桑的筆下，齊靈窩斯是一個毫無憐憫之心的復仇者，一個外表沉靜溫和，“無動於衷，內心卻懷著深沈惡毒的人。七年來，他一直從事解剖一個痛苦的心，並以此為樂事。”霍桑一貫認為科學研究泯滅人性，齊靈窩斯無疑也是一個用智慧把自己變成魔鬼的顯著實例。當獵物在眼前時，他目光炯炯，鬥志百倍，一但他的獵獲物脫離了他的控制，“世界上再沒有魔鬼的事業要他來做的時候”，他的全身的精力和氣魄、生命和智慧就離開了他，像拔了根曬在日光中的蔓草一樣在人們的眼前消失了。

霍桑認為，齊靈窩斯既沒有遵守上帝的博愛和饒恕的善心，又失去了人間的同情和憐憫，與海絲特·白蘭和丁梅斯代爾相比，他才是一個真正的罪人，一個不可原諒的罪人。但他存在的意義還不僅如此，他作為宗教的反面人物出現，一個違背了宗教教義的人物出現，他在從牧師身上尋找潛在的罪惡時，客觀上對宗教的偽善也進行了揭露，如他說：“如果他們（指有罪的牧師）有意使上帝光榮，還是別讓他們向天舉起他們的髒手吧！如果他們有意為他們的同胞服務，首先讓他們表白出良心的真實和力量，強制著自己謙卑地懺悔吧！明智而誠信的朋友啊，你是想叫我相信一種虛偽的外表是比上帝自己的真理能夠更多更好地有益於上帝的光榮有益於人類的福祉嗎?請你相信我的話，這樣的人是自己欺騙自己的！”雖然齊靈窩斯的本意並不是要揭露宗教的種種罪惡，但實際效果卻是這樣，雖然揭露得不徹底，但在霍桑的時代，卻是難得了。

小說步步深入、層層剝離，結論卻是“人人心中皆有惡”，罪惡根深蒂固，與人類社會共存。這便是加爾文教“惡”及“原罪”觀念。這使小說充滿神秘色彩，同時削弱了小說的批判力量。

既然人人心中皆有罪，那麼怎麼對待罪惡呢?加爾文教過於殘酷和虛僞，中古宗法道德觀念又遠離現實人生。州長貝靈漢只知道經營自己富麗堂皇的邸宅；威爾遜牧師一味享受奢華富貴。霍桑認爲，那“神聖的”宗教機構和“公正的聖人”都沒有資格裁判一個犯罪的女人，因此，結論便只是要求人們正視罪惡:“要誠實！要誠實！要誠實！把你最壞的東西袒露出來……”。這種結論顯然是作者無力給人找出更好的出路的證明。

小說中唯一沒有罪的是珠兒，她是母親性格的折光，表現出了白蘭被請教法律壓抑著的另一面性格。她的“純潔的生命，承受著不可測知的神意，從一種茂盛的罪惡的熱情中，開放出一朵可愛的不朽的花”，她有一種戰鬥的氣質，一種狂野的、好動的、不守紀律的習性和反抗精神，這使她根本不把別人視之爲罪惡的標誌的紅字當作罪惡的東西，而是當作一種鮮豔的美麗的裝飾品；遇到外在的侮辱與歧視，母親謙卑，她卻敢於反抗；她蔑視那些小清教徒們，她會抓起石頭對他們扔過去，聲音尖銳，莫名其妙的怪叫著，連她的母親都要爲之發抖! 還有她那完美的體態，充沛的精力以及旋風式的熱情無一不是她母親的精神的再現。甚至在她的眼裏也可以看出隱伏在她母親心裏的那種憂鬱絕望的陰雲。由於和母親共同處在一個被隔離的圈子裏，她的性格中有許多不安定的因素，也有無窮的幻想力、創造力，由於受到社會的歧視，她對世界的“一切都抱敵對的態度”。她與周圍的世界很不協調，而且，她的降生就是對現世法規的一種破壞。她是屬於未來的:“仿佛她是與埋在地下的一代人毫無共同之點的動物，而且自己也不承認與他們是同一個族類。她像是用新的元素新製造出來的，所以必定要允許她過她自己的生活，有她自己的法律，而且不能把她的怪癖認爲是她的一種罪惡。”與母親的憂鬱與歎息相反，她的笑聲充滿著歡樂與和諧。她仿佛飛翔在空中，隨時可以消失，像那不知從何處來亦不知向何處去的閃光一樣。她的幸福美好的結局預示著人類的未來。作者在這個小女孩的身上寄託了自己的理想。

小說最突出的特點是精細入微的心理描寫。小說的目的是揭示人人心中都隱藏著的惡，而心理描寫的成功運用則使作者的這一目的得以實現。海絲特・白蘭是一個慘遭清教教會統治迫害的普通婦女，她的性格特徵是善良和叛逆，小說令人信服地描寫了她從懺悔贖罪走向懷疑、反抗的心理歷程。羅傑·齊靈窩斯的最大特點是僞善和狠毒，他貌似忠厚長者，實質心如蛇蠍。其中寫得最深刻和細膩的是丁梅斯代爾的心理活動。在丁梅斯代爾的思想中，正統的宗教觀念占了主導地位，但偶爾也有一些世俗的清新的空氣吹進他那令人窒息的書齋。他是虔誠的，但又是軟弱的，自己犯了通姦罪，卻又缺乏公開承認的勇氣，在長期的內心自責中，他耗盡了自己的精力。加之那位復仇者就在他的身邊，可以隨心所欲地捉弄他，只要對方高興就可以突然間使他感到一陣恐怖和驚悸。他像一個被人捏在手心裏的玩具一樣，隨時都得忍受不可知的折磨，他終於無法忍受這種折磨，只有公開認罪才是解脫的唯一出路。從隱瞞到最終公開懺悔的過程，也是他內心最痛苦的歷程。當他站在高高的講壇上向腳下匍匐著的信徒宣講着聖潔的教義，當他名聲越來越成爲宗教偉大的標誌時，他內心的痛苦也越來越深。不知有多少次，他渴望著從他的講壇上揚起最高的喉嚨把內心的秘密說個明白，告訴人們他究竟是怎樣的一個人："我 — 你們眼見穿著牧師黑袍的這個人；我 — 登上神聖的講壇，面孔蒼白地朝著上天，替你們向最高的萬能之神傳達音訊的這個人；我 — 你們認爲日常生活有如日諾（與上帝同行的人 — 引者）般聖潔的這個人了；我 — 你們以爲在人間的途徑上腳步留下一道光明，許多巡禮者追隨著我便可被領進仙界裏的這個人；我 — 親手給你們的孩子施行洗禮的這個人；我 — 曾經在你們的亡友身上念了告別的禱告，使他們離別的世界對他們微弱地響起 '亞門' 之聲的這個人；我 — 你們的牧師，你們如此尊敬如此信任的這個人，全然是一團污穢，一個騙子"，但當他說出來時，聽眾卻反而更加尊敬他，這樣，雖然他"極力想把罪惡的良心表白出來，藉以欺騙自己，但是他得不到片刻自我欺騙的安寧，反而犯了另一種罪惡，一種自己知道的恥辱。他說出了確實的真理，可是反把那真理變形成真正的虛僞。然而若論他的天性，是很少人能夠像他那樣地愛好真理，厭惡虛僞。因此，他厭忌他不幸的自我比一切都更甚！" 作家在描寫丁梅斯代爾的這個心理歷程時並沒有抽象地說教，而是把這種內心世界外化爲形象，使心理活動與環境襯托，景物暗示、色彩氣氛的描寫交相輝映，使無形的心理活動顯得有跡象可尋，有徵兆可查。例如丁梅斯代爾由於長期採取絕食、不眠、鞭打自己的方式懺悔，所以身體極度虛弱,頭腦裏經常出現各種幻象："那些幻象，有時發出微弱的光，在內室的薄暗中，使他看得很模糊，有時，就在他的眼前，在鏡子裏，使他看得比較清楚。時而有一群惡魔的形象，對蒼白的牧師露齒獰笑，並招他和他們同去；時而有一群閃光的天使，向天上飛翔，重得像是滿載哀愁，然而越飛越覺輕靈。時而他少年時的幾個去世的朋友來了，他白須的父親現出如聖人般的愁苦面目，他的母親走過時掉轉開她的面孔……接著，在這已成爲鬼魅的思想弄成那麼可怕的暗室中，海絲特·白蘭飄浮過去，她領著身穿大紅色衣服的珠兒，那孩子揚起她的食指，首先指一下母親胸上的紅字，然後又指牧師的胸膛。"作家寫牧師的痛苦達到了這樣的程度：就好像由於他自己的不誠實，整個世界都是虛僞的了，如果說還有一點真實的話，那就只有他最內在靈魂中的苦痛與他相貌上那種苦痛的率真的表情。人們在牧師的臉上是很難看到一絲微笑的。這種描寫既不流於空泛，又有一定的深度。其他還有丁梅斯代爾的夜遊、與齊靈窩斯關於上帝和靈魂的辯論時被齊靈窩斯時時刺痛的靈魂的痛苦等等，都寫得不動聲色但卻驚心動魄，使人感到極度的壓抑和沉悶，這就活畫出這個充滿對世俗生活的渴望的年輕牧師在面對心中的上帝和心中的愛情時的矛盾心情，這實際上是他人格的一次分裂，是處於魚和熊掌不可兼得的兩難困窘中的一次靈魂裂變，而他的軟弱，以及作出選擇的艱難最終使其左右彷徨，一無所得，成爲宗教和自身情欲的犧牲品。

小說的另一成就是使其中的人物和場景都充滿寓意，這是霍桑浪漫主義作品的主要特徵之一。這種寓意從小說第一章就開始了，並一直貫穿始終。小說第一章名爲"獄門"，其中蘊藏著豐富的寓意。監獄伴隨著殖民者的到來而興建，現在經歷了二十年的時光，"木造的監獄已受風吹日曬顯示出各種蒼老的痕跡，使它那灰暗凶惡的外表，露出更淒慘的景象。橡木大門上沉重的鐵件所生的鏽，看起來是比這新世界裏任何一切都更古老。像一切附著於罪惡的東西一樣，它似乎從未曾有過青春的時代。在這所醜陋的大廈前面，在房子和街心的車轍中間，有一塊草地，叢生着牛蒡、茨藜、毒草以及各式各樣非常難看的花草，這些雜草顯然跟這片土地有些意氣相投，在這片土地上這麼早就產生了文明社會的黑花 — 牢獄"。這是文明社會必然伴隨的產物，在當時的社會，這陰沉厚重、釘滿鐵釘的監獄大門象徵著清教徒殖民主義者的嚴酷統治。監獄，這種"文明社會的黑花"，它不是懲罰罪惡的表現，反而成了人們罪惡的表現，現在則由於不符合新時代的要求已經顯得陰暗和蒼老了。那麼，相對於陰暗的監獄的新的生活在哪里？作者接著寫到："但是在門口的一邊，幾乎就生根在門限上，有一叢野薔薇，在這六月的時光，綴滿精緻的寶石般的花朵，使人想像，當囚徒進門或是當被判決的犯人出來受刑的時候，它對他們呈獻出的芬芳和嬌媚，藉以表示在自然的內心裏，對於他們，還有憐憫，還有溫存。"這鮮豔的野花，在小說裏直接象徵著"甜蜜的道德花卉"，象徵著美德和同情。另外，貫穿全書的紅色"A"字，在小說情節發展的不同階段也有不同的寓意：剛開始它是女主人公罪惡的標誌，最後卻成了她德行的標誌。書末墓碑的設計，則帶有濃重的宗教色彩，碑文上寫著"一片黑地上，刻著血紅的 A 字"，這意味著"火紅的罪惡和陰暗的死亡"，表現了作家深刻的悲觀情緒。"紅字"是書名，它的精神就象一束舞臺的強光照射著全書，作家在不同場合以不同方式表現出它的作用和影響，富有深刻的含義。

當然，小說最突出的成就還是對象徵手法的運用。只需看一看小珠兒就足以使人領悟到這一點：她是一對有罪的愛人生的孩子，對她母親和所有的清教徒而言，她是母親罪惡活動的象徵。在小說發展過程中，她的象徵範圍也越來越大，如代表社會良心，象徵母親犯罪的一個證據等等。小說中有很多精彩的象徵描寫，如在行刑台上母女受裁判的那段經歷裏，孩子緊緊抓住母親，用一陣陣的抽搐"反映海絲特思想上的鬥爭"；又如海絲特為了爭取孩子的監護權去總督衙門的一章裏，珠兒發現母親胸前的紅字在盔甲護胸的凸面上反映出來，愈來愈大，相形之下她母親的形象卻顯得非常渺小。透過海絲特對此意象的反映，霍桑向我們說明：社會是怎麼誇大了個人的罪惡以及所作罪惡的重要程度，因而使得個人的品性、個人的靈魂，以及罪惡本身，實際上都被掩蓋得看不見了，這就突出地表現了社會的罪惡。再如關於自然景色的描寫，雙重的含義也格外引人深思。當海絲特與丁梅斯代爾歷經精神的磨難終於在森林裏見面時，一方面是“從來沒有被法律征服過、也沒有被更高的真理征服照射過、曠野的、異端的、森林中的自然”對他們“精神上的幸福表示同情”，另一方面則是他們內心的懺悔與痛苦，這就使人難以清楚地理解：森林是邪惡的領域還是自由愛情的領域？美國的荒野經開拓之後帶來的是秩序、聖潔和進步還是不法、痛苦和罪惡？新建的波士頓市場被監獄和絞台的陰鬱籠罩著，它指的是過去、現在還是未來？《紅字》的象徵手法對美國文學的發展產生了很大的影響。

小說採用的心理描寫和寓意象徵的手法使小說充滿著一種神秘主義色彩，如小說中的人物往往憑直覺去判斷是非，而且能作到準確無誤。醫生憑直覺感到青年牧師心中必然隱藏著不可告人的秘密，正是自己要追究的仇人；牧師憑直覺感到有一種可怕的勢力在向他迫近，使他陷入一種無法接脫的困境，威脅著他的安寧；珠兒憑直覺感到牧師已被醫生捉在手裏，告誡她媽媽要當心；其他人則憑直覺感到醫生和牧師之間必將有一場嚴酷的鬥爭，而且深信勝利一定在牧師方面。憑直感判斷是非，而不是根據生活邏輯來做出結論的方法，必然使人物的心理活動充滿跳躍性、神秘性。另外，霍桑還善於把現實世界與虛幻世界，真實生活與神奇的傳說揉合在一起，把讀者帶入一個無法分清真實與幻境的世界。如在“牧師的夜遊”一章，天空出現的“A”字與教堂老工役拾到的手套都帶有神秘的色彩。手套被說成是魔鬼的胡鬧，而“A”字則被解釋爲“天使”（Angel）的降臨。這些都是十七世紀新英格蘭人的信仰，那時的人們的確相信有各種各樣的預兆的。

小說中還描寫了一系列偶然的巧合，使故事增加了傳奇性。如海絲特在行刑台上示眾之日恰好是齊靈窩斯歸來之時；勸說海絲特供出同案犯的青年牧師恰好就是她要保護的心上人；牧師身體虛弱需要名醫治理，而那關懷護理牧師的醫生正好又是他的最可怕的敵人等等，都使小說表現出真實生活與幻想世界神秘結合的藝術特色。

中編

中外文學關係

中編　中外文學關係

星軺日記與中國現代戲劇的萌芽

迫於救亡圖存的需要，自道、咸時起，清政府就開始向世界各國派大使考察，如郭嵩燾、曾紀澤、薛福成、崔國懷、戴鴻慈、王之春、盛宣懷、張德彝、王韜等，這些大使或出於公或出於私，往往都記有日記，這些日記，取白居易"早風吐土滿長衢，驛騎星軺盡疾駛"句意，總稱爲星軺日記。這些日記記述了初次親身接觸到西方政治、經濟、軍事、文化的中國人的真實感受。儘管在這些記述中談到西方戲劇的地方並不是很多，但就是這些零星的記述，揭開了中國人瞭解、認識西方戲劇的帷幕，影響、促進了中國戲劇由傳統戲曲向現代話劇的過渡。

一

從目前的材料看，中國人可能看到的最早介紹西方戲劇的文章是 1857 年英國人艾約瑟在《六合叢談》創刊號上發表的介紹古希臘戲劇的文章，但這個時期國人對西方戲劇尚不太熱心，加上是外國人介紹的，所以並沒有對中國人產生什麼影響。中國人真正開始認識西方戲劇是從清廷派出的大使們開始的。

首先引起大使對西方戲劇產生興趣的是西方劇院的宏偉壯麗。黎庶昌是最早的一批外交官之一，他在自己那本有名的《西洋雜誌》中對法國的戲院有這樣的描寫：

> 巴黎倭必納，推為海內戲館第一……正面二層，下層大門七座，上層為散步長廳。後面樓房數十間，為優伶住處，望之如離宮別館也。中間看摟五層，統共二千一百五十六座……優伶以二百五十人為額，著名者辛工自十萬至二十萬佛郎。[1]

與黎庶昌有相同感觸的外交官還有不少。曾紀澤的日記中就記有"歸途見大戲院，規模壯闊逾於王宮"[2]；張德彝在巴黎格朗戲園觀劇時，得出的印象是："是園極大，上下可坐一千六七百人"；[3]王韜的《漫遊隨錄》中也說到法國的一座著名戲院提仰達"聯座接席，約可容三萬人"，並描述了他到巴黎時看到的一座正在建造的戲院的情況："余至法京時，適建大戲院，閎巨逾於尋常，土水之華，一時無兩，計經始至今已閱四年尚未落成，則其崇大壯碩可知矣"。[4]

我們或許會感到奇怪，這些大使到底是去看戲還是去考察西方劇院的建築、設施？事實上這並不難理解。中國人走向世界是被迫的，對西方戲劇的認識，也是在中國人不得不承認中西社會之間存在著強烈反差的前提下開始的，正是中西社會政治經濟實力的這種差距，決定了剛走出國門的中國人觀察西方戲劇的特殊視角，即忽視戲劇作爲一種藝術形式的特性而注意那些與西方社會的經濟實力有關的形式特點，而西方劇院的宏偉壯麗，不僅與中國舊式戲院有天壤之別，更重要的是它能表明西方社會的生產力水準，所以自然首先引起中國人的欣羨、讚嘆。也是因爲同樣的原因，大使們對西方戲劇演出時的燈光、佈景、機械設施大感興趣，對借助於這些手段而造成的舞臺上的逼真效果驚奇不已："西劇之長，在畫圖點綴，樓臺深邃，頃刻即成。且天氣陰暗，細微畢達"；[5]舞臺上的"油畫山水幾於逼真，遠望直若重岩疊嶂，有類數十里之遙者。若設爲市鎮，則衢巷紛歧，儼然五都之市，康莊旁達也，"[6]真是令

---

1 黎庶昌：《西洋雜誌》，岳麓書社 1985 年，第 479 頁。

2 曾紀澤：《出使英法俄日記》，岳麓書社 1985 年，第 164 頁。

3 張德彝：《隨使法國記》，岳麓書社，1985 年，第 510-511 頁。

4 王韜：《漫遊隨錄》，岳麓書社，1985 年，第 89、141 頁。

5 戴鴻慈：《出使九國日記》，岳麓書社，1986 年，第 358 頁。

6 王之春：《使俄草》，臺北，文海出版社（近代中國史料叢刊）1972 年，第 203 頁。

觀者“若身歷其境，疑非人間，嘆觀止矣”；[7]大使們注意到西方人利用佈景達到了真假難辨的藝術效果：“久看之，假水起波，紙人亦動”，[8]而他們利用電、光則能使舞臺上分出“晝夜陰暗，”使“日月電雲，有光有影，風雷泉聲，有色有聲”。[9]

毫無疑問，對西方戲劇的這些認識還僅僅停留在表面的觀感上，還談不上對西方戲劇藝術本身的全面理解，但中國人接觸到西方戲劇時的這種最初感動，不管離真正的西方戲劇本體有多大距離，卻最先向中國人透露了西方戲劇的資訊，潛藏著一種學習西方戲劇、改革中國戲劇的願望。對大使們來說，這些記述也許是出於好奇、新鮮，但他們無意中卻爲中國戲劇由傳統戲曲向現代話劇的發展奠下了第一塊基石，後來的戲曲改良者，就是憑藉著這些描述，並運用自己豐富的想像加以誇張，爲中國的戲劇提出了一種潛在的發展方向，也爲戲曲改良找到了一種理想的摹本和理論依據。

改良戲曲另有一種稱謂“時裝新戲”，即着當時人的服裝表演當時人的事情，這在今天看來並不是什麼新鮮事，而在當時卻是一種了不起的改革，因爲中國傳統戲曲在服裝上一直是不合情理的，如“淨”的服裝雖盛夏必擁厚絮，“貼”是雖隆冬必僅穿袷衣，這都是現實中根本不可能的事。1895年，王之春在出使俄國時就注意到西方戲劇演出時“衣裝隨時變換，皆鮮豔奪目”，[10]戲曲改良者由此受到啓發，提出扮戲要“肖真”，表演要穿時裝的要求，於是“紅頂、花翎、黃馬褂”的清朝官僚形象開始出現於舞臺上，這就一下子從形式上、觀感上把傳統戲曲拉近了現實。戲曲改良者還借鑒西方戲劇演出時對舞臺燈光、佈景的重視，也嘗試著進行了一些舞臺改革，如在“場上放煙火，做汽車抵埠界”，或在“場上設樹枝，上綴零星白紙，作梨花狀”。辛亥革命前夕，上海的夏月珊、夏月潤兄弟還請日本的佈景師和木匠在上海佈置了一座採用了佈景轉臺的“新舞臺”，台上的門窗桌椅都是實物……改良戲曲的這些舞臺

7　戴鴻慈：《出使九國日記》，岳麓書社，1986年，第358頁。
8　張德彝：《隨使法國記》，岳麓書社，1985年，第510-511頁。
9　張德彝：《航海述奇》，岳麓書社 1985年，第493頁。
10　王之春：《使俄草》，臺北，文海出版社（近代中國史料叢刊）1972年，第203頁。

改革，雖然不成熟，有的甚至很幼稚，但畢竟在某種程度上使中國傳統戲曲擺脫了程式化、虛擬化的特點，而更適於表現時代、社會的變革和人的情感。

二

一般來說，人們只能理解自己創造的、經驗過的東西。在中外文化交流中，一個民族既定的文化傳統常常構成接受另一種文化影響的背景與前提，與自己的傳統相一致的，則充分借鑒，與自己的傳統不能融合的，則拒絕或進行想像的改造。中國人最初接受西方戲劇的影響時，遵循的就是這樣一個規律。事實上，不單中國戲劇接受西方戲劇的影響時是這樣，西方人在接受中國戲劇的影響時同樣也是這樣。早在中國人接觸到西方戲劇之前，中國的戲劇已經傳入歐洲。元代紀君祥創作的雜劇《趙氏孤兒》在 1735 年就有了法文譯本，發表在巴黎耶穌會教士杜赫德編輯的《中華通志》上。有趣的是，這個譯本刪去了原劇裏的全部曲辭，只注明"此處某角吟唱"，而元雜劇的劇本則是由曲詞、賓白和科泛（動作）構成的綜合性藝術，法譯本把唱段刪去，實際上是抹煞了中國戲曲在演出上的特點，而法譯本之所以這樣刪節，就是因爲譯者是在西方戲劇的觀念框架內來理解中國戲曲的，認爲對話才是戲劇的主導性話語形式，而唱只是戲劇中的點綴，所以有無並沒有多大關係。

舉這樣一個例子只是想說明，在對待外來影響的態度上，中西方人是相同的，即都是根據自己所繼承的文化傳統和現實需要對外來影響加以消化和吸收的。晚清時期，中國人面臨的最大問題是救亡圖存，是擺脫西方強加給自己的屈辱的陰影，中國人接受的任何西方政治、經濟、文化的影響，都是爲了實現這個目的，對西方戲劇的理解也不例外。中國的文化傳統一直是經世致用的，文學也歷來注重"文以載道"，以文"怨、諷"的功利價值。中國的戲曲改良者背靠著這種強大的文化傳統，又爲當時救亡圖存的迫切需要所驅使，在接受西方戲劇的影響時，就往往特別突出、誇大西方戲劇的社會作用，並把西方社會的強大與戲劇的社會作用結合起來，在此基礎上則努力使中國戲曲也成爲實現維新和革命的有力武器，而他們所找到的事實的或想像的，理論的或直觀的依據，就是星軺日記裏對外國戲劇社會作用的記述。

1903年，“越太平洋而客美洲”的歐榘甲偕友觀廣東戲，見皆爲“舊曲舊調、舊弦索、舊鑼鼓”，劇本也多“紅粉佳人、風流才子、傷風之事、亡國之音”，因而認識到舊戲非“大加改革不可”。由此他聯想到法國在普法戰爭後以戲劇激發國民的愛國精神，終成世界強國的事實：

記者聞昔法國之敗於德也，議和賠款，割地喪兵，其哀慘艱難之狀，不下於我國今時。欲舉新政，費無所出，議會乃為籌款，並激起國人憤心之計，先於巴黎建一大戲臺，官為收費，專演德法爭戰之事，摹寫法人被殺、流血、斷頭、折臂、洞胸、裂腦之慘狀，與夫孤兒寡婦、弱妻幼子之淚痕，無貴無賤，無上無下，無老無少，無男無女，頃刻慘死於彈煙炮雨之中，重疊裸葬於旗影馬蹄之下，種種慘劇，種種哀聲，而追原國家破滅，皆由官習於驕横，民流於淫侈，咸不思改革振興之故。凡觀斯戲者，無不忽而放聲大哭，忽而怒髮衝冠，忽而頓足捶胸，忽而摩拳擦掌，無貴無賤，無上無下，無老無少，無男無女，莫不磨牙切齒，怒目裂眥，誓雪國恥，誓報公仇，飲食夢寐，無不憤恨在心。故改行新政，眾志成城，易於反掌，捷於流水，不三年而國基立焉，國勢復焉，故今仍為歐洲一大強國。[11]

“記者聞”表明作者並非親自見過法人演戲，但卻描摹得如此逼真，想像的成分是顯而易見的。無獨有偶，1908年《月月小說》上發表的天僇生的《劇場之教育》一文中也描述了類似的情況：

昔者法之敗於德也，法人設劇場於巴黎，演德兵入都時之慘狀，觀者感泣而法以復興……夫西人之重視戲劇也如此，而吾國則如彼。如此一端，可以睹強弱之由矣。[12]

這大概也是出於傳聞，但傳聞總應該有個源頭。我們看曾紀澤的《出使英法俄日記》中的一段話：

昔者法人為德人所敗，德兵甫退，法人首造大戲館，復蠲國帑以成

---

11 《觀戲記》，見阿英編〈晚清文學叢鈔·小說戲曲研究卷〉中華書局1960年，67頁。
12 《月月小說》第2卷，第1期。

立，蓋所以振起國人靡茶恇怯之氣也。又集鉅款建置圖屋畫景，悉繪法人戰敗時狼狽流離之像，蓋所以鼓勵國人奮勇報仇之志也。事似遊戲，而寓意甚深。聞此二事皆出於當時當國者之謀也。[13]

曾紀澤曾親歷法國，其日記也早於《觀戲記》、《劇場之教育》之前問世，他的記述應該是真實可靠的，但即使這段話也是經過了曾氏的發揮與想像，帶有強烈的傾向性和目的性。最客觀、冷靜地記述類似事件的是比他們都早的中國第一位外交大使郭嵩燾：

始普法交戰以後，繼之以內亂，巴黎宮殿皆至殘毀。亂甫定，即修窪伯亥戲館，費至五千萬法郎，國家仍歲助經費八十萬法郎。去歲又開修直道為徑途，以廣容車馬，亦可謂豪舉矣。[14]

勿需贅言，單從對同一件事的四種有同有異的表述中，我們已經可以意會到中國人接受西方戲劇影響的心路歷程和變化。郭嵩燾的記述最早，他所感興趣的還是法國戲院的“豪舉”，注意力還只在戲劇的輔助性的形式方面，而其後繼者曾紀澤已毫不掩飾自己的政治傾向性和目的性了，至於鼓吹戲曲改良的歐榘甲和天僇生，以文人之筆盡情渲染，把戲劇改革與社會改革合而爲一了。對後二者來說，西方戲劇究竟是什麼已並不重要，重要的是它的某些方面與他們的政治、社會變革要求相吻合，晚清社會的最大熱點是維新與變革，而戲曲因爲生息於民間、爲民眾喜聞樂見而被視爲宣傳國家思想、實現中國富強的有力武器。所以，熱心於戲曲改良者就通過對西方戲劇的社會作用的誇張介紹，以期推動已有六、七百年歷史的中國傳統戲劇的革新，使其適應中國社會現實的需要。儘管這種對西方戲劇社會作用的急功近利的宣傳必然會在一定程度上模糊西方戲劇的真實面目，阻礙中國戲劇向現代戲劇轉化的進程，但在當時的社會條件下，這種做法卻是可以爲人理解的。

三

星軺日記中有不少關於西方戲劇演員地位的記述，這對戲曲改良者

---

[13]曾紀澤：《出使英法俄日記》，岳麓書社 1985 年，第 164 頁。
14 郭嵩燾：《倫敦與巴黎日記》，岳麓書社 1984 年，第 566 頁。

也產生了不小的影響。對中國的外交大使們來說，他們之所以對西方戲劇演員的地位感興趣，主要是出於好奇。因爲中國社會歷來是把演戲的人看成"賤優"、"戲子"，是屬於下九流的，所以，當這些在中國傳統文化中浸潤已久的中國大使看到西方戲劇演員地位之高出乎自己的意料時，就大發感慨，覺得難以理解："英俗，演劇者爲藝士，非如中國優伶之賤，故觀園主人亦可與於冠裳之列"，李鴻章這個堂堂的大清國中堂大人，在英國戲園看戲時竟被主人邀請與"下九流"的"戲子"平起平坐，他的隨從對此甚感驚愕和意外。[15]更有甚者，西方人竟還讓學堂的學生演戲，這對於"學而優"才"仕"，信奉"萬般皆下品，唯有讀書高"的中國官員來說，已是難以接受了："習優是中國浪子事，乃西國以學童爲之，群加讚賞，莫有議其非者，是真不可解也。"[16]

大使們的這些記述，對正在探求救國救民之路，欲使戲曲成爲實現國家富強的武器的戲曲改良者來說，無疑是一種很有說服力的理論依據。他們逐漸認識到，既然救亡圖存離不開戲曲的宣傳鼓動，那就必須提高從事這種職業的人的地位。他們呼籲要把戲場看成學堂，把伶人看成"各學堂的教習"，如陳獨秀在 1904 年發表的《論戲曲》一文中就明確指出："世上人的貴賤，應當在品行善惡上分別，原不在執業高低，況且只有中國把唱戲當作賤業，不許和他人平等。西洋各國，是把戲子和文人學士一樣看待，因爲唱戲之事，與一國的風俗教化，大有關係，萬不能不當一件正經事做，那好把戲子看賤了呢！"[17]這段話很能說明當時的戲曲改良者爲什麼要呼籲提高伶人的地位，其中有一條就是因爲西洋各國都把伶人當作文人學士，這與星軺日記中有關西方伶人地位的記述是一致的，兩者所不同的是星軺日記中表示的是對西方戲劇演員地位的不理解，而鼓吹戲曲改良者則是接受並利用這一點作爲自己提倡戲曲改良、提高中國伶人地位的有力實據。這種認識上的差異，實際上體現了不同歷史時期中國人對西方戲劇態度和傾向性的微妙變化，也體現了中國戲劇接受西方戲劇影響的一般過程。中國人的新型戲劇觀念，就是

---

15 蔡爾康等：《李鴻章曆聘歐美記》，岳麓書社，1986 年，第 151 頁。
16 王韜：《漫遊隨錄》，岳麓書社，1985 年，第 89、141 頁。
17 轉引自王立興：《中國近代文學考論》，南京大學出版社，1992 年。

在這樣的過程中逐漸從幼稚走向成熟的。

星軺日記特殊的史料價值爲我們探討中國現代戲劇的起源提供了一種真實可靠的依據，它至少能使我們得出這樣一種結論：儘管成熟的中國現代戲劇在“五四”以後才出現，但其萌芽早在清朝道、咸時就已經開始孕育了，而晚清戲曲改良，則是中國現代戲劇從萌芽走向成熟途中一座必不可少的過渡橋樑。

晚清戲曲改良與戲曲語言的變革

晚清戲曲改良是在當時社會大環境的迫使下進行的一次痛苦而必然的戲曲改革運動。一方面，洋洋中華大國面臨著被列強瓜分、吞併的威脅，而戲曲因爲生息於民間，爲民眾喜聞樂見，而被資產階級維新派和革命派看作鼓吹革命、提倡民主、開啓民智、宣傳國家思想的銳利武器，戲曲內容的更新必然要求戲曲形式也做出相應的變革；另一方面，晚清戲曲已陷入不可逆轉的敗落之勢，即使如李慈銘、吳梅這樣的詞曲高手，也無法擺脫戲曲偏重曲律的形式主義的窠臼；更重要的是，清末民氣漸伸，民眾迫切需要有一種新的戲曲產生，但這時歐美戲劇尚未真正輸入，而已有六七百年歷史的傳統戲曲自然也不是能輕易捨棄的，所以，有志於革新戲曲者所能做的便是把戲曲的意義抬高了，把攝取題材的範圍擴大了，把曲律的束縛放鬆了，把歷來腳色組合的習慣打破了，從而形成了頗具有一定規模和影響的現代戲劇的第一聲報曉：晚清戲劇改良。在這場戲曲改良運動中，戲曲語言、尤其是唱腔的改革，尤其能體現出中國傳統戲曲向現代話劇過渡的複雜性、矛盾性，體現出晚清戲曲改良運動取得的實績。

一

晚清改良戲曲的語言呈現出一種逐漸以“說白”取代“唱腔”的趨勢，但這並不是說中國傳統戲曲沒有說白，實際上是不但有，而且也重視。戲曲界有“千斤白四兩唱”的說法，意思不是說“白”比“唱”重要，而是說“唱”有譜子，容易掌握，而“白”沒有譜，又要念好，所以更不容易；另外，因爲戲曲中“唱”多“白”少，對說白的要求也就很高，不但念時要清晰響亮，簡潔有力，而且一句話就要有一句話的效果，還要用說白爲下面的戲作鋪墊。但傳統戲曲中說白與現代話劇中的對話不同，因爲它所用的語言並不是人們平日所用的言語，而是採用了中州韻，這是一種人工製造的、專爲在舞臺上使用的特殊的語言。一來，這種語言念時用得出勁，可以送達到較遠的地方；二來，用中州韻比用普通語言更能加強朗誦的價值；三來，中國各地語言不統一，用這種標準語可以使各地的人都能聽得懂。這種語言在過去雖然也進行過一些改革，如譚鑫培曾綜合當時京劇名演員程長庚、餘三勝、張二奎等唱腔的長處，創造出一種細膩婉轉、清脆圓潤的老生唱腔，挺拔之處響遏行雲，迴旋之處餘音繞梁，以至於有“無腔不學譚”的轟動；王瑤卿也曾突破傳統旦角表演唱念作打只攻一端的做法，對旦角唱腔進行了大膽的改革，經他改革後的戲，如《六月雪》、《蘇三起解》、《玉堂春》等，都曾因新腔而轟動一時，後來的程硯秋、梅蘭芳、荀慧生、尙小雲等都也受過他的影響。然而，雖然譚鑫培、王瑤卿等對舊戲的改革也取得了一定的成就，產生了一些影響，但這些改革始終只是在舊戲框框內的改進，並未突破傳統戲曲的性格角色語言的模式，而只有到戲曲改良時才在某種程度上自覺不自覺地突破了傳統戲曲語言的限定。因爲改良戲曲多采時事入曲，往往用激烈的演說抨擊時政，呼籲變革，這就勢必要衝擊舊戲的語言習慣，使其逐漸趨向日常生活語言轉化：用唱咿咿呀呀地號召民眾起來變革畢竟不如直截了當地演說更有效，於是，每當劇中出現這種情節，語言上就不得不進行調整。如月行窗的《女豪俠》一戲中，女主角秦良玉痛斥“三從四德”的一段話：

> 大凡一個人，生在世間，無論男女，都須有個獨立性質。我們中國，是專講服從主義的，男子的服從男子，還是暗地服從，女子的服從男子，竟是明明地服從。你看呢，開口便是三從，若說在家從父呢，那時年齡既小，知識又少，要他的父養育他，那是不得不從的，這句話倒還說得去。及至嫁了丈夫，夫妻是個共體，是個平等，怎好說是從夫?至於兒子是自己所生，兒子還要仗母教呢，怎好說是從子？

軍國民寫的《愛國女兒》一出戲也是揭示中國婦女命運的，主人公謝錦琴也有一段議論，但是用文言唱詞表達的：

> [四門泥]更說甚謝女班姬陰教，早知道無才是德，還只怕詩思文

妖。五言八句便稱豪，鴛鴦二字都顛倒。秋思畫閣，塞外衣刀，春情銅道，樓上箏，縱千種聰明，也只合堅守中郎灶。

兩相對較，哪一種表達方式更容易說明問題，更容易激動人的情感，起到宣傳鼓動作用，自是一目了然。

改良戲曲有許多是或編或譯外國題材的，這對戲曲語言也提出了變革的要求。梁啓超創作於 1902 年的《新羅馬》，是根據他自撰的《義大利建國三傑傳》改編的，捫虱談虎客評此劇特色爲“提紫髯碧眼兒被以優孟衣冠”，即以中國戲曲形式演外國歷史故事，爲了逼真，戲中用了日語、英語，而以當時人的水準，這種外語是很難讓人聽懂的，但從全戲的整體效果來看，人們聽懂聽不懂這些外語並不重要，重要的是這些用語營造了一種寫實氣氛。改良戲曲中出現的新的語言，有時在劇中並不必要，甚至聽起來近似於荒謬，如梁啓超 1898 年亡命日本時創作的五幕粵劇《班定遠平西域》，是根據班超出使西域的故事編寫的，劇中班超的部下徐幹，不但穿西裝軍服登場，而且還有這樣的道白：“某，徐幹。在陸軍大學堂卒業多年……”。甚至“世界上”、“二十世紀”、“國民”等新名詞也都在劇中出現了。其他還如《崖山哀》寫的是唐朝事，劇中卻有“到上海去登報”的說法，《維新夢》寫大唐事，卻有“二十世紀”、“我同胞四萬萬”等用語。這樣的例子還有很多。對語言的這種運用，並不說明作者無知，而是反映了當時戲曲改良者的一種特有的戲劇觀念：戲曲的一切因素都必須爲喚醒民眾，變革社會的現實目的服務，至於戲曲的審美效果則退而居其次，而就是這種近於過激的語言變革，促進了一種新的戲劇情調、戲劇語言的產生，加快了傳統戲曲向現代話劇的過渡。

二

中國戲曲區別於西方戲劇的最本質特徵是其以歌舞演故事，也即歌舞性，“戲曲者，謂以歌舞以演一故事也”；[1]“必合言語、動作、歌唱以演一故事，而後戲劇之意義始全”。[2]等等都服務於演一故事的目的，這

1 王國維〈戲曲考源〉。
2 王國維〈宋元戲曲史〉。

才是完整的戲劇。舞，主要指戲曲表演中的一招一式，如上樓下樓、開門關門、寫字睡眠、繡花餵雞等都帶有濃郁的舞蹈感；歌，主要指戲曲語言的音樂化。不僅塡詞作曲要注重聲律，講究音律美，唱詞要採用歌唱的形式，即使道白的部分也要講求音律美，使“句字長短平厭，須調停得好，令情意宛轉，音調鏗鏘，雖不是曲，卻要美聽”，[3]這樣才能與歌唱相協調。我國北方至今仍稱“看戲”為“聽戲”，“演戲”為“唱戲”，也說明了傳統戲曲中唱的重要性。

可以說，沒有唱就不成其為戲曲。也許就是因為唱在中國傳統戲曲中有如此重要的作用，當戲曲改良的呼聲越來越高，有人提出：“演劇之大同，在不用歌曲而專用科白，” 並從日本歌舞伎受西方影響發展成廢去歌舞、專用科白的新派劇為例，認為中國戲曲也應該廢唱時，[4]立刻就有人站出來批判這種觀點。馮叔鸞說：“感人之道，歌樂較語言為捷，而涵育心性，娛悅神志，尤非語言所能奏功，如之何其可廢?夫舊劇之精神，在演唱。今先廢去演唱，是先廢去其精神也，是並其良者亦改之也”。[5]此說有其合理性，因為不同的戲劇形態各有其獨特的審美個性和審美風格，本是不可機械類比的，然而，時代的發展，政治社會的要求，外國戲劇的影響，以及中國戲曲自身發展的內在規律，都要求戲曲由虛擬／程式向逼真／生活的方面轉化。另外，由於戲曲改良者中已經很少有人能知音解律，也很少有人能嚴格按照傳統戲曲的音律要求塡詞作曲，有些根本不是戲曲中人，如梁啓超、柳亞子，所以，他們創作的改良戲曲不知不覺地就漸漸增加了說白的比重而減少了唱腔、歌舞的成分。我們再以《新羅馬》為例，這齣戲作者原計劃寫四十齣（實際上僅完成七齣），演義大利五十年成敗興亡之事，用以激勵國人反對侵略，自強不息。儘管該劇無論在內容還是形式上都稱得上當時戲曲領域的一種石破天驚的創舉，儘管作者學識豐富，文采斐然，感情充沛，但因為作者不熟悉舞臺演出，劇中的說白要遠遠超出唱詞，以至無法演出，而從全劇的內容上看，又是不得不多用說白以加強戲曲的宣傳鼓動作用。這種“曲子縛

---

3 王驥德〈曲律〉。

4 健鶴：《改良戲劇之計畫》，《警鐘日報》，1904 年 5 月 30-6 月 1 日。

5 馮叔鸞：《戲劇改良論》，《嘯虹軒劇談》，中華圖書館，1914 年。

不住”的現象，恰如洪楝園在《警黃鐘·自序》中所說：“是編情節甚多，故講白長而曲轉略，以鬥榫轉接處曲不達，不得不借白以傳之”。當時的人們已朦朧地意識到，“說白”與“唱”完全可以捨棄其一，而從當時的現實情形看，戲曲改良者更趨於棄唱而選用說白，只是還沒有能力找到具體有效的使用說白的方式，因而在兩者的運用上時常有不知所措之感，在演出時，有時就在有戲的地方迴避了唱，而在無關緊要處，則又塞進大段的唱。《崖山哀》的作者說過一句話，最能說明當時的戲曲改良者在“說白”與“唱”二者運用上的朦朧，這句話是他用來解釋自己為什麼要在戲中用唱腔的：“第一，凡其哀痛悲壯之情，有非說白所能盡者，則以長辭詠嘆之；第二，述前事之處，已有說白，則代以唱”。[6]而實際上，從戲曲的角度上看，不存在因為說白不能充分表達感情才用唱的問題，因為傳統戲曲中是既有唱也有說白的，能用說白表達的，也可以用唱來表達；而從話劇的角度看，也不存在說白“不能盡”的問題，因為話劇發展的歷史已經證明了只用說白、不用唱完全能夠很好地表達劇情。這句含義模糊的話，實際上說明了作者當時已經朦朧地意識到“說白”是可以取代唱的，只是不知道如何取代。

戲曲改良者在運用“說白”與“唱腔”上的這種模糊態度，使晚清的改良戲曲在語言的運用方面出現了一種有趣的現象，即呈現出一種“雜燴”色彩：舊的曲律宮調被打破了，也知道在有些地方用“說白”取代“唱”了，但同時卻是將兩者雜揉在一起的。這就使改良戲曲成為中國戲劇從以“唱”為主的舊戲向以“說白”為主的現代話劇發展過程中的一種過渡形式，但即使是一種過渡形式，也已經是對舊戲的一種叛逆，是中國傳統戲曲適應社會的發展而從內部蛻化中的一種新的戲劇形態了。為了更好地說明改良戲曲的語言在從“唱”向“說白”過渡過程中的“雜燴”現象，我們可以對比著看二個例子，一個是謳歌變俗人的《經國美談》，一個是吳梅的《風洞山》。

《經國美談》是根據《清議報》上刊登的翻譯小說《經國美談》改編的，內容是說古希臘的斯波多城邦為擴充勢力，去侵佔阿善、齊武兩

---

6 漢血、愁予〈崖山哀·導言〉，〈民報〉，1906 年第 2 號。

邦的國土。開戰前，斯波多王曾在神廟求得一卦，卦謂斯波多如不殺害阿善王，即可征服兩國，不料事爲阿善所知，爲了挽救兩國的危亡，他決定犧牲自己的生命，於是喬裝成間諜徑赴敵營，斯波多誤把他殺了。阿善原是一個民心渙散的國家，國王被殺後，人民開始團結起來。這時齊武的志士巴比陀，見阿善能夠自立圖強，也就聯絡同志，呼籲救亡，最後也與阿善聯合，戰敗了斯波多。劇中節目極爲繁冗，登場的角色頗多，說白唱詞雜亂無章，像巴比陀演說救亡的一段：

（小生巴比陀躍上臺介）（白）：小子乃齊武國一個亡命，名叫巴比陀便是，為的是國步艱難，奸黨亂政，遭了千古未有之奇禍，意欲向諸君陳說一番，不知諸君可容垂聽？

（眾拍手介）（白）：有話只管講來！

（小生白）：如此諸君聽講！（唱）巴比陀有相問，要問你熱心諸會民，齊武、阿善本親近，壞我長城那邦人？

（眾白）：斯波多！

（小生唱）：強幹阿善朝內政，專制手段無平民，提起這人當共憤，叫你憲法不能行。

（眾白）：提起斯波多王真令人可恨也！

（小生唱）：併吞六國秦無道，肆行蠶食太欺人，阿善屬地今休問，問你如今存不在？

（眾白）：斯波多真正是我國的仇敵，豈能忘懷於他！

……

《風洞山》說的是於紺珠鍾情於自己的未婚夫王開宇，只因遍地干戈，不曾完婚，後來她的父親要把她嫁於武將趙印選之子，紺珠不從，不久清軍攻陷桂林，趙印選降敵，紺珠爲印選所虜，竟在風洞山下自盡。適值王開宇在山下葬母，發現了她的屍首，悲痛難抑。劇中寫王開宇一邊哭，一邊料理她的後事：

（滿院春）（生）生時節，豔晶晶，死時節，冷清清，紅顏自古多薄命，墳台下，墳台下，和淚銘旌，也好千年後流播姓和名！（眾抬旦下）（生）（咳，天哪？直恁磨煞人也！）折磨他一生。折磨咱一生，拆散姻緣，風孱雨愁，太右裏一樣飄零，（猛念介）（我想盛衰之理，氣數使然，莫說一個人也，跳不出生死圈套，就是國家大事，也不免盛衰的羅網。)(長嘆介)(我才悟出人間悲歡離合也！)

[前腔][換頭]戰場空，情場散，下場頭好夢初醒。止不過石電火光留幻影……

我們不用管這二段戲的內容是什麼，僅從直觀上就可以看出傳統戲曲與改良戲曲在語言運用上的區別。

吳梅是傳奇雜劇這一體例的最後一位代表，也是最後一個謹守着曲律的劇作家。他的劇作，如上面舉的《風洞山》，用詞綺麗，而且都是按照曲牌填的詞，不論是說白還是唱詞，都是嚴守著曲律的，因而節奏感強，富於音樂性；而《經國美談》的作者則似乎不注重戲曲的音律，在結構上也是比較隨意的，人物的唱詞，不像《風洞山》那樣嚴整、遵循曲律，說白也不是話劇裏那樣成熟的對話，但已接近口語了。在我們今天的人看來，這樣的說白和唱詞或許是幼稚可笑的，但不經過醜陋的蛹和幼蟲階段，又如何能蛻化出美麗的蝴蝶？

以語言的變革等爲先導的晚清戲曲改良把中國戲劇推向了世界戲劇的“二十世紀大舞台”，從此開始了中國戲劇邁向現代化的艱難曲折的歷程。儘管它還只是在西方戲劇的催發下生長出的一株稚嫩小草，但在中國現代戲劇的早春時節，這已足以使人欣喜和生出無限的希望了。

春柳派悲劇與日本新派劇

五四之前，中國的戲劇運動發生了兩次重大變革，一次是晚清戲曲改良，另一次是辛亥革命時期的新劇革命。前者是在中國舊戲框框內的改良，雖有局部的革新與改造，但終未能蛻變出一種全新的適合現實變革需要的戲劇形式。正是因爲有了戲曲改良失敗的經驗，當一批年輕的留日學生再次從“社會教育”的角度探討戲劇改革的途徑時，就把目光投向了西方戲劇形式，並通過日本新派劇的仲介，把話劇這種對中國人來說全新的戲劇形式介紹到中國來，從而掀起一場轟轟烈烈、始盛終衰的戲劇革新運動 —— 新劇革命。

新劇是中國話劇的早期藝術形態，它包括兩個大的系統：春柳系統和進化團系統。前者以藝術見長，後者以宣傳時事爲主。兩大系統中以春柳的演劇距成熟期的話劇最近，是我們探討中國話劇藝術形態演進歷程的一個不容忽視的存在。

一

春柳系統包括兩個演出風格、藝術追求相一致的團體，一個是 1906 年在日本東京成立的“春柳社”，另一個是 1912 年在上海成立的“新劇同志會”。兩個團體的主要代表人物有曾孝谷、李叔同、歐陽予倩、陸鏡若、馬絳士、吳我尊、馮叔鸞等。他們大多是留日學生，當他們在日本時，正是日本新派劇處於鼎盛的時期。剛開始時，他們是爲了學習日語才去看新派劇的演出，漸漸地，耳濡目染了這種對他們來說新鮮的戲劇形式的風格與情調後，他們也就想躍躍欲試了。

日本新派劇是在歌舞伎的基礎上，接受西方戲劇的影響而發展起來的。歌舞伎是日本自德川時代傳下來的一種有舞無歌的劇種，劇中人全用說白，不過這種說白不僅每句的字數有限制，而且念時也另有一種腔調，不同於日本人的日常用語，而是舞臺上的專用語氣(與我國戲曲用語有相似之處)。甲午戰爭時，以角藤定憲和川上音二郎等一批有志之士另發起一種戲劇，即“壯士劇”，(壯士藝劇)和“書生劇”，(即書生藝劇)。所謂“壯士”與“書生”是指一些富有革命熱情的青年，他們都是愛國志士，經常採取演說的方式宣傳自己的自由民權主張，而戲劇則是他們經常採用的最有效的方法。剛開始時他們演出採取的是日本傳統的歌舞伎形式，但以宣傳鼓動爲主要目標，劇中加入了大量的宣傳性演說，後來在西方戲劇的影響下，在藝術規範和技巧上不斷突破傳統歌舞伎的形式，逐漸淡化了促使新派劇發軔的那種壯士精神和情感，並更加重視戲劇的藝術個性與情調，慢慢形成了新派劇這種新的戲劇形式。在光緒末年中國留日學生最多的時候，正是日本新派劇的全盛時代，出現了不少有代表性的人物，如伊井蓉峰，河谷武雄、喜多村綠郎，高由實及川上音二郎等。中國的留學生們一向只看慣皮黃戲，現在看了日本新派劇的演出，覺得處處逼真，再加上佈景、燈光的襯托，更是格外動人。於是一班熱心者便自發組織起來，摹仿新派劇的樣式進行了中國話劇史上的第一次演出。

春柳系統的成員藝術素質較高，他們大多經過了系統或不系統的新派劇訓練。最早發起組織春柳社的成員之一曾孝谷在日本的一所美術學校學習繪畫，與日本新派劇名演員藤澤淺二郎是朋友，“日本的新派戲他算接近得最早”。春柳社的另一位組織者李叔同，也在日本學習音樂、繪畫，同時又從戲劇家川上音二郎和藤澤淺二郎研究新劇的演技。陸鏡若在藤澤淺二郎所辦的俳優學校中學習過，學習的就是新派戲。他後來還參加了早稻田大學的文藝協會，對莎士比亞、易蔔生產生了興趣，並和島村抱月、松井須磨子同台演過《哈姆雷特》。其他成員如歐陽予倩、馬絳士、吳我尊等都在日本受過新派優人的指導。

春柳社在日本演出時，也受到過日本新派劇演員的指導和鼓勵。他們的第一次演出，即《茶花女》第三幕，就是在藤澤淺二郎的幫助下成功的，而且還得到日本老戲劇家的讚譽。他們演的第一個有完整劇本的純粹的話劇《黑奴籲天錄》也受到了藤澤淺二郎的幫助，戲劇家伊園青青園予以好評，日本各報也有許多劇評。這對春柳社演出風格的形成和發展無疑是有益的。正是基於這些原因，春柳社的演出不知不覺就流露出日本新派劇的味道，這是春柳社的演出在日本受到好評的原因，也是在中國遭受冷遇的原因。當1912年“新劇同志會”成立，春柳系統作爲新劇運動中的一個追求藝術至上的團體出現在中國觀眾面前時，它並沒有得到他們想像的那種效果。

春柳系統曾被稱爲當時戲劇運動中的“洋派”，意思是指他們走的是純粹西方戲劇的道路，要“演正式的悲劇，正式的喜劇”[1]。他們演劇“絕對遵守劇本，劇本不完全的戲從來沒演過”，即使後來來不及寫劇本而採取幕表制，幕表也比其他劇團寫得詳細。他們從不爲了迎合觀眾而在劇中表演“過分的滑稽與意外的驚奇”，[2]上演前還要經過認真的排練，如《黑奴籲天錄》上演前，光念詞和對詞就花了三個多月的工夫，在一起排練了十多次，而且第一次還是預演。這種嚴肅的態度，儘管沒有給春柳系統帶來商業上的成功，但卻代表了中國戲劇未來的方向。正因爲有這種不肯流俗的演出，才使中國早期話劇的整體面貌得到一些改變。

二

中國早期話劇對悲劇情有獨鐘，以爲悲劇最易感人，最易進行社會教育。儘管這些悲劇離真正的悲劇精神尚有很大的一段距離，有時偏於廉價的刺激，還只囿於家庭戲的範疇，但它畢竟打破了中國傳統戲劇的“大團圓”結構模式，衝擊了中國傳統的以平衡、對稱、秩序爲基調的人生觀念，爲以後的戲劇發展打開了一個缺口。

春柳系統的劇碼共八十一個，內容多爲稱讚愛國志士、宣揚純潔的愛情和婚姻自由、愛人如己、捨身成仁；反對高利貸及嫌貧愛富、恃強凌弱、縱情享樂；同情貧窮人、揭露官場腐敗和黑暗等，這些劇碼可分爲這樣幾類：

1．純粹的翻譯劇本，基本上按原作演出的有三個：《茶花女》、《熱

1 歐陽予倩：《回憶春柳》，《中國近代文學論文集．戲劇．民間文學卷》（1946-1979），中國社會科學出版社，1984年版，第287頁，287頁，304頁，298頁，299頁。
2 歐陽予倩：《談文明戲》、《中國近代文學論文集．戲劇．民間文學卷》（1949-1979），中國社會科學出版社，1984年版，第325頁，317頁。

血》、《鳴不平》。

2．根據外國劇本改編成中國戲的有：《猛回頭》、《社會鐘》、《不如歸》、《新不如歸》等。

3．根據外國小說改編的(主要是林紓譯的小說)約七八個，如《迦茵小傳》、《黑奴籲天錄》等。

4．自己創作的有完整劇本的只有陸鏡若的《家庭恩怨記》。

5．根據自己的意圖編排故事、安排人物、寫成詳細幕表、附有重要的對話，但沒有寫出完整劇本的約十幾個，如《運動力》、《神聖之愛》、《怨偶》等。

6．根據中國古今小說、筆記改編的約有二三十個，包括《聊齋》、《紅樓夢》、《水滸》、《天雨花》、《官場現形記》等。

這些劇碼中，除了一些暴露的喜劇以及一些受盡苦楚，最後帶妥協性的委委屈屈的團圓之外，大多數是悲劇。悲劇的主角有的是死亡、被殺或者是出家，其中以自殺爲最多。在春柳系統演出的二十八個悲劇中，以自殺解決問題的有十七個，而且多半是一個人殺死所恨的人之後自殺。有的是爲家計犧牲自己，賣身爲娼，結果愧憤自殺。即使後來因爲來不及編劇本而臨時湊的戲中，也多半以悲慘結局終場——主角被殺或者自殺。這些劇碼往往籠罩著一種濃厚的悲劇氣氛，並以主人公的不幸結局暴露社會的罪惡，向社會提出抗議——儘管是消極的抗議。這也說明，儘管春柳系統一向被視爲是遵循藝術至上主義的，但仍是關注社會、政治的，也認爲戲劇是社會教育的工具，想借戲劇宣傳愛國。只是他們沒能找到將藝術與現實結合的道路而已。

雖然中國話劇的最終啓示源和指向是西方戲劇，但中、西戲劇的這種溝通是通過日本新派劇的仲介來實現的。新派劇是在日本民族傳統戲劇的基礎上受西方戲劇的影響發展起來的，這對尋找戲劇變革之路的中國人來說，無疑是一個極好的摹本，也增強了他們的信心。中國早期話劇所摹仿的母本一是來自歐美，一是來自日本，而取自歐美的母本中又大多是因爲日本人翻譯過來後，演出已獲得好評，然後中國人才認可並譯成中文的。如春柳社演的《熱血》，本是法國浪漫派作家薩都的作品，原名《杜司克》，後日本新劇家田口菊町把它譯成日本新派劇劇本，改名

《熱血》。而歐陽予倩、陸鏡若是因爲看過日本新派名優河合武雄、伊井蓉峰演過這出戲，覺得很喜歡，然後根據當時中國反專制的客觀情勢，把這個“浪漫派的悲劇排演成宣傳意味比較重的戲”，[3]並改名《熱淚》。劇名的變化透露了戲劇重心的某些方面的轉移。原劇比較側重人物性格刻劃和人物內心矛盾衝突的展現，日譯本突出劇中“革命黨”的情節，中譯本則又循著日譯本的思路有所再創造。這類的例子還有很多，如《復活》、《娜拉》、《奧瑟羅》、《韓姆列王子》、《犧牲》等都是通過日本的仲介而被中國人接受的。在近代中國戲劇變革受西方話劇影響的過程中，日本戲劇及其變革是一個不容忽視的重要存在，中國話劇誕生之初也多少打上了日本戲劇影響的烙印，以至有人認爲話劇就是由日本介紹到中國的：“所謂新劇者，日本戲劇也”。[4]王夢生在《梨園佳話》中也說到：話劇“自東瀛販歸後……日漸發達”。[5]從作品文本的直接獲得和話劇變革道路的認同來看，中國話劇創始時從日本獲得的啓示確實比西方多，但因爲日本近代戲劇變革也是在西方戲劇影響下發生的，因此，早期中國話劇接受日本戲劇影響與感受西方戲劇的影響就產生了一致性。

三

春柳社在日本新派劇演員的幫助下演出的第一部話劇是《茶花女》的第三幕。這出戲的情節和人物早已通過小說而家喻戶曉，在中國人看來，這是描寫一個風塵女子的浪漫悲劇。按說這種題材在中國傳統小說戲曲中並不少見，那麼中國的留學生爲什麼偏偏選擇這種他們如此熟悉的題材呢?長期濡染於日本新派劇的這批中國的戲劇愛好者，已經超越了一般中國人看這類題材的視角，對兩種不同文化的熟稔使他們恰恰能從相似中看出了“戲眼”，這就是中、西戲劇對此同類題材的處理方式有很大差異，這種差異體現了不同民族間不同的審美要求與欣賞習慣。兩劇的主人公都是風塵女子，都漂亮、聰明，都是與一位貴族公子相愛後遭

---

3 歐陽予倩：《回憶春柳》，《中國近代文學論文集．戲劇．民間文學卷》（1946-1979），中國社會科學出版社，1984 年版，第 287 頁，287 頁，304 頁，298 頁，299 頁。
4 沈所一：《劇史·雜俎·勸學篇》，新劇小說社，1914 年版。
5 王夢生：《梨園佳話》，商務印書館，1915 年版，152 頁。

拋棄，而原因也都是因爲家長勢力的威逼。兩劇的差別在於處理主人公的不幸結局的方式：譬如杜十娘發覺自己被拋棄，果斷地自沈於滔滔江水。李甲棄她是因爲錢，而杜十娘恰恰有錢，這種結局令李甲人財兩空，彌補了觀眾因杜十娘之死而感到的缺憾。而瑪格麗特被拋棄後卻是鬱鬱而死，並沒有人爲她伸冤，人們只是爲她的結局感到哀傷，這樣處理就令中國人感到新鮮了。換句話說，《杜十娘》是明寫愛情，實則表現道德倫理衝突，鞭撻了忘恩負義的行爲，主旨在於維護社會道德。而《茶花女》寫的就是愛情，剖析的是人心靈上的痛苦，主旨在“哀情”。

與《茶花女》主旨一致的還有“新劇同志會”演出的《不如歸》。這個劇本是馬絳士根據日本德富蘆花創作的同名小說改編的，寫一個中將的女兒幗英在家裏受繼母歧視，後嫁給金城，夫妻異常和好，但婆婆易氏不喜歡她，常藉故折磨她，結果使她鬱鬱成病，最後她婆婆趁她丈夫出征不在家時將她休了。等金城回到家，幗英已死，結尾是她父親和丈夫來到淒涼的墓地，抱頭痛哭。這個故事與《孔雀東南飛》幾乎一樣，與《茶花女》的內容卻大相徑庭，但二劇的共同魅力都是“以情感人”。這部劇作通過情節的提煉、語言的選擇、情感的傾訴與衝突、以境烘托人物內心，把男女間那種至真至誠的情感剖析得頗爲動人。這部小說在日本曾轟動一時，被改編成日本新派劇後也到處受到歡迎。演這出戲最有名的日本新派戲演員是喜多村綠郎。春柳社演出時根據中國人的欣賞習慣作了不少改動，但總的結構和表演的某些技巧都還是喜多村綠郎他們演的那個路子。這出戲感動了不少人，特別是女觀眾。

春柳系統所演的劇碼中，最能體現日本風格和情調的是《社會鐘》與《猛回頭》。前者是日本新派劇作家佐藤紅綠的作品，原名《雲之響》，是說貧窮農民石老漢有二子一女，爲了給孩子充饑，他偷了人家一瓶牛奶，結果入獄病死，三個孩子也因此備受排擠。石大被迫搶劫，被村裏人認爲是最大的壞人，就把他的像鑄在廟裏的一口鐘上，以示對他的懲罰，最後逼得石大先殺死了弟、妹，然後自己也撞死在大鐘下面。《猛回頭》也是佐藤紅綠的作品，原名《潮》，主人公是一個被迫當了強盜的哥哥。與《社會鐘》稍不同的是：《社會鐘》的結尾是哥哥殺死妹妹，《猛回頭》的結尾卻是妹妹殺死哥哥。但兩劇的共同之處在於劇中人的一些想法和處理問題的方式是日本式的。

按我們的理解，偷一瓶牛奶固然要受到一般倫理道德觀念的譴責，但不一定非要逼得家破人亡，但在日本，事實就是這樣。這種過於殘酷的懲罰不是出於什麼法律，而是出於人內心的道德自我約束。日本獨特的地理環境、文化傳統形成了日本民族獨特的感知世界的方式。可以說，日本民族是比世界上任何一個民族都更加注重自我在社會上的印象的民族。他們行爲謹慎，偏於內向。日本式的教養要求身體的每一個行動都得講究，每一句話都得合乎禮節。譬如，西方人可以非常隨便地發表涉及私人的評論，而日本人對此卻認真得要命。日本人把名譽看得比生命還重要，根據他們的信條，自殺若以適當的方式進行，就能洗刷掉自己的污名，恢復名譽。他們認爲："自殺是有著明確目的的高尙行爲。在某些場合，爲了履行對名譽的'義理'，自殺是理應採取的最高尙的行動方針"。[6]爲了履行自己的義務，日本人常要遵循許多嚴格的行爲模式，甚至放棄那些並不邪惡的享受。與此相聯繫，日本的"小說與戲劇以皆大歡喜爲結局是很少見的……日本的一般觀眾熱淚盈眶地看男主人公因命運的變化而走向悲慘的結局，可愛的女主人公因命運的逆轉而被殺，這樣的情節是晚間娛樂的高潮，這正是人們到劇院去想看到的東西"。[7]這種甘願品嚼人生悲慘的態度明顯與中國不同，歐陽予倩在總結春柳系統的演劇在中國沒有觀眾的原因時就說："純粹的悲劇對中國的觀眾已經不大習慣，像當時我們那樣接連演幾個悲劇就很難吸引觀眾，一般的觀眾爲著散心去看戲，如果叫他每次都帶著沉重的心情出戲館，他就不高興再看"。[8]中國觀眾沒有日本人那種人生悲劇感，也沒有擺脫看戲爲消遣、爲看"角"的欣賞習慣。所以，春柳系統演出的那些具有日本新派劇式悲劇情調的劇碼自然得不到他們的歡迎。

春柳系統所演劇碼中最受人歡迎的是《家庭恩怨記》，因爲它比較嫻熟地用日本新派劇的方式表現了中國式的社會問題。戲劇性既強，又能

---

6 本尼迪克特：《菊花與刀》，浙江人民出版社，1987 年版，162、163 頁。
7 本尼迪克特：《菊花與刀》，浙江人民出版社，1987 年版，162、163 頁。
8 歐陽予倩：《回憶春柳》，《中國近代文學論文集．戲劇．民間文學卷》（1946-1979），中國社會科學出版社，1984 年版，第 287 頁，287 頁，304 頁，298 頁，299 頁。

與現實結合，所以比起其他劇作如《社會鐘》、《猛回頭》等這種外國題材的作品更易爲中國觀衆接受。

《家庭恩怨記》是說軍官王伯良趁辛亥革命的機會，弄了一筆公款逃到上海，娶個妓女小桃紅做姨太太。小桃紅原和一個叫李簡齋的相好，她到王家後仍和李簡齋來往，一天被王伯良的兒子重申撞見，她於是先發制人，設計陷害重申，說重申在酒裏下毒要害死父親，王伯良聽信了她的讒言，要攆走兒子。重申無法解釋，就用父親的手槍自殺了。王伯良原爲重申娶了個童養媳梅仙，重申一死，梅仙也瘋了。後來王伯良發現小桃紅另有情夫，就把她殺了，他把自己的財產捐給孤兒院，也欲自殺，他的朋友勸他說國家正處於多事之秋，應當努力於救國事業，他接受了勸告，騎馬離開了家。

"辛亥革命時候，是有一些那種所謂'司令'之類的軍官，撈到了一筆冤枉錢，就成了暴發戶。一到上海首先從堂子裏娶個姨太太，可是這些錢易來易去，大多數好景不長，""同時那一類的家庭變故在中國的封建社會裏並不生疏"。[9]觀衆熟悉這樣的題材，而春柳系統又是以新劇這種新的戲劇形式，好像真的生活一樣生動地表現出來，加上劇中有幾場戲相當動人，無怪乎會受到觀衆的歡迎。

新劇的兩大系統 —— 春柳系統與進化團系統的演出風格是大相徑庭的。春柳循藝術至上主義；進化團則藝術造詣不高，往往以活報劇的方式，用演說等非戲劇的方式反映現實問題，宣傳社會革命，影響遠遠大於春柳派。歐陽予倩就承認："天知派新劇在新劇運動中的作用，若論當時對政治問題的宣傳，對腐敗官僚的諷刺，對社會不良制度的暴露，還有對於擴大新劇運動，擴大新劇對社會的影響……進化團採取野戰式的作法，收效是比較大的"。[10]要瞭解春柳的戲，以進化團的戲作對照，我們能更好地理解春柳派戲的特色。試以進化團的代表劇作《黃金赤血》與《家庭恩怨記》爲例。

---

9 歐陽予倩：《回憶春柳》，《中國近代文學論文集·戲劇·民間文學卷》（1946-1979），中國社會科學出版社，1984年版，第287頁，287頁，304頁，298頁，299頁。

10 歐陽予倩：《談文明戲》、《中國近代文學論文集·戲劇·民間文學卷》（1949-1979），中國社會科學出版社，1984年版，第325頁，317頁。

《黃金赤血》也是寫辛亥革命的，說的是調梅一家在革命中被沖得妻離子散，最後又團圓的故事。劇始，調梅去留學了，辛亥革命爆發，他妻子被賣至妓院，兒子小梅被知府捉去做了傭人，女兒被賣到野雞堂子裏。後調梅回國參加辛亥革命，去妓院募捐，遇到妻子，他斥責鴇母逼良爲娼，然後把妻子帶走。調梅計畫用演戲的方式募捐，他妻子不會唱戲，就去賣花募捐，在知府家遇到兒子，在她的一番嚴辭譴責後，知府答應捐出一半財產，並放走她的兒子。調梅遇到一群女伶，他的女兒也在其中，他動員女伶們演戲爲革命募捐，並在幕前向觀眾演說，他妻子和兒子也來看戲，於是一家團圓。

進化團的這類戲比春柳系統的戲更受當時觀眾的歡迎，因爲它所採取的化裝演說的方式，更適合當時觀眾的需要，就如洪深所說："在一個政治和社會大變動之後，人民正是極願聽指導，極願受訓練的時候，他們進入劇場裏，不只是看戲，並且喜歡多曉得一點新的事實，多聽見一點新的議論"。[11]而春柳的戲，在表演的內容、節奏和方式上都是以藝術爲最高標準的：演出要有完整的劇本，臺詞是固定的，要經過嚴格的訓練，不肯爲了迎合觀眾而降低對藝術的要求。而進化團則以極其煽動的方式，滿足了民眾對社會變革的心理欲求。就上面兩個劇本而言，兩劇雖同以家庭問題反映社會問題，但《家庭恩怨記》側重於家庭內人物之間的衝突，既有人與人的衝突，也有人內心的衝突。重申與繼母小桃紅、小桃紅與丈夫王伯良、王伯良與兒子之間都有衝突；而《黃金赤血》則主要在於宣傳革命，家庭的成員都是爲革命服務的。《家》以悲劇結局，而《黃》則沒能突破中國傳統戲曲那種大團圓的結局；《家》表演以細膩見長，能夠渲染出一種悲劇氣氛，情感綿長動人，有些場面表演得已相當成熟，如王伯良做壽一場，小桃紅設圈套誣重申下毒，王伯良大怒，要趕走兒子，最後因傷心喝得大醉，倒在客廳的沙發上。重申進來想解釋，見父親睡著了，就脫下自己的衣服給他蓋上，這時梅仙進來勸慰重申，爲安慰她，重申假做歡顏，俟她走開，就用父親的手槍自殺了。聽到槍聲，王伯良只翻了個身，並未醒來。另一個場面是重申死後，梅仙

11 《中國新文學大系·導言集》，洪深《戲劇集導言》，273頁。

瘋了，每天晚上都到花園裏去找未婚夫，聲聲叫著哥哥。王伯良走到花園裏，想避開梅仙，但她已走到他的面前，並問他重申哥哥到哪里去了，他回答說："你哥哥走了，不會回來了"。這一場戲演得很陰森，春柳的演員往往假戲真做，對角色的內心世界往往要反復揣摩體驗。當時演梅仙的是馬絳士，他每次"演完這場戲下來，"都要"滿面淚痕倒在椅子上"。[12]《黃》藝術上明顯不如《家》，它主要是以言論感人，戲中三個角色：調梅是言論正生，梅妻是正旦，小梅是言論小生，三人都說一套道理，連小梅也動輒向觀眾講一番大道理，總使人覺得不像那麼回事。

《家》已經能夠深入人的內心世界，展示了人在不同社會倫理觀念衝突中的心理感受，像重申在受誣陷無法辯白，而又深愛著父親，最終以自殺正已清白，這件事就很有"戲"，也就是說很讓人感受到一種心理衝突營造出的悲劇氣氛。重申的感情是東方色彩的，他的最終抉擇在中國人看來並不理智，也沒必要，因為自殺不但不能證明自己，反而會造成進一步誤解。但作者選擇這種處理方式，重點在於渲染重申的內心痛苦和對父親的摯愛，這種中國式的情感，是借助於日本式的悲劇格調展示出來的。也就是說，這種日本格調的悲劇進一步促進了中國民族情感的自我意識的深化。異域的色彩映出了傳統自新的閃光。

任何一種藝術潮流的發展，都需要有一個過渡時代的犧牲。從中國話劇的發展歷史來看，春柳系統的演劇預示了未來中國話劇的方向，只是相對於它所產生的時代來說，它太超前了，是早產兒，因為得不到所需的滋養而夭折了，但它畢竟為"五四"以後中國話劇的崛起與發展打下了堅實的基礎。春柳的悲劇，儘管還不成熟，但就在它對西方式悲劇的朦朧嚮往中，已向西方悲劇精神靠近了一些。這對於中國悲劇的規範、類型的建立是有意義的，重要的是它對於中國傳統的大團圓式的戲劇模式和平衡、對稱、溫和的戲劇精神構成了一種衝擊，並為整個戲劇的發展開啓了一道通向未來的大門。

---

12 歐陽予倩：《回憶春柳》，《中國近代文學論文集．戲劇．民間文學卷》（1946-1979），中國社會科學出版社，1984年版，第287頁，287頁，304頁，298頁，299頁。

清末民初"拜倫角色"的輸入和原因

從鴉片戰爭始，中西文化開始逐漸碰撞、交流、融合，傳統文學自身開始產生蛻變的迫切要求，在這樣的時代態勢下，外來因素慢慢融入傳統文學從而促成一種新質的文學形式的出現。中國文學從古典向現代的轉化，就是在經過了這樣一個過程後實現的，其中對外國文學的翻譯介紹對促進這種轉化起了重要作用。

然而，清末民初對外國文學的翻譯介紹具有明顯的傾向性：任何西方文學都必須在中國救亡圖存的大背境下接受中國人的選擇改造。這一時期，雖有林紓譯的《巴黎茶花女遺事》，春柳社等演劇團體演出了日本新派劇和西方一些哀情劇，但真正受到歡迎並產生廣泛影響的是那些與"救亡"、"愛國"、"革命"有關的作品。當時首先被輸入到中國的外國作家作品，也大都是些富有革命激情、反抗精神的，也就是說，是對解決當時中國的社會政治問題有"直接作用"的作品。對拜倫的翻譯介紹，就典型地體現了這一特點。

"文人英雄"拜倫與中華英雄夢

西方文學和文化的介紹，使習慣於中庸之道的中國人開始接受西方文化中的個性主義因素和自由民主思想，並希望藉此在文學界、思想界引發一場革命，希望中國也出現柏拉圖、亞里斯多德、培根、笛卡爾、伏爾泰、孟德斯鳩、盧梭、達爾文、斯賓塞這樣的大哲學家、思想家、以及法國的羅蘭夫人、拿破崙、義大利燒炭黨人等這樣的民族英雄，以救中國於危難之中，創造出一個充滿新氣象的少年中國。實際上，不但魯迅、梁啓超這樣的先覺者如此，當時整個時代都在焦灼地期盼著一個救世英雄。

英國浪漫主義詩人拜倫，就是在中國人的這種期待視野中出現並受到異乎尋常的推崇。作爲清末最早被介紹過來的外國浪漫主義詩人之一，拜倫當然並不知道中國人介紹他，最先關注的並不是他的文學成就，而是他暴烈的反抗精神，是他身上那種追求自由、反抗暴政的個人主義精神，這種精神，在清末民初是爲一般熱情的青年所認同和接受的。特別是他爲助希臘獨立而命喪沙場的壯舉，更令清末以救國濟民爲已任的熱血青年傾心不已。對此魯迅曾有過中肯的評價："那時 Byron 之所以比較的爲中國人所知，還有別一原因，就是他的助希臘獨立。時當清的末年，在一部分中國青年的心中，革命思潮正盛。凡有叫喊復仇和反抗的，便容易惹起感應。"（《墳・雜憶》）拜倫不僅是詩人，而且是革命家、實際活動家。他的一生都在以挑戰示威的態度，以異樣的勇敢和熱情，以不屈不撓的意志和毫不妥協的精神，報復或反抗社會專制和壓迫，號召人民起來鬥爭，爭取自由與正義：當"神聖同盟"瘋狂瓜分歐洲時，他是歐洲各國反對"神聖同盟"的思想領袖；在義大利，他是"燒炭党"的領袖之一；在希臘，他被推舉爲希臘革命軍統帥，最後，爲了希臘的獨立和自由，他把自己的生命也留在了那兒。拜倫身上的這種光焰逼人的自由戰士精神，成爲清末民初志士青年心中的一盞明燈，而希臘則是拜倫從詩人變爲英雄的轉捩點，也正因此，拜倫的"哀希臘"一詩在晚清備受青睞，梁啓超、王國雄、馬君武、胡適都曾將這首詩譯成漢語，這在晚清被介紹到中國來的外國作家中是非常罕見的。

作爲最早具有世界性眼光的中國先覺者之一，梁啓超在關照、取捨西方文化時，欣賞、欽慕的也是具有英雄主義色彩的文人英雄，而這其中最有代表性的當然是拜倫。

1902 年，梁啓超在《新小說》第 2 號上首次刊出拜倫和雨果的照片，並稱他們爲"大文豪"，盛讚拜倫爲"英國近世第一詩家……擺倫又不特文家也，實爲一大豪俠者。當希臘獨立軍之起，慨然投身以助之。卒於軍，年僅三十七"。顯然，在梁啓超功利主義的眼睛裏，拜倫作爲文學家的價值遠遠遜於他作爲希臘的英雄的價值。從《新小說》第 1 期起，他發表了一篇新小說《新中國未來記》，其中以曲牌形式譯出了拜倫長詩《唐・璜》中的《哀希臘》兩首：

(沉醉東風)咳!希臘啊!希臘啊!你本是和平時代的愛嬌,你本是戰爭時代的天驕。撒芷波歌聲高,女詩人熱情好,更有那德羅士、菲波士(兩神名)榮光常照。此地是藝術舊壘,技術中潮。即今在否?算除卻太陽光線,萬般沒了!

(如夢憶桃源)瑪拉頓後啊,山容縹緲,瑪拉頓前啊,海門環繞。如此好河山,也應有自由回照。我向那波斯軍墓門憑眺,難道我為奴為隸,今生便了?不信我為奴為隸,今生便了!

"哀希臘"是拜倫長詩《唐·璜》中的一節,歌頌了希臘光榮的過去,哀悼希臘當時被奴役的處境,熱情激勵希臘人民起來鬥爭,建立一個自由的世界。梁啓超把這節詩視作《新中國未來記》的點晴之筆,可謂深知此詩三味。梁啓超孜孜以求救國救民,他從拜倫身上看到了自己所期待的"新民"的典範,所仰慕的英雄精神,感到了一種心靈相契的激動。在注解中,梁啓超說:"擺倫最愛自由主義,兼以文學的精神,和希臘好象有夙緣一般,後來因爲幫助希臘獨立,竟自從軍而死,真可稱文界裏頭一位大豪傑。他這詩歌,正是用來激勵希臘人而作。但我們今日聽來,倒像是爲中國人說法哩。"[1]這真可謂知人之論。此時的梁啓超,"誓將適彼世界共和政體之祖國,要讓中國接近世界十九世紀之文明"。拜倫作爲"英國近世第一詩家,"卻能在希臘獨立解放戰爭時慨然投身相助,成爲一個文人英雄,無疑這會令同樣具有強烈的報國熱情的梁啓超心嚮往之了。

以拜倫的自由精神爲中國人說法,是拜倫輸入中國的首要條件,也是其價值之所在。不獨梁啓超是這麼看,其後拜倫的中國介紹者也大都持此態度。1903 年,馬君武通過比較歌德、席勒、丁尼生、卡萊爾、拜倫和雨果,得出結論說:只有雨果和擺倫才"使人戀愛、使人崇拜"。他稱拜倫是"英侖之大文豪也,而實大俠士也,大軍人也,哲學家也,慷慨家也","聞希臘獨立軍起,慨然仗劍從之,謀所以助希臘者無所不至,竭力爲希臘募巨債以充軍實,大功未就,罹病逐死。"[2]1905 年,馬君

---

1 梁啓超:《新中國未來記》第四回末總批,《新小說》第 3 號。1903 年 1 月。
2 馬君武:《十九世紀二大文豪》,《新民叢報》第 28 號,1903 年 3 月。

武又將拜倫的《哀希臘》譯成漢文，與梁啓超不同的是他採取的是較爲自由的歌行體，並且是將《哀希臘》的十六章全部譯出，其中詩句如“暴君昔起遮松裏，當時自由猶未死。曾破波斯百萬師，至今人說米須底。籲嗟乎，本族暴君罪當誅，異族暴君今何如？”（其十二）和“勸君莫信佛郎克，自由非可他人托。……可托唯有希臘軍……勸君信此勿復疑，自由托人終徒勞，”（其十四）表現了反暴君、反強權、爭民族自由獨立的英雄主義精神，這與當時中國的現實需要是契合的。

最能集中代表清末民初中國介紹拜倫的價值取向的文章，是魯迅1907 年在東京寫就的《摩羅詩力說》，這是我國第一篇全面介紹外國激進浪漫主義詩人的論文。這時的魯迅是一個激進的革命主義者，啓蒙主義者，他從當時急迫的救亡圖存的社會需要出發，迫切想在中國歷史文化的長廊裏，找到一個能擔當社會革新重任的“精神界之戰士”，但結果他發現“詩人絕跡，事若甚微，而蕭條之感，輒以來襲”，於是他只好“別求新聲於異邦”，在十八世紀末到十九世紀中葉時的歐洲浪漫主義詩人中，發現了足以彰顯時代強音的“摩羅詩派”。所謂“摩羅”，“歐謂之撒但，人本以目斐倫（G. Byron）。今則舉一切詩人中，凡立意在反抗，指歸在動作，而爲世所不甚愉悅者悉入之”。這些詩人“大都不爲順世和樂之音，動吭一呼，聞者興起，爭天拒俗，而精神復深感後世人心，綿延至於無已。”魯迅熱烈地讚揚了拜倫等歐洲激進的浪漫主義詩人，他把這些摩羅詩人看作是舊時代的叛逆者和反抗者，是“新聲”的傳播者，他們內心“有理想的光”，是憤世嫉俗的“自尊至者”，是“貴力而尙強，尊已而好戰”的“自繇主義者”。魯迅介紹這些詩人，就是要把他們身上所體現的反抗精神當作刺向幾千年吃人的封建文化的利器，以強烈的個性精神喚醒在“鐵屋子”裏昏睡的中國人，使他們起而參加反帝反封建的救亡戰鬥，進而創造並建設一個民主自由的新中華。魯迅當時也意識到這些詩人都是孤傲的個人主義英雄，他們的孤軍奮戰很易於導向憂鬱、失望、怨憤，但在風雨如磐的黑暗社會，是需要有堅硬如鐵、迅疾如電的精神，才能刺透層層黑幕，使將要窒息的人們看到一線復活的光明。

拜倫的中國知音

顯然，時代意志左右了拜倫的中國介紹者們的視線。實際上，在拜倫的精神氣質中，既有熱烈亢奮的一面，也有憂鬱感傷的一面，但大多數介紹者們顯然更重視他的前一面，而有意無意地忽略了後一面。儘管當時也有人比較客觀、全面地注意到拜倫氣質的二個方面，如王國維在《白衣龍小傳》中就說拜倫是“純粹之抒情詩人，即所謂主觀的詩人是也。其胸襟甚狹，無忍耐力，自製力”，“彼與世界之衝突，非理想與實在之衝突，乃已意與世習之衝突”。[3]但因清末熱烈亢奮的時代氣氛是排斥冷靜的理性思考的，所以，像王國維這樣的比較全面的評述在當時是不會產生多大影響的。

對拜倫的介紹者中，真正注意到並吸取了拜倫性格中熱烈與憂鬱的雙重因素，並將之發展到極至的中國文人是蘇曼殊，真正與拜倫心心相契，堪稱拜倫性情知音的，也只有蘇曼殊。

蘇曼殊是最早把拜倫，雪萊、歌德等西方浪漫主義詩人介紹到中國來的作家之一，但其中他尤鍾情於拜倫，“景仰拜倫爲人，好誦其詩”。[4]在英文版的《潮音自序》中，他不吝把最好的溢美之詞加到這個異域知已身上：

> 他（指拜倫）是一個熱烈、真誠的自由信仰者 —— 他敢於要求每件事物的自由 —— 大的、小的、社會的或政治的……他的詩充滿魅力、美麗和真實。在感情、熱忱和坦率的措詞方面，拜倫的詩是不可及的。他是一位心地坦白而高尚的人……他赴希臘去，幫助那些為自由奮鬥的愛國志士。他的整個的生活、事業和著作，都纏繞在戀愛和自由之間。[5]

---

3 陳鴻祥：《王國維與近代東西方學人》，天津古籍出版社，1990 年，第 56 頁。

4 黃季剛《隱秋華室說詩》，轉引自孫倚娜《漫論蘇曼殊的譯詩》，蘇州大學學報（哲社），1988 年 2 期。

5 這裏引用的是柳無忌的譯文，見馬以君編注的《蘇曼殊文集》（上）花城出版社，1991 年，第 307 頁。

蘇曼殊雖然也傾心於拜倫《贊大海》、《哀希臘》詩中纏綿悱惻的情愫，但更引他心動的是拜倫詩歌中寄託的“去國之憂”。他在《譯拜倫哀希臘》一詩中就說到：“威名盡墮地，舉族供如畜，知爾憂國士，中心亦以恧，而我獨行謠，我猶無面目，我爲希人羞，我爲希臘哭”。蘇曼殊在爲希臘哭，也是在爲中華哭。朱自清後來談到蘇曼殊的譯詩時說只有《哀希臘》一篇曾引起過較廣大的注意，因爲其中保存著一些新的情緒，這種新情緒，就是爲時代所激揚的宣教啓蒙、慷慨救國的英雄主義精神，而這種精神的動力源，就是蘇曼殊的異域知音拜倫。拜倫以詩人之身成就英雄之名的壯舉令蘇曼殊敬佩不已：“善哉，拜倫以詩人去國之憂，寄以吟詠，謀人家國，功成不居，雖與日月爭光也！”[6]蘇曼殊偶爾閃露出的高亢的反抗熱情，與拜倫這種思想的影響是有很大關係的。

蘇曼殊與拜倫產生共鳴，根本原因在於彼此性格、氣質的契合。從身世來說，蘇曼殊幼時失怙，在養母家又被受欺凌，“遭逢身世，有難言之恫”，[7]因而養成敏感、脆弱的性格；而拜倫則生活在一個父母離異的家庭，童年貧窮、孤寂，加上有生理殘疾及在貴族集團的被排擠，使他對周圍的一切抱有懷疑的態度，常常有寂寞和孤獨的悲哀。他們都是以自己的幻想代替理智，以自己的感情爲衡量一切的標準；他們的性格飄忽不定，時而堅強，時而脆弱，感情時而激憤，時而低沉；兩人都是天才詩人的氣質，以極端的個人主義作爲人生信條，因而狂狷自傲，憂鬱敏感，卑已自牧，憤世嫉俗。這些相近的心理基礎，使蘇曼殊自感在感情上與拜倫同命相憐：“丹唐裴倫是我師，才如江海命如絲”，(《吳門依易生韻》)。他從拜倫身上得到了一種異域的精神滋養，使自己在寂寞的浪漫孤旅中獲得一絲慰藉：“秋風海上已黃昏，獨向遺編吊拜倫。詞客飄蓬君與我，可能異域爲招魂”。(《題拜倫集》) 實際上，蘇曼殊的同時代人當時就看到了這一點，張定璜就說：“他們前後所處的舊制度雖失去了精神但還存軀殼，新生活剛有了萌芽但沒有作蕊的時代，他們多難的遭遇，他們爲自由而戰爲改革而戰的熱情，他們那浪漫的飄蕩的情思，最

---

6 蘇曼殊：《拜倫詩選自序》，《蘇曼殊文集》（上），花城出版社，1991 年，第 301 頁。
7 蘇曼殊：《潮音跋》，《蘇曼殊文集》（上），花城出版社，1991 年，第 309 頁，310 頁。

後他們那悲慘的結局，這些都令人想到，惟曼殊可以創造拜倫詩，"[8]這些話在今天看來，仍不失為中肯之論。

然而，這種對拜倫的過於認同與契合，卻使蘇曼殊在接受拜倫的積極抗爭精神的同時，沒能像魯迅那樣敏銳地看到拜倫的個人主義反抗方式所必然帶來的消極後果，即他們（指拜倫筆下的個人英雄）"或以不平而厭世，遠離人群，寧與天地為儕偶，如哈洛爾特；或厭世至極，乃希滅亡，如曼弗列特；或被人天之楚毒，至於刻骨，乃鹹希破壞，以復仇讎，如康拉德與盧希飛勒；或棄斥德義，蹇視淫遊，嘲弄社會，聊快其意，如堂祥"。(《摩羅詩力說》) 令人遺憾的是，魯迅在拜倫的極端個性主義性格中看到的這些消極方面，不幸全在蘇曼殊身上得到了呼應。他先是熱情鼓吹革命，但稍遇挫折就對現實感到絕望而遁入空門，但做了和尚後，卻又不為佛戒所羈，仍狂熱地追求愛情，甚至一得錢就"必邀人作青樓之遊，為瓊花之宴"[9]；但令人奇怪的是，他儘管有"姹女盈前"，卻"弗一破其禪定也"。[10]他從不與女性發生肉體關係，個中原因，用他自已的話說則是："人謂衲天生情種，實則別有傷心之處耳"，[11]他只是用這種放蕩無羈的生活方式來對黑暗現實進行極端的嘲弄，以泄胸中抑鬱不平之氣。這種畸形的個性主義表現形式，是西方拜倫式的個性解放和民主、自由觀念在具有濃厚傳統文化色彩的蘇曼殊這樣的中國知識份子身上的畸形投影。當他們用這種思想去反抗封建勢力時，一方面因為壓迫他們的封建力量過於強大，另一方面則因為他們所採取的個人主義反抗方式不僅不能實現他們理想的社會，反而易於使他們在強大的敵對力量的壓抑下變得消沈絕望，憂鬱感傷。在革命處於高潮時，蘇曼殊的一腔激憤和浪漫激情與時代潮流是一致的，因而其個人主義表現出革命性，而革命一旦落潮，他的極端個人主義就使他如阮藉，嵇康

---

8 張定璜：《蘇曼殊與拜倫及雪萊》，見柳亞子編《曼殊全集》(4)，上海北新書局，1928年-1929年，第228頁。

9 引自丁丁：《詩僧曼殊》，《中國近代文學論文集》(概論、詩文卷，1919-1949)，中國社會科學出版社，1988年，第165頁。

10 柳亞子：《蘇玄瑛傳》，《柳亞子文集》之《蘇曼珠研究》，上海人民出版社，1987年，第20頁。

11 蘇曼殊：《馮春航談》，《蘇曼殊文集》(上)，花城出版社，1991年，第319頁。

那樣，把自己與現實的衝突，把自己的失敗和理想破滅的屈辱與絕望，化爲自己靈魂的汁液，在痛苦迷茫的時光中，"無端狂笑無端哭，縱有歡腸已似冰"（《過若松町有感示仲兄》），獨自咀嚼培養奴隸的社會賜給弱者的聖餐，變態地發洩積鬱的痛苦，歌哭自己心靈的寂寞，甚至採取自戕的方式（如暴飲暴食）。還是柳亞子瞭解他的這位老朋友："曼殊不死，也不會比我高明到哪里去，怕也只會躲在上海租界內發牢騷罷了。此人只是文學上的天才，不能幹實際工作"[12]

清末民初翻譯介紹拜倫的這種明顯的功利性和偏嗜性，實際上從一個方面恰好說明中國人在吸收外來思潮文化時已經採取了積極主動的姿態，做到了有拾有棄，雖然還明顯不那麼從容。從拜倫在中國的最早翻譯介紹可以肯定，中國先進的知識份子這時已開始以西方的個性解放思想爲參照來思考中國的傳統文化，並把個性的自由精神與政治的民主、自由及國家命運聯繫起來了。清末的這股個性思潮可以說具有一種摧枯拉朽般的鬱勃清新的氣息。然而，清末面臨的亡國滅種的危險，使救亡圖存成爲引進西方思想的第一要義。這一現實背景，使中國人傾向於讚揚拜倫以詩人身份赴希臘國難的英雄壯舉，而忽略了這實際上只是拜倫極端個人主義的一種表現，並非中國人此時心目中渴望的那種以國家興亡爲己責的民族英雄，就不難理解了；而我們對蘇曼殊這樣一個生活在一個不需要個性主義的時代，卻又吸取了拜倫性格中的極端個人主義因素的雙重特性：既易於極度樂觀，又易於極度悲觀，既易於極度亢奮，又易於極度感傷的中國知識份子的悲劇命運，也自然就應多一份理解和同情了。

---

12 《蘇曼殊文集》（上），花城出版社，1991 年，第 307 頁。

斷鴻零雁蘇曼珠的感傷之旅

蘇曼殊是清末民初一個頗具神秘色彩的，亦僧亦俗、不僧不俗的文學家和革命家。他的豔麗、富有情趣的詩，清新婉麗、悲涼感傷的小說，他在中外文學關係史上作爲較早把西方浪漫主義文學介紹到中國來的作家之一的獨特地位，都使他成爲清末民初的一個極富浪漫色彩的人物。他曾懷著滿腔激情爲辛亥革命鼓而呼，但稍遇挫折就陷入絕望。他的一生就是這樣在心靈的風雨飄搖中矛盾著、痛苦著、憂鬱着、反抗著。然而，不論他是反抗還是絕望，感傷都是他日日夜夜咀嚼的食糧，是伴他走完短暫的浪漫孤旅的一朵淒豔的花。蘇曼殊生活在一個感傷的時代。清末民初，不論是中國還是日本（他是中日混血兒，在中、日兩國都度過相當長的時間），都處在一個由古代向近代發展演變的劇烈震盪時期，新與舊、東方文化與西方文化、強與弱、進步與保守、民主與專制的激烈衝突，都使這個時代呈現出一種紛亂雜陣，讓人希望又讓人絕望，讓人亢奮又讓人憂鬱感傷的過渡性特徵。對於像蘇曼殊這樣的敏感、脆弱的知識份子來說，他們更易於感染時代的感傷情緒，養成憂鬱的性格。

一

蘇曼殊的感傷可以說是一個初步沐浴歐風美雨而又不能擺脫傳統因襲的知識份子的艱難痛苦的選擇。一方面，他是近代較早接受了西方個性解放思想影響的人之一，另一方面，他又繼承了中國傳統知識份子既"達則兼濟天下"，尊崇封建禮教，又崇尚"窮則獨善其身"，以個人主義方式反抗打碎了自己理想的社會現實的傳統。然而，遺憾的是，蘇曼殊從西方個性解放思想中只吸取了與自身精神氣質相契合的那部分，即個人主義的反抗方式，所以，他也像中國歷史上催生了個性解放思想萌芽的文人們及他的異域知已如拜倫一樣，或是被強大的封建禮教壓抑而耿介獨行，或是易於因理想破滅而走向極端絕望和孤獨。特別是當個性解放思想與封建禮教的衝突表現在個體身上時，就往往會使個體既反抗又保守，既希望又絕望，並且往往伴隨著劇烈的內心衝突和心靈痛苦。這就是我們爲什麼說蘇曼殊的反抗也帶著感傷色彩的原因，因爲他的反抗就是因爲感傷，而他的感傷本身就是對造成他感傷的社會現實的反抗。西方的個性解放思想是以近代的自由、平等、正義的人性論爲基礎的。中國先進的知識份子這時開始以西方的個性解放思想爲參照來思考中國的傳統文化，並把個性的自由精神與政治的民主、自由及國家命運聯繫起來。如魯迅就以尼采式的叛逆精神，提出“掊物質而張靈明，任個人而排眾數”，(《文化偏至論》) 認爲個人的發現，個性的解放是救國的良藥，並呼籲中國出現西方拜倫式的“摩羅詩人”，呼喚“立意在反抗，指歸在動作”的文化界戰士的出現。(《摩羅詩力說》) 清末的這股個性思潮可以說具有一種摧枯拉朽般的鬱勃清新的氣息。然而，清末面臨的亡國滅種的危險，使救亡圖存成爲引進西方思想的第一要義。在這種情況下，這些愛國的知識份子就不能、或根本想不到只有以個人自由發展爲前提的社會才是合理的社會，而是更多地把注意力放到“經世致用”方面，所以，他們提倡個性主義，只是要利用這種主觀戰鬥精神來實現改良或革命以圖存的目的，而非個性自由本身。救亡的現實需要壓倒了啓蒙的長期需要。如“戊戌變法”前，有人勸康有爲先辦教育，再搞改革，康有爲的回答是“局勢嚴重，來不及了”；無獨有偶，辛亥革命前，嚴復曾向孫中山建議：“爲今之計，惟急從教育上著手”，而孫中山則回答說：“俟河之清，人壽幾何？”[1]就連嚴復本人後來也在現實的政治需要面前自覺放棄了啓蒙救國的理想。就這樣，在中國的傳統思想中本就微弱，在現代西方思想的影響下剛稍有起色的個性解放思想就被中國先進的知識份子們摒棄了。它太空疏了，不但與國家前途沒有直接的關係，相反，提倡個性解放甚至會造成一般民眾思想的混亂，妨礙改良或革命的進行。

蘇曼殊的悲劇就在於：他生活在一個不需要個性主義的時代，卻仍以個人主義這種個性主義的極端方式、以獨行俠的姿態和熱情來順應這

---

1 袁進《中國文學觀念的近代變革》，上海社會科學院出版社，1996 年，第 128-129 頁。

股歷史潮流，積極鼓吹排滿反清的革命鬥爭，並在這個過程中，始終沒有犧牲掉自己的個性。辛亥革命前，雖然他的革命思想很激烈，雖然他的朋友都是革命黨人，他也始終未加入“同盟會”；辛亥革命後，他也沒有像有些革命者那樣爭權奪利，邀寵爭榮，而是始終耿介獨立，縱情任性，超然物外，是一個“厲高節，抗浮雲”的“獨行之士”，[2]保持著自己一向的“行雲流水一孤僧”的（《過若松町有感示仲兄》）狷潔姿態。但蘇曼殊這種表面的瀟灑飄逸下實際上隱藏著極度的悲觀和絕望，因爲他所採取的個人主義反抗方式決定了他既易於極度樂觀，又易於極度悲觀，既易於極度亢奮，又易於極度感傷，這些情緒有時交替出現，有時渾然不分，表現在他的人生及作品中，則呈現一種神秘的浪漫色彩。

二

蘇曼殊的不幸身世，使他從小就形成了敏感、憤激的性格。1898－1903年在日本求學期間，他的反抗性格開始形成。這期間，他接觸到孫中山、陳獨秀等革命志士，並在革命浪潮的激蕩下，參加了以排滿反清爲宗旨的革命團體“青年會”、“拒俄義勇軍”、“軍國民教育會”，並因此被資助他的表兄林紫垣斷絕經濟來源，被迫於1903年回國，臨行前作《詩並畫留別湯國頓》（二首），藉以表示決心反帝，勇赴國難的豪情：

蹈海魯連不帝秦，茫茫煙水着浮身。
國民孤憤英雄淚，灑上鮫綃贈故人。

——其一

海天龍戰血玄黄，披發長歌攬大荒。
易水蕭蕭人去也，一天明月白如霜。

——其二

詩以魯連蹈海，荊軻刺秦兩個典故，表示了詩人慷慨激昂，欲挽國家頹勢於一舉，反抗強敵，義不受辱的悲壯精神。但詩中也典型地表現

2 章太炎《書蘇玄瑛事》，《章太炎全集》（四）上海人民出版社，1985年，第221-222頁。

出蘇曼殊獨特的感傷色彩：在慷慨悲歌中透出絕望："茫茫煙水"，如霜明月，更襯托出英雄的淒涼心境和孤獨傲世的痛苦。讀這樣的詩，既令人生出英雄出世的感奮，也給人一種，"風蕭蕭兮易水寒" 的悲涼。

蘇曼殊從日本回到上海後，於 1903 年 10 月初參加了由章士釗、張繼和陳獨秀主辦的《國民日日報》的編輯工作，這是繼《蘇報》後的另一份宣傳鼓吹革命的報紙，蘇曼殊以筆爲武器，滿懷激情地投入到反清排滿的宣傳鼓動工作之中。在編譯大量的文稿之餘，1903 年 10 月 7 日，他在《國民日日報》上發表了讚揚無政府主義領袖愛瑪．高德曼的文章《女傑郭耳縵》，從 10 月 8 日起又開始連載以雨果的小說《悲慘世界》爲原型編譯的宣傳民主自由、反對滿清政權的小說《慘社會》，10 月 24 日，《慘社會》尚在登載，他又發表《嗚呼廣東人》，犀利地諷刺了 "把自己的祖宗不要，以別人的祖宗爲祖宗" 的賣國媚外的行徑。蘇曼殊是 10 月初到《國民日日報》的，短短的一個月不到，他就排擊炮似的一連發表了這麼多洋溢著激情的作品，他的滿腹積鬱，一腔勢血，終於噴薄而出。然而，在這民族危亡的生死關頭，"辱罵和恐嚇決不是戰鬥"（魯迅語），救國的實際道路又在何方？蘇曼殊自然也在思考這個問題，並作出了自己的回答，那就是 "操利刃、挾炸彈、殺滿洲狗" 的無政府主義式的道路（1904 年，他甚至身體力行，在香港欲用手槍暗殺康有爲，被陳少白所阻未遂）。他不但在《女傑郭耳縵》中極力讚揚無政府主義者的暗殺行動，而且不惜在雨果的《悲慘世界》的基礎上，"亂添亂造"，（陳獨秀語。蘇曼殊的《慘社會》共十四回，只有前七回和第十四回與原著有關，中間六回與原著毫無關係）創造出一個無政府主義個人英雄明男德，通過他殺富濟貧、英雄落難、險途遇盬、殉身革命的經歷，把當時社會上的種種悲慘不平之事 — 揭示出來，進而提出推翻封建強權，建立平等自由救國理想。

明男德（意 "明白難得"，小說中多此類雙關名字，如吳齒字小人即 "無恥小人"，滿洲苟即 "滿洲狗" 等）是一個行動帶有無政府主義色彩的個人主義英雄，是當時主張以 "鼓吹、暗殺、暴動" 爲宗旨反帝反封建的資產階級革命志士的縮影。他爲祖國陷入 "悲慘世界" 而痛心疾首，爲 "世界上的窮人不平而大聲疾呼。他撻伐一切黑暗勢力，痛斥清朝皇帝是“扼奪了別人國家的獨夫民賊”，大罵孔子的學說是狗屁不如的“奴隸教訓”，進而公然聲稱：“爲人在世，總要常問著良心就是了：不要去理會什麼上帝，什麼天地，什麼神佛，什麼禮儀，什麼道德。什麼名譽，什麼聖人，什麼古訓”。他把救國救民視爲已任，把“救這人間苦難”的責任通通攬在“一人身上”。爲了實現革命理想，他劫監獄，殺惡官，懲惡鋤強，救困扶危，並聯絡會黨，希望以“大起義兵”的“狠辣手段”，破壞這腐敗的世界，另造一個土地公有，人人平等的新世界。

小說沒有寫到男德追求的理想世界到底實現了沒有，但從他最後因刺殺拿破崙未遂而自殺的結局來看，似乎已經暗示了這個理想世界的必然結局，蘇曼殊也只能給自己理想的主人公安排這個一個結局了，因爲，儘管他所遵循的極端個人主義的反抗方式充溢著澎湃的革命豪情，但卻不能從根本上改變他所反對的現實世界，而且這種反抗方式所伴隨的激情很容易在固若金湯的現實面前蛻變爲幻滅和絕望。1903 年 12 月，《國民日日報》因內訌停辦，蘇曼殊深感失望，隨後去了香港，加入陳少白主辦的《中國日報》，他的易幻想衝動又易幻滅消沈的性情在這段時間內顯露無遺。他那詩意浪漫火熱的心因這次打擊而迅速冷如枯井，剛剛燃燒起來的革命熱情迅速煙消雲滅，以至於他到了香港後衣履不整，莫辨菽麥，性嗜閑食，行動怪誕，同事以其爲書呆子，這與《國民日日報》時的蘇曼殊有怎樣的天壤之別啊！而其中又隱藏著怎樣的悲哀、寂寞和孤獨啊！就在蘇曼殊這樣抑鬱地無止境地幻滅下去時，清政府宣佈了對“《蘇報》案”的終審結果：“章太炎、鄒容被判終身監禁”！這一聲晴天霹靂沒有把蘇曼殊從痛苦迷茫中震醒，而是把他推向了絕望的極端── 他竟再次出家了！這是一個不滿意於社會，但又無可奈何的個人主義者最後所能採取的最積極的反抗方式了，他無法以個人主義方式改變世界，就追求“獨善的個人主義”（胡適語），希望跳出這個社會去尋一種超出現社會的理想社會。但蘇曼殊的悲劇還在於他並不能在佛家淨土裏找到安慰，他無法割捨這個令他厭惡的世界。（據陳少白回憶，蘇曼殊這次出家不足百日就又回到了《中國日報》）他的性情注定了他要在感傷孤旅中走完一生。

三

蘇曼殊的感傷情懷在他的作品中得到了真實、貼切的表現。他的作品基本上可以說都是他的自敍傳，是他率真性情的一泄無遺的流露。他有太赤熱的心，但這心卻只能在冷冰冰的空氣躍動；他需要太多的溫暖和共鳴，但他又封閉了自己的心靈與外界溝通的所有通道；他有太多的詛罵，又有太多的要反抗，但個人主義的反抗方式又使他極易滑向失敗的深淵。這種複雜、矛盾、劇烈動盪的情感，一旦噴湧而出，就幻化成一派絢麗多彩、光怪陸離的風貌。他或長歌當哭，或癡情懷友，或嘆病骨支離，或傷孤燈暮雨。他有時夢想像天穹的白雲一樣，脫離塵世，縱情遨遊，與松音相合，與琴作伴："海天空闊九皋深，飛下松間聽鼓琴。明日飄然又何處？白雲與爾共無心"。(《題畫》）但風雨如磐的黑暗現實又總是把他脆弱的理想擊得粉碎，於是他就放浪形骸："狂歌走馬遍天涯，鬥酒黃金處士家"，(《憩平原別邸贈玄玄》）表面上如行雲流水，飄逸放縱，好似不食人間煙火，而內心卻愁腸百結，哀痛莫名。狂歌嘲俗，亦哀傷之極致；借酒澆愁，愁更愁。茫茫煙水，攘攘人世，何處可依詩人孤苦無告的靈魂？

曼殊的作品固然"兒女情多，風雲氣少"，(鍾嶸《詩品》)，讀他的詩儘管彷彿雨意滿窗，騷魂滿座，但他的感傷畢竟是因為一種他欲"壯士橫刀看草檄"，[3]擎槍殺逆，而又"芒鞋破缽無人識"(《本事詩》之九）的悲哀。所以，他作品中流露出的感傷總充溢著感時傷事、憂國憂民的情懷。

1913 年夏，蘇曼殊滿懷著對辛亥革命後的現實的失望遊吳越，觸景生情寫下組詩《吳門》(十一首)：

水驛山城盡或哀，夢中衰草鳳凰台。

春色總憐歌舞地，萬花繚亂為誰開？

—其六

---

3 清・查容：《送武曾之宣府》中詩句，見蘇曼殊《致柳亞子》(1911 年 12 月)，《蘇曼殊文集》(下)，花城出版社，1991 年，第 534 頁。

年華風柳共飄蕭，酒醒天涯問六朝。

猛憶玉人明月下，悄無人處學吹簫。

──其七

碧城煙樹小彤樓，楊柳東風系客舟。

故國已隨春日盡，鷓鴣聲急使人愁。

──其十

在這幾首詩裏，蘇曼殊以前詩歌中的那種“披發長歌攬大荒”的悲壯英雄不見了，“壯士橫刀看草檄”的豪邁氣勢沒有了，唯有被革命失敗弄得七瘡八孔的愁情別緒。山城堪哀，衰草瑟瑟，昔日的歌舞地如今只留下繚亂的萬花，詩人憑弔古城，頓感茫然傷感，百結愁腸無處訴說；詩人感喟年華已逝，“學道無成，思之欲泣”，[4]唯有借酒澆愁，但“酒醒天涯”，他還是禁不住要問“六朝”故事，但只見“故國已隨春日盡”，唯剩鷓鴣聲聲，催人淚下。詩人縱情山水酒肆，而又總難以忘懷國事的隱哀一覽無遺。

蘇曼殊是天生情種，但卻偏偏早歲披剃，遁入佛門。學佛與受戀，恰是曼殊一生胸中交戰的冰炭，“一個沉溺在迷離的愛欲之中，/執拗地固執着這個塵世，/別一個猛烈地要離去塵世，/向那崇高的靈的境界飛馳”。(歌德《浮士德》)人們一般認爲，蘇曼殊在愛情方面表現出的矛盾、猶豫是由於他是三戒俱足之僧，所以忍情而就佛。這固然是一個主要原因，但卻不是唯一的原因，因爲蘇曼殊的出世，本就只是爲了逃避塵世的苦難，而並不是要一心獻身佛法，他出家後仍“逐聲色於紅燈綠酒之間，窮嗜欲於雞片黃魚之味”，[5]慈祥悲憫，和教理的博大精微，都是曼殊所十二分景仰的”，但佛教實在“不足以範圍曼殊的心”，[6]他自己也曾說過：“不慧性過疏懶，安敢廁身世間法耶”？[7]因而，他在迴避愛情時

---

4 羅建業：《曼殊研究草稿》，《中國近代文學論文集》（小說卷，1919-1949），中國社會科學出版社，1988 年，第 546 頁。

5 同注四。

6 同注四。

7 蘇曼殊：《復蕭公》（1911 年 4 月），《蘇曼殊文集》（下），花城出版社，1991 年，第 538 頁。

說的“證法身久”[8]固是飾詞，“三戒俱足之僧”亦是假話，真實的原因是他無力承受愛情。作爲被社會現實摧垮了的知識份子，他胸中奔突的自然欲望也渴望著噴薄而出，但他因卑已太深，人格畸形（無疑，學佛加劇了這種畸形），這種激情往往剛找到突破口就被凝凍住了，於是，他所能做的便只能是說：“還卿一缽無情淚，恨不相逢未剃時”了。（《本事詩》之六）

1909年春，蘇曼殊在東京的一次演奏會上結識了調箏人百助楓子，兩人之間產生了刻心銘骨的愛戀，但當百助最後以身相許時，曼殊則忍心拒絕，釀成一出有情人不能成眷屬的悲劇。詩人滿腹痛苦，一腔情絲，化成筆下點點淚痕：

無量春愁無量恨，一時都向指間鳴。
我已袈裟全濕透，那堪重聽割雞箏。

——《題〈靜女調箏圖〉》

收拾禪心侍鏡臺，沾泥殘絮有沉哀。
湘弦灑遍胭脂淚，香火重生劫後灰。

——《讀晦公見寄七律》

淡掃娥眉朝畫師，同心化髻結青絲。
一杯顏色和雙淚，寫就梨花付與誰。

——《本事詩》之四

詩人情思綿綿，無奈袈裟在身，欲“收拾禪心”，斬斷情緣，卻又被調箏人的錚錚弦鳴撥動得幾乎沉靜得“如明鏡”的心靈再次泛起漣漪，待他被壓抑的情感要死灰復燃時，才想起“寫就梨花付與誰”。詩人沉鬱哀怨而又無可奈何的矛盾心情，以及血肉豐滿、熾熱跳動的情心因受到擠壓而感受到的痛苦，令人抑鬱、令人感傷、令人不知所措。

四

胡適曾指斥蘇曼殊的小說“所記全是獸性的肉欲”，[9]話儘管偏頗，

8 蘇曼殊：《潮音跋》，〈蘇曼殊文集〉（上），花城出版社，1991年，第309頁，310頁。
9 胡適：《答錢玄同書》，姜義華主編《胡適學術文集》之《新文學運動》，中華書局，

但至少表明他看到了蘇曼殊小說的二個特點：(是寫愛情的；(所寫的愛情是大膽的、赤裸裸的。遺憾的是，胡適在批判蘇曼殊的小說誨淫誨盜時，卻無暇顧及到這種“獸性的肉欲”是那麼強烈地袒露著蘇曼殊那被現實擊打得傷痕累累的內心世界和畸零人格。

蘇曼殊總共創作了六篇文言小說，俗稱“六記”，即《斷鴻零雁記》（1911年·爪哇－1912年·上海），《天涯紅淚記》（1914·東京），《絳紗記》（1915·東京），《焚劍記》（1914·東京），《碎簪記》（1916·杭州），《非夢記》（1916·杭州）。這些小說在當時曾風靡一時，因爲它們所表現出的濃重的感傷氣氛與清末民初的病態社會心理是相吻合的。這些小說的創作宗旨是“以情求道”，它們都是從愛情婚姻爲題材，都是通過男女主人公各種不幸的遭遇和感情糾葛，展露男女主人公的痛苦心理。

《斷鴻零雁記》和《絳紗記》是一直被蘇曼殊的研究者據以考據蘇曼殊身世的作品。兩部小說描寫了相似的愛情悲劇。《斷》主要寫中日混血兒、早歲出家的宗三郎千里尋母，在日本與姨表姐靜子相戀，但最後囿於佛法，乃“以雪滅焰，絕裾而去”，留下靜子仍在癡情地期待。中間穿插宗三郎和兒時許配給他的中國姑娘雪梅的愛情悲劇。小說中對男女之間愛情的描寫，對異域情調的渲染，和歌德的《少年維特之煩惱》有異曲同工之妙。《絳》寫的是夢珠爲逃避秋雲的愛情出家當了和尚，秋雲癡心不改，漂泊天涯尋找夢珠，最後夢珠坐化，秋雲也出家做了尼姑。小說同時也寫了曇鸞與麥五姑因家長所阻一個出家、一個殉情而死的愛情悲劇。

這二部小說的最感人之處在于對男女主人公之間的愛情描寫。宗三郎早年爲逃避與雪梅的愛情而出家，在遇到靜子後，他本不堅定的佛心被姑娘的滿腔柔情所打動，但他又知道自己是“三戒俱足之僧”，不應該羈縻於情網，一時他內心充滿了劇烈的衝突，滿腔愁緒，波譎雲詭。他一面諄諄告訴自己：“我爲沙門，處於濁世，當如蓮花不爲泥汙，”一面又“因愛靜子，無異骨肉”。作者沒有明寫三郎情感的波動，而是通過環境、細節的襯托來揭示的。如在第十二章，三郎知道快要離開姨母家（也

1993年，第353頁。

意味著要離開靜子）時，他不覺走到姨家的花園，但見“宿葉脫柯，蕭蕭下墮”，遂不覺“中懷惘惘，一若重愁在抱”。這是在傷秋，也是在傷已，因爲在這之前，靜子姑姑已萌以身相許之意，而他本人又豈嘗不情絲縷縷？正在這時，“香風四溢，玉人翩然而至”。正當三郎心慌意亂，不知所措之時，不知是有意還是無意，靜子姑娘頭上的蟬翼輕紗，飄然落地，只見三郎立即趨步上前，用手捉住，但頓然竟又想“擲之於地”，後怕有悖禮法，才將輕紗交給靜子。姑娘輕啓櫻唇，嬌聲道謝，三郎則“膠膠不知作何詞以對。但見玉人口渦動處，又使沙浮複生，亦無此莊豔，此時令人真個消魂矣！”作者着墨不多，卻字字傳神。姑娘情竇初開，亦嬌亦嗔，亦嬌亦恨的小兒女情態，及三郎既萌情志，又囿於佛戒的亦進亦退的矛盾心理表現得栩栩如生。

《絳》中的愛情描寫以淒婉哀豔見長。秋雲以所佩瓊琚和一片絳紗贈夢珠，表終身相托之意，夢珠則徑入市賣掉瓊琚，並出家當了和尚，從此不知蹤影。秋雲歷盡艱難，尋找夢珠，最後終於在一座小寺找到已坐化的夢珠。小說在這裏以感傷的筆調烘托了男女主人公愛情的至真至情至悲。此時，“庭空夜靜，但有佛燈，光搖四壁”，夢珠“瞑目枯坐，草穿其膝”，貌白似偶像，襟間微露秋雲所贈絳紗半形。睹物思情，秋雲悲傷難抑，上前擁抱夢珠，流淚親吻其面。頃刻，夢珠肉身化爲灰，於微風中飄散而去，只留絳紗在秋雲手中，秋雲以絳紗裹了夢珠的少許肉灰，飄然不知去向。能把愛情描寫到這樣刻骨銘心的地步，能創造出這樣淒豔的卓絕的情境，難怪柳亞子要用“多情”二字概括曼殊的一生。[10]

靜子和秋雲的一腔柔情竟得不到三郎和夢珠的眷顧，這對他們來說無疑是一種致命的悲劇，但對三郎和夢珠來說又豈止不是這樣呢？儘管他們以“既證法身”作爲自己拒絕愛情的堂皇理由，但透過這層漂亮的帷幕，我們不難觸摸到一個已沒有能力承受情感重負的畸零人的悲苦內心。他們的悲劇，在於他們拒絕愛情之時，也是他們成爲“非人”之時，因爲：“只要主人公爲了道德法則的利益而戰勝自己心中的自然欲望，那麼，別了，幸福！別了，生活的歡樂和魅力！他就是活人中的死屍；他

---

10 柳亞子：《蘇曼殊研究》之《蘇和尚雜談》，上海人民出版社，1987年，第328頁。

心愛之物就是靈魂深處的憂傷，他的食糧就是痛苦，他的唯一的出路不是病態的克制自己，就是迅速死亡。”[11]三郎和夢珠的痛苦在於：他們既沒有完全失去自然欲望 — 三郎千里尋母是何等深的母子之情，他拒絕靜子時內心又是何等的痛苦，而夢珠在坐化時，衣襟間竟還有秋雲送給他的定情的絳紗 — 又沒有完全順從佛門戒律。他們要在自然欲望和佛戒之間做出選擇、取捨，要一遍遍在靈魂的煉獄拷打自己血肉豐滿的自然欲望之後，才能帶著累累傷痕接受佛戒，但這時的他們已不是勝利者，而是失敗者，因爲他們並沒有真正消除“心靈深處的憂傷”，而只是“病態地克服了自己”，以自戕的方式毀滅了自己，也毀滅了別人，這是至悲至哀的心靈慘劇，這種慘劇的表演，使小說籠罩著一股濃重的感傷氣氛。

蘇曼殊無力給他的可愛又可憐的主人公安排一個更好的結局，因爲他把自身的敏感、軟弱、畸形的性格給了他這些感傷的主人公們。蘇曼殊的其他四部小說沒有像《斷》和《絳》那樣描寫佛法與本能的衝突，而是描寫了另一種形式的衝突，即封建禮教與愛情的衝突，但就如佛法只是三郎與靜子、夢珠與秋雲的愛情悲劇的外因一樣，這幾部小說中所描寫的封建禮教也不是主人公悲劇的唯一原因，它的作用在於加劇主人公自身的病態人格，從而引發悲劇。《碎簪記》中的莊湜與靈芳自由戀愛甚至私奔，但被他的叔父罵爲“少年任性”，“狂悖已甚”，要他另娶蓮佩。結果是莊湜、靈芳、蓮佩皆殉情而死；《焚劍記》中的阿蘭、阿蕙，因姨迫嫁，一人在逃離途中死去，一個在未婚夫死後，抱著“木主”成婚，終身守活寡；《非夢記》中的男主人公則爲嬸母所逼，拋棄了貧寒的畫師女兒薇香，另娶一富家女兒，結果薇香投水而死，男主人公出家當了和尚。很明顯，這幾部小說裏的家長們代表著封建禮教，是造成主人公愛情悲劇的罪魁禍首，但主人公們本人的表現又如何呢？莊湜既愛靈芳，又愛蓮佩，他不知道在兩個同樣美麗、同樣深受着他的可愛女子之間如何作出選擇，結果，他的猶豫、軟弱不但使自己鬱鬱病死，而且還造成二位女性的先後自殺；《焚劍記》中的阿蕙，先是秉承姨意旨議定婚事，

---

11 別林斯基：《論莎士比亞》，引自林志儀《蘇曼殊及其小說》，江漢論壇，1983 年 7 期。

未嫁而未婚夫發痨而卒。姨氏問其打算，回答說："既許於前，何悔於後"？遂依期出嫁；《非夢記》中的薇者儘管深愛著男主人公，但因男主人公的嬸母令他另娶，所以，她不但自己聽天由命，而且還勸男主人公承順嬸母："君既迫於家庭之命，則吾又豈容違越？"可見，一旦面對壓力，蘇曼殊的主人公們就缺乏了堅定不移地追求幸福的勇氣和力量，他們所能做的，便只是出家或死亡這種消極的反抗。更可悲的是，他們大都已接觸過"蠻夷之風"的薰染：莊湜曾留學國外，接受到新思想；蓮佩"於英法文學，俱能道其精義"；曇鸞和麥五姑之間則常有英文書信來往。這決定了他們必然要與封建禮教產生衝突，而同時他們又是從本質上否定了個性自由的儒家傳統禮教的守護者，這樣，他們對愛情的追求越熱烈，內心的痛苦就越大，最後只能要麼逃避愛情，要麼以自我折磨、自戕的方式結束自己的生命。他們是文化衝突的犧牲品，是過渡時代的犧牲品，也是自己的犧牲品。

總的來看，蘇曼殊的思想裏儘管有高亢的因素，但基本上可以說是以感傷爲主的。他的悲觀絕望，儘管令人痛苦，但卻真實地反映了他的心理世界，也真實地反映了時代精神。可以說，曼殊是以自己充滿浪漫感傷的一生履行了歷史賦予他的作爲過渡時代代表的使命的。他的憂鬱、感傷雖然無力埋藏一個舊時代，但卻足以預示一個新時代的到來，因爲唯有感受到時代嬗變的清新氣息、因而上下求索、而又無力跨出舊時代邁向新時代的人，才會有這樣的憂鬱與感傷。1918 年 5 月 2 日，蘇曼殊病逝，僅隔了 13 天，魯迅就發表了《狂人日記》，揭開了一個新時代的帷幕，隨後，"五四"新文化運動以摧枯拉朽之勢席捲神州大地，郭沫若以"天狗"的狂放，郁達夫以驚世駭俗的頹廢，又創造了一個新的浪漫時代……歷史的鏈條，就這樣一環套一環滾動不息。

郁達夫：在沉淪中悲鳴的現代名士

中國現代浪漫主義文學是在“五四”時期隨著西方浪漫主義文學的輸入而開始出現並發展起來的，但它的真正興盛期不是在“五四”，因爲這個時期是不需要理想主義的，而是在“五四”後，曾被青春喚醒過的時代在這一時期有如寂寞荒涼的古戰場，感傷，成爲一層濃得化不開的愁霧，籠罩著每一個曾經吶喊過、幻想過的覺醒者，使他們陷入痛苦與絕望的深淵。就是在這樣的時代氛圍裏，以憂鬱、感傷爲抒情主形態的浪漫主義文學形成了一股比以昂揚感奮爲主調的浪漫主義文學還要強盛的潮流，爲時代的感傷推波助瀾。郁達夫自 1921 年創作了小說《沉淪》，就以驚世駭俗的姿態成爲這股感傷潮流中最高的一個浪頭。他以自我分裂的人物形象和人物病態的心理方式，以赤裸裸的自我暴露，以帶有西方唯美頹廢色彩的情調，揭示理想主義破滅時代敏感的知識份子的心靈傷痕，他因此也被人稱爲頹廢派，但即使他的頹廢，其實也“不過是浪漫主義塗上了‘世紀末’的色彩罷了。他仍然有一顆強烈的羅曼諦克的心，他在重壓下的呻吟之中寄寓著反抗”。[1]這種“頹廢的”反抗，雖然沒有高昂的吶喊那樣的力度，但若不流於徹底的絕望，是比高昂的吶喊更能感染人、更具普遍性的。

一

郁達夫的審美趣味是偏嗜於感傷主義的，他自己說過：“把古今的藝術總體加起來，從中間刪去了感傷主義，那麼所餘的還有點什麼？莎士比亞的劇本，英國十八世紀的小說，浪漫運動中的各詩人的作品，哪一篇得完全脫離感傷之域？我想感傷主義是並無妨害于文學的……這感傷

---

1 鄭伯奇《中國新文學大系：小說三集導言》，見《中國新文學大系導言集》，158 頁。

主義，就是文學的酵素了"。(《序孫譯〈出家及其弟子〉》)。郁達夫是把感傷主義看作浪漫主義的一個重要因素，但又是不同於浪漫主義的。在他看來，浪漫主義和感傷主義(他稱爲"殉情主義")儘管都以感傷爲中心，但浪漫主義者追求的"未來的理想"是"情熱的、空想的、傳奇的、破壞的……把理知和意念完全拿來做感情的奴隸"，而殉情主義卻"理知發達，感情無奔放之勢"。殉情主義作品的產生，是因爲作家或社會的"極盛時候早已過去，精力的全部，消亡殆盡，殘餘的一些活力，不能自家振作，再來做一番事業。而生命力又不是完全塞死的時候"，這個時候，作家所最引爲愉悅的東西，是回憶過去的輝煌，因爲"過去"是他生活中最美好的東西。但他的回憶，只證明了他現在沒有精力和意志來恢復這已逝去的美好，"於是乎只好用了感情，把過去的事情，格外的想得壯麗，才足以掩蓋現在的孤苦"，這樣創作出來的作品，"大抵是缺少猛進的豪氣與實行的毅力，只是陶醉於過去的回憶之中，而這一種感情上的沉溺，又並非是情深一往，如萬馬的賓士，狂飆的突起，只是靜止的、悠揚的、舒徐的，所以殉情主義的作品，總帶有沉鬱的悲哀詠嘆的聲調，舊的留戀與宿命的嗟怨。尤其是國破家亡，陷於絕境的時候，這一種傾向的作品，產生最多"。(《文學概論》)這實際上也是郁達夫在解釋自己爲什麼偏嗜感傷主義。他並非沒有過希望，並非沒有個人尊嚴和個性自由的要求，他宣稱："自我就是一切，一切都是自我，個性強烈的我們現代的青年，那一個沒有這種自我擴張的信念(《自我狂者須的兒納》)，但他又無力對抗社會，最終只能靠卑賤自身，才能對壓抑自己的社會、人生發出幾聲嗚咽的悲鳴。他啜泣："將亡未亡的中國，將滅未滅的人類，茫茫的長夜，耿耿的秋星，都是傷心的種子"(《茫茫夜》)；他悲鳴："反抗反抗，我對於社會何嘗不曉得反抗，……但是怯弱的我們，沒有能力的我們，教我們從何處反抗起呢？"(《蔦蘿行》)郁達夫不善於用思想的面紗掩蓋自己真摯的憂鬱與感傷，他呈現給讀者的心靈世界也不是澄明統一的理性世界，而是在貧病、死亡、寂寞的現實背境下的一種已失衡、變形了的情感世界。他的作品，無不流露出各種各樣的哀怨與憂傷，如他的小說：《過去》、《迷羊》、《風鈴》等描寫的是主人公對已逝的美好日子的回憶，表現對舊事的無可奈何的留戀；《銀灰色的死》、《沉淪》是由於苦悶壓抑而悲鳴出來的；《茫茫夜》、《秋柳》、《街燈》等描寫的是在無聊生活的壓抑窒息下混跡煙花世界的知識份子精神上的空虛寂寞；《離散之前》、《血淚》、《落日》描寫的是被社會的沉悶黑暗壓迫得潦倒落魄的文人的生的苦悶；《春風沉醉的晚上》、《薄奠》這樣有"社會主義色彩"的作品，描寫的是下層貧民困頓無依的生活；即使如《春潮》這樣寫兒童生活的作品，也都含著淡淡的哀傷和沉鬱的悲哀。至於其散文，如《蔦蘿行》、《還鄉記》、《零餘者》、《一個人在途中》、《感傷的行旅》等，也都在抒寫生活困頓、婚姻家庭的不幸中流溢著宿命的嗟怨。

郁達夫作品的感傷基調是"性的苦悶"和"生的苦悶"。這二種苦悶的形成，是與他的身世分不開的。郁達夫出生於一個沒落的士紳家庭，至出生時，他的家庭已經破產，所以他將自己的出生稱做是"一出結構並不很好而尚未完成的悲劇"（《悲劇的出生——自傳之一》），他對人世的最初感覺是"對饑餓的恐怖"，五六歲時已會"露了一臉很悲涼的寂寞的苦笑"（同上）。他三歲時，父親去世，孤兒寡母受人欺凌，他漸漸變得習慣孤獨、怕羞，膽小，畏縮，對人、事充滿本能的仇恨，在學校只拚命的讀書，拚命的和同學中貧苦者相往來，對有錢的人，經商的人仇視（《書塾與學堂 — 自傳之三》）。1913 年，當他帶著在國內形成的敏感性格隨兄到達日本後，一種新的屈辱感加劇了他近於變態的性格。他留學時的日本，已經經過了明治維新的工作，"新興國家的氣象，原屬雄偉，新興國民的舉止，原也豁蕩，但對於奄奄一息的我們這東方古國的居留民，尤其是暴露已國文化落伍的中國留學生，卻終於是一種絕大的威脅（《雪夜 — 日本國情的記述·自傳之一章》）。異國的刺激，使他在形成國家概念的同時，也就必然帶上了弱國的子民在異域感受到的屈辱感。他在日本"開始看清了我們中國在世界競爭場裏所處的地位"，"覺悟到了今後的中國的命運，與夫四萬萬五千萬同胞不得不受的煉獄的歷程"，而"弱國民族所受的侮辱與欺凌，感覺得最深切而亦最難忍受的地方，是在男女兩性，正中了愛神毒箭的一剎那"。（《雪夜》）在當時的日本，"歐洲的自由主義思想，以及十九世紀文化的結晶，自然主義中的最堅實的作品，車載斗量地在那裏被介紹"，（《戰後敵我的文藝比較》），而且，"兩性解放的新時代，早就在東京的上流社會 — 尤其是智識階級，學生群眾——裏到來了。……伊孛生的問題劇，愛倫凱的戀愛與結婚，自然主義派文人的醜惡暴露論，富於刺激性的社會主義兩性觀，凡這些問題，一時竟如水似地殺到了東京，而我這一個靈魂潔白，生性孤傲，感情脆弱，主意不堅的異鄉遊子便成了這洪潮上的泡沫，兩重三重地受到了推擠、渦旋、淹沒與消沈，（《雪夜》）"一般神經過敏的有思想的青年，流入於虛無者，就跑上華嚴大瀑去投身自殺，志趣不堅的，就作了頹廢派的惡徒，去貪他目前的官能的滿足。"（《序孫譯〈出家及其弟子〉》）從一個完全封閉、男女大防的社會，一下置身於一個隨處可看到名女優半裸的照相，讀到"婦女畫報上的淑女名姝的記載，東京聞人的姬妾的豔聞"的性開放的社會，一個一向連把與女性在一起都看作是"讀書人的大恥"（《水樣的春愁》）的亞當的中國後裔，在日本的幾年恰又處於青春覺醒、情緒最波動的年齡，而他這性的苦悶又只能在帶給他屈辱感的日本女人身上得到釋放，雖然日本少女的蔑視使他感到的是一種被侮辱、絕望、悲憤、隱痛充塞得無法呼吸的壓抑，但青春的驅動又使他無法抵禦她們"肥白柔和"的肉體的誘惑。1925 年的一個雪夜 ，當他的性苦悶終於到了"不可抑制的地步"，終於在"幾瓶熱酒"的刺激下，在一個肥胖的日本妓女懷裏失去童貞時，他卻立刻感到"如在大熱的伏天，當頭被潑上了一身冷水"，一陣自暴自棄、自輕自憐的痛感啓動了他被性的"惡魔"麻醉過的靈魂。他悲天憫人："太不值得了？太不值得了！我的理想，我的遠志，我的對國家所抱負的熱情，現在還有些什麼？還有些什麼？"（《雪夜》）把一次偶然的失身與國家民族問題聯繫起來，未免有點誇張、做作，但卻真實地反映了一個不甘沉淪而又不得不沉淪的中國知識份子的精神矛盾和痛苦。一個無法從"國家"獲得安全感、滿足感、連自己的青春勃發的肉體都感到恐懼的軟弱無力的"支那人"，在日本也許只能像《雪夜》中的"我"那樣破釜沉舟般發誓："沉索性沉到底吧！"

二

最能表現郁達夫及其主人公"性的苦悶"的痛苦和複雜性的是其小說《沉淪》。這部小說描寫了"一個病的青年的心理"，揭示了"五四"

後在中西文化衝突壓抑下，一個中國知識份子形成變態人格的過程（郁達夫其他作品中的主人公，如《銀灰色的死》）中的“他”，《茫茫夜》、《懷鄉病者》、《空虛》中的於質夫，《蔦蘿行》中的“我”，都是這樣的中國知識份子）。“我”從一個災難深重，仍固守著封建傳統文化的舊國家，來到一個充斥著西方各種資產階級民主自由、個性解放思想的新興國家，中西方化的鮮明對比，使他立刻感覺到某種威脅和侮辱，“眼看著故國的陸沉，身受著異鄉的屈辱，與夫所思所感、所經所曆的一切，剔括起來，沒有一點不是失望，沒有一處不是悲傷”。（《懺餘獨白》）異質文化的壓抑，使他感到焦慮和苦悶：“我何苦要到日本來，我何苦要求學問，既然到了日本，那自然不得不被他們日本人輕侮的”，“故鄉豈不有明媚的山河，故鄉豈不有如花的美女，我何苦要到這東海的島國裏來！”他多疑敏感，情緒多變，因而患了嚴重的憂鬱症。他一會兒自憐：“可憐我今年已經是二十一歲了。槁木的二十一歲！死灰的二十一歲！”一會兒自傲：“他們都是日本人，他們都是我的仇敵，我總有一天來復仇，我總要複他們的仇”，一會兒自嘲：“他們都是日本人，他們對你當然是沒有同情的，因爲你想得他們的同情，所以你怨他們，這豈不是你自家的錯誤麼？”一會兒自責：“You coward fellow,You are too coward！你既然怕羞，何以又要後悔！”一會兒自慰：“啊呀，哭的是你麼？那真是冤屈了你了。像你這樣的善人，受世人的那樣的虐待，那可真是冤屈了你了。罷了，這也是天命，你別再哭了，怕傷害了你的身體”；一會兒又因絕望而要自殺；“悔也無及，悔也無及。我就在這裏死了吧！”這個自傷自悼、自怨自艾、不知所屬、不知所終的憂鬱青年，在當時中國青年知識份子中間也曾引起過西方“維特熱”那樣的轟動，這說明這種“憂鬱的青年”形象在當時是有普遍性、代表性的。他們從西方文化中接受了個性主義思想的影響，以反抗封建文化傳統、要求個性解放；但不幸的是，他們自身又都承襲了根深蒂固的中國傳統文化的教育，封建意識又潛在地制約著他們，使他們在反抗的同時，又潛在地依戀傳統文化以緩解自己在異國他鄉所受的屈辱，這決定了他們所要求的個性解放僅僅是幾聲悲涼絕望的吶喊，不但不能導致任何實際的抗爭行動，反而會將兩種文化的矛盾衝突化爲自身的矛盾衝突，從而導致過多的自省，這種自省無形中消解著個體的反抗力量，增強著社會的壓迫，使自身承受越來越重的壓抑、折磨和痛苦，導致人格變態。郁達夫曾痛心地剖析了自己也即自己的主人公鬱悶的心理動因："自己的一身，實在也只可以說是時代造就出來的惡戲。自己終究是一個畸形時代的畸形兒，再加上這惡劣環境的腐蝕，那就更加不可收拾了，第一不對的，是既作了中國人，而偏又去受了些不徹底的歐洲世紀末的教育……結果就是新舊兩者的同歸於盡"，（《蜃樓》）處在兩種異質文化碰撞、衝突的夾縫中，他們感到孤獨，苦悶，無所適從。從一種完全封閉的文化環境進入一個已是非常開放的社會，他們在竭力以中國傳統文化要求個性解放時，又導致心理和情感的失衡，心理變態的痛苦把他們置於無底的精神煉獄，備感恐懼和無能為力。中國傳統文化的道德觀和個性主義的反道德意識的衝突造成了他們理智與情感的矛盾。理智戰勝情感時，他壓抑個性而導向孤獨、憂鬱、苦悶；而情感渴求滿足時，理智又加以無情的鞭撻，使他們享受不到滿足的快樂而導致情感畸形。

《銀灰色的死》中的于質夫，在日本聽到妻子死亡的消息後，"總每是晝夜顛倒的要到各處酒館裏去喝酒"，因為"酒館裏當爐的大約都是十七八歲的少婦"。儘管他知道她們都只想騙自己的錢，但他每當太陽西下，就不由自主地跑到這些酒館裏。"有時候他想改過這惡習慣來，故意到圖書館裏去取他平時所愛讀的書來看，然而到了上燈的時候，他的鼻孔裏，會有脂粉、香油，油沸魚肉，香煙醇酒的混合的香味到來。他的書的字裏行間，忽然會跳出一個紅白的臉色來。一雙迷人的眼睛，一點一點地擴大起來。同薔薇花苞似的嘴唇，漸漸兒的開放起來，兩顆笑靨，也看得出來了。洋磁似的一排牙齒，也看得出來了。他把眼睛一閉，他的面前，就有許多妙年的婦女坐在紅燈的影裏微微的在那裏笑著。也有斜視他的，也有點頭的，也有把上下的衣服脫下來的。也有把雪樣嫩的纖手伸給他的。到了那個時候，他總會不知不覺的跟了那只牽手跑去，同做夢一樣，走了出來。等到他懷裏有溫軟的肉體坐著的時候，他才知道他是已經不在圖書館內了"。但每當他用亡妻的金剛石戒指當來的錢買過一個醉飽後，他就立刻感到自家"孤冷得可憐"，感到內疚，懺悔："亡妻呀亡妻，你饒了我吧！"但每當"淒涼了一陣，羞愧了一陣"之後，他仍複到酒館裏去求得一個醉飽，並仍復去找當爐的日本女人，但亡妻的影子又在他眼裏晃動，結果弄成個瘋瘋顛顛："看他的樣子，好像是對了人家在那裏辯護他日下的行爲似的，其實除了他自家的良心以外，卻並沒有人在那裏責備他"。至於其最後在銀灰色的月光下的"銀灰色的死"，則是其擺脫心靈痛苦的最好方式了。

《沉淪》中的"我"的沉淪過程，最強烈地體現了個性意識和道德意識的矛盾衝突。他因孤獨、壓抑，把唯一解救自己的希望寄託於愛情："知識我也不要，名譽我也不要，我只要一個能安慰我體諒我的心，一副白熱的心腸！從這一副心腸裏生出來的同情！從同情而來的愛情！我所要求的就是愛情！"但他自身繼承的傳統道德意識卻使他的這種正當人性要求成爲反道德行爲，並使他在對自己的行爲進行評價時產生悔恨和自責，從而使熱情不能以正常的途徑釋放，愛的渴望最終被扭曲、變形爲性苦悶、性變態。一方面，他不顧從小服膺的"身體發膚，不敢毀傷"的聖訓，"在被窩裏犯罪"，一方面又因此而"恐懼心也一天一天地增加起來"；一邊"窺浴"，一邊"自家打自家的嘴巴"，"心裏怕得非常，羞得非常，也喜歡得非常"，一邊因竊聽到草叢裏的男女苟合，而"同偷了食的野狗一樣，就驚心吊膽的把身子屈倒去聽了"，一邊罵自己："你去死罷，你去死罷，你怎麼會下流到這樣的地步"；一邊在妓院偷看妓女"紅色的圍裙，同肥白的腿肉"，一邊"切齒痛罵自己，畜生！狗賊！卑怯的人！"可以說，他每次"性"的滿足，都伴隨著道德感、屈辱感的無情鞭撻，他不但不能獲得心靈痛苦的解脫，反而痛苦更深，最終墮入永劫的精神地獄，在無以排解的苦悶中自殺，做了文化衝突的犧牲品，宣告了個性追求的失敗。

雖然郁達夫在創作的不同時期對"性的苦悶"（主要指在日本時的創作）和"生的苦悶"（主要指從日本回國後的創作）各有所側重，但總的來看，兩種苦悶在他的作品中是融爲一體的。"性的苦悶"是造成"生的苦悶"的一個因素，"生的苦悶"則加劇了"性的苦悶"，因爲他筆下的人格變態主人公往往是因爲得不到生活的"飽暖"、精神的"飽暖"才"思淫欲"，甚至變態地發洩情欲的。郁達夫在談到自己剛從日本回到中國來時的情境時說："碰壁，碰壁，再碰壁，剛從流放地遇救回來的一位旅客，卻永遠地踏入了一個並無鐵窗的故國的囚牢，……愁來無事，拿起筆來寫寫，只好寫些憤世嫉邪，怨天罵地的牢騷，放幾句破壞一切，打倒一切的狂囈。越是這樣，越是找不到出路，越想破壞，越想反抗”，(《懺餘獨白》) 而越反抗，越發現自己陷於一個無法擺脫的可憐的生的境地，最後只能靠尚屬於自己的性本能變態地發洩生的苦悶:“人生終究是悲苦的結晶，我不信世界上有快樂的兩字。人家都罵我是頹廢，是享樂主義者，然而他們那裏知道我何以要去追求酒色的原因？唉唉，清夜酒醒，看看我的胸前睡著的被金錢買來的肉體，我的哀愁，我的悲歎比自稱道德家的人，還要沉痛數倍。我豈是甘心的墮落者？我豈是無靈魂的人？不過看定了人生的運命，不得不如此自遣耳”。(《蔦蘿集・自序》) 如果說郁達夫在日本時儘管性的要求受到壓抑，但仍還有“祖國”可以希望的話，那麼，當他一踏上故國的土地，感到縛在他周圍的“運命的鐵鎖圈”“一天一天的扎緊起來”時 (《蔦蘿行》)，當他不得不拋棄自己的理想主義，“東奔西走，爲饑餓所驅使，竟成了一個販賣知識的商人”時 (《雞肋集・題辭》)，他終於對“生”也完全幻滅了。他想自殺，曾“拖了沉重的腳，上黃浦江邊去了幾次”，(《蔦蘿行》) 但終於沒有勇氣，只有更深地沉在醇酒婦人的迷醉中。更令他痛苦的是，他讀書得來的知識，不僅不能爲他換來飯吃，反而會使他能更清晰地體味到精神幻滅過程中的痛苦:“自家以爲有點精神，有點思想的人，竟默默無言地，看著他自己的精神的死滅、思想的消亡！試問天下痛心事，甚於此者，更有幾多宗？”(《寒灰集・序》) 他終於變成了一個不生不死，不癡又癡，心如死灰的行屍了:“我的過去半生是一篇殘敗的歷史，回想起來，只有眼淚與悲嘆，幾年前頭，我還有一片享受悲痛的餘情，還有些自欺自慰的夢想，到今朝非但享受苦中樂 Sweet Bitterness 的心思沒有了，便是愚人的最後一件武器 — 開了眼睛做夢，To dream with wide opened eyes — 也被殘虐的命運奪去了” (《風鈴》)。以前想想自己慘痛的經歷和心境，他還會有淚滴下來，經過了生的幻滅，他連淚也沒有了。

看這樣的一段話：

> 今晚在宴會的席上，在許多鴻儒談笑的中間，我胸中的感覺，同在這樣的白揚衰草的墳地裏漫步時一樣。不過有一點我覺得比從

前進步了；從前我和境遇比我美滿的朋友 —— 實際上除你們幾個人之外，哪一個境遇比我不美滿？ —— 相處，老要起一種感傷，有時竟會滴下淚來。現在非但眼淚不會滴下來，並且也能如他們一樣舉起箸來取菜，提起杯來喝酒。不過從前的那一種喜歡談話的衝動，現在沒有了。他們入座，我也就座，他們吃菜，我也吃菜，勸我喝酒，我就喝，乾杯就乾杯。席散了，我就回來。雇車雇不著，就慢慢的在黃昏的街道上走。同席者的汽車馬車，從我身邊過去的時候，他們從車中和我點頭，我也回點一頭。他們不點頭，我也讓他們的車子過去……還有一點和從前不同的地方，就是我默默坐在那裏，他們來要求我猜拳的時候，我總笑笑，搖搖頭，舉起杯來喝一杯酒，教他們去要求坐在我下面的一個人猜。近來喝酒也喝不大醉，醉了也不過默默地走回家來坐坐，吸吸煙，倒點茶喝喝。

這段話出自郁達夫 1924 年 3 月寫成的散文《北國的微音》。再看看郁達夫 1926 年在廣州記的幾節日記：

十一月三日：啊！獨生子死了，女人病了，薪金被人家搶了，最後連我頂愛的這幾箱書都不能保存，我真不曉得這世界上真的有沒有天帝的，我真不知道做人的餘味，還存在哪里？我想哭，我想咒詛，我想殺人。

十一月八日：晚飯後，無聊之極，上大街去跑了半天……明天起要緊張些才好，近兩年來，實在太頹廢了，可憐可惜。

十一月十一日：啊啊！以後我不知道自家更有沒有什麼作為了。我很想振作。可憐我也老了，膽量縮小了。打算從明天起，再發憤用功。

十一月十四日：打牌打到晚上……到家的時候，已經十點多了。

十一月十八日：胸中不快，真悶死人了。

十一月二十日：過去的一個禮拜，實在太頹廢，太不成話了。

十一月二十一日：現在我的思想，已經瀕於一個危機了，以後若不自振作，恐怕要成一個時代的落伍者。

十一月二十六日：中午……飲酒一斤，……這兩天精神衰頹……

以後總要振作才好。

十二月二日：晚上回來，寂寥透頂，心裏不知怎麼的總覺得不快。

十二月三日：晚上又有許多年青的學生及慕我者，設餞筵於市上，……我一人喝酒獨多，醉了。

十二月七日：酒又喝醉了……一晚睡不著，想身世的悲涼，一個人泣到了天明。

……

1926年3月，郭沫若、郁達夫和王獨清一起從上海到了廣洲。這次南行，郁達夫本想“改變舊習，把滿腔熱忱，滿懷悲憤，都投向革命中去的”，但到了廣州後，滿目所見，都是“一些陰謀詭計，卑鄙污濁”，於是，好不容易剛剛喚起的一種幻想，便又如“兒童吹玩的肥皂球兒，不到半年，就被現實的惡風吹破了”。(《雞肋集·題詞》）同年七月，郭沫若參加了北伐軍，而郁達夫則在頹蕩的迷陣裏不可自撥了。上面所引的日記真實地記錄了郁達夫在這段時間內是如何地折磨自己、毀滅自己、而又徒勞地想再振作的痛苦。這是一個多麼令人痛惜的郁達夫！悲憤難鳴而又不甘沉淪，執著於生活而又不見容於社會，帶著一臉的迷茫和頹唐站在我們面前，把鉛一樣的灰頹和沉重向我們撲面壓來。哀莫大於心死，而郁達夫寫這些日記的時間，恰是北伐節節勝利、國民革命成功在即、全民情緒亢奮的時刻，但他不但沒有因爲時代的歡欣而有所振作，而且在日記中都鮮有對時事的提及。他的個人主義情緒限制住了他，他因爲對社會的絕望而退守自己的內心，反復叨念的只是個人生活的圈子，咀嚼的只是個人悲哀的痛苦。他雖然表面上還如行雲流水、瀟灑自如，內心卻已對生命本身都感到絕望了：“自家今年三十歲了，這一種內心的痛苦，精神毀滅的痛苦，兩三年來，沒有一刻遠離過我的心意。並且從去年染了肺疾以來，肉體也日漸消瘦了，……在人世的無常裏，死滅本來是一件常事，對於亂離的中國人，死滅且更是神明的最大的恩賚。可是肉體未死以前，精神消滅的悲感呦，卻是比地獄中最大的極刑，還要難受。……自己的半生，實在是白白地浪費去了。對人類，對社會，甚而至於對自己，有益的事情，一點兒也沒有做過，自己的死滅，精神的死滅，在這大千世界裏，又值得一個什麼？”（《寒灰集·序》）死滅本是順應自然的事，可怕的是能清晰地體味到死滅途中精神的痛苦，而且一生碌碌無爲，於世無補，這對於本抱有熱烈的入世精神的郁達夫來說，自然感到自己“多餘”的悲涼。

三

中國現代浪漫主義文學是以中國傳統文化爲基礎，接受西方浪漫主義文學的影響而形成的具有中國特色的浪漫主義文學。中國現代浪漫主義文學可以說是西方浪漫主義文學的迴響和延續，而西方浪漫主義文學則給中國現代作家提供了認識、闡釋中國傳統文化的新的視角和方法。在接受西方浪漫主義文學影響的過程中，現代浪漫主義作家始終是根置於中國傳統文化土壤中的，始終保持著鮮明的主觀能動性，郁達夫主張“文藝鑒賞上之偏愛價值”，即是這種主觀能動性的表現。他總是以自己的審美趣味、藝術追求爲前提，吸取各種自己所需的異域養分，來形成自己的獨特風格。例如，郁達夫的浪漫主義具有濃厚的現代主義色彩，但他並不是全盤摹仿、照搬現代主義的，而是在全面、清楚地理解的基礎上有所取捨的，如他一方面認爲未來派的有些主張是可以接受的，如反對既成的觀念，另一方面又不贊成未來派“全將過去抹殺的”虛無主義態度，“譬如我們已經長成了一個人的中年者，來主張完全幼年時代割捨丟棄，那麼主張貫徹的時候，非要要求個個母親，生下來的孩子，都是三十歲以上的人不可，這事情那裏能夠辦到呢？”（《詩論》）；又如對表現主義，他一方面接受表現主義文學表現內在精神真實和個人強烈情緒的主張和手法，另一方面又看到表現派作品“奇矯、難解的地方太多，一般人不能夠同樣的欣賞”。（《詩論》）又如，雖然他比較喜歡讀日本小說（主要是自然主義小說、私小說），但在 1935 年的一篇文章中，他又說日本的短篇小說“局面太小，模仿太過，不能獨出新機杼，而爲我們所取法”。（《林道的短篇小說》）

郁達夫稱自己作品中的主人公是“真正的零餘者”，是近代的多餘人。若要在西方浪漫主義文學作品中爲這種“零餘者”找一個對應者的話，那麼這個人當是歌德《少年維特之煩惱》中的維特，確實，以“維特型”概括郁達夫小說中的主人公似乎已成定論。無疑，維特與郁達夫筆下的主人公確有許多相似之處：性格軟弱、憂鬱感傷、愛情失意……但郁達夫的主人公並不完全等同於西方的維特，而是具有明顯的“中國特色”，即都帶有中國傳統文化培育出的一種知識份子類型：“名士派”的特色。

對於郁達夫及其主人公身上的“名士”氣質，30年代就已有人提出過精闢的分析。看下面這段話：“成爲達夫一個致命傷的，卻是前一代的‘名士’氣質，在他的思想裏，我們決不武斷地說，達夫是始終受了這一名士氣質在侵害著的。要是你看一下他的最重要的作品，你決不會失敗可以找到浸漬在結構中這一氣氛的濃重。那裏的主人公，可以說，每一個都不缺少‘放浪形骸’，‘風流自賞’或是‘孤潔清高’的意味，都不缺少與‘詩’，‘酒’，‘山水’、‘哭’，‘牢騷’結下的緣分”。[2]中國傳統“名士”的人格是受莊子爲代表的道家的人生哲學的影響形成的，他們往往以超世孤傲爲人格基調。莊子主張棄仁義，“絕聖棄知”，抗議“人爲物役”，張揚個體的絕對自由，即能“乘雲氣、騎日月，而遊乎四海之外”，(《莊子．齊物論》) 不受生死、世俗利害影響的理想人格。這種人生哲學要求衝破一切既成的宗法專制和妨礙個體獨立的外在規範，因而成爲有叛逆精神和浪漫傾向的中國傳統文人的精神武器。但這些文人往往是被排斥在主流意識之外的，是因爲兼濟天下的浩然之志得不到實現的途徑，才佯狂放誕，以放浪形骸、酗灑狎妓等方式對自己無法戰勝、無法融入的現存體制進行抗議的，如魏晉時的劉伶“縱酒放達”，嵇康“不拘禮教”；唐朝的李白，鬱鬱不得志時也每每狎妓飲灑，縱情聲色；宋朝“蔚紅倚翠”的柳永；元代自稱“普天下郎君領袖，蓋世界浪子班頭”的關漢卿；明末鼓吹達觀享樂，在秦淮水榭組織桃葉渡盛會的“四公子”；清代“負氣殉情”的黃仲則；近代遁入空門的蘇曼殊……。郁達夫有較深厚的古典小說、詩詞的修養，對歷史上的這些文人的人生方式並不陌生。在郁達夫身上，我們時時可以看出嵇康的孤傲，阮籍的任蕩，劉伶的放浪形骸，陶淵明的遁隱。他對歷史上的這些“名士們”深深迷

---

2 秀子《郁達夫的思想和作品》，見《郁達夫研究資料》（下），天津人民出版社，1982年，409-410頁。

戀，並引爲同道，甚至恨自己是個“時代的錯誤者”，沒有生在古代，與這些失意的才子們同遊同樂：“恨我自家即使要生在亂世，何以不生在晉的時候。我雖沒有資格加入竹林七賢……之列，但我想我若生在那時候，至少也可聽聽阮籍的哭聲。或者再遲一點，於風和日朗的春天，長街上跟在陶潛的後頭，看看他那副討飯的樣子，也是非常有趣。即使不要講得那麼遠，我想我若能生於明朝末年，就是被李自成來砍幾刀，也比現在所受的軍閥官僚的毒害，還有價值。因爲那時候還有幾個東林復社的少年公子和秦淮水榭的俠妓名娼，聽聽他們中間的奇行異跡，已盡夠使我們把現實的悲苦忘掉，何況更有柳敬亭的如神的說書呢？”（《骸骨迷戀者的獨語》）在 1922 年底寫的小說《采石磯》中，他更以清朝詩人黃仲則自喻。黃仲則身世飄零，才華橫溢，但孤傲多疑，負氣殉情，清高避事，他看不慣“掛羊頭賣狗肉”、“盜名欺世”的僞儒，敢於“直言亂罵”。他決心向壓抑自己的勢力反抗，但又軟弱無力，毫無辦法，只“覺得人生事，都無長局”，最後唯有與李太白爲伴，寧可當個“乾坤無事入懷抱，只有求仙與飲酒”的“薄命詩人”。郁達夫對黃仲則深爲同情，同時也是借寫黃仲則抒發自已的人格理想和人生理想，表達“老夫亦是奇男子，潦倒如今百事空”的怨憤抑鬱之情，並暗含對“黃鐘廢棄，瓦斧爭鳴”的不合理現實的譏刺。

應該說，中國歷史上的這些“名士”大多是因爲走不通“做帝王師”的入仕之途，才放浪形骸或遁世消隱的，所以，他們身上表現出的“名士”作風恰恰反襯出他們有強烈的現實情懷，他們遵循的人生哲學決定了他們的這種特點。他們欲借酒澆愁，但“舉杯消愁愁更愁”，愁什麼？愁的是空有抱負，奈帝王不識千里馬，一身才華無處施展；他們縱情山水，想到的卻是“先天下之憂而憂，後天下之樂而樂”，不知不覺又把自己擺在民眾導師、楷模的位置上去了……這種強烈的現實情懷，實際上正是中國知識份子人格精神的最可貴之處，也是他們人生悲劇的根源。郁達夫筆下的現代“名士們”在這一點上是與他們的這些前輩導師一脈相承的，只不過他們的苦悶、憂鬱，以及佯狂放縱具有現代色彩而已。即如他們對愛情的追求，就基本上沒擺脫傳統的“才子佳人”模式，只不過古代的“才子”換成了現代的知識份子，“佳人”變成了酒店女招待、日本妓女而已。他們儘管狂歌低吟，沈浸在感傷、悲哀的深淵，但在內心深處卻始終無法擺脫自己的社會責任感，他們只是因爲沒有力量改變現實才變成現代的"名士"的。就如郁達夫在談到古今中外文人追尋夢裏的烏托邦的原因時所說："他們追尋那夢裏青花的原因……不外乎他們的滿腔鬱憤，無處發洩，只好把對現實懷著的不滿的心思，和對社會感得的執烈的反抗，都描寫在紙上"。(《文學上的階級鬥爭》)針對有人將他及"創造社"的其他作家稱爲"爲藝術而藝術"派的說法，他反駁說："我們在創作的時候，總不該先把人生放在心裏。藝術家在創造之後，他的藝術的影響及于人生，乃是間接的結果"。(《"茫茫夜"發表之後》)他反對將作家分爲"爲藝術的藝術派"和"爲人生的藝術派"，因爲"藝術就是人生，人生就是藝術"，"表面上似與人生直接最沒有關係的新舊浪漫派的藝術家，實際上對人世社會的疾憤，反而最深"，他們只是因爲"戰鬥力不足，不能戰勝這萬惡貫盈的社會"，才"逃到藝術的共和國裏"，以藝術的形式，表明"他們對當時的社會懷抱著的悲憤"。(《文學上的階級鬥爭》)從郁達夫的這種藝術主張，及作爲這種主張的實踐的作品中的主人公所表現出的人格狀態來看，郁達夫所描寫的主人公在某些方面可以說是中國古代"名士"的現代變種，他們的"名士氣"在顯示出中國知識份子追求個性、反抗權威的理想人格精神的同時，也表現出他們固有的軟弱性、自卑性，缺乏西方浪漫主義英雄的那種堅定的人格力量、個性力量，將他們與西方浪漫主義文學中的感傷典型維特稍作比較，即可看出這一點。

應該說郁達夫筆下的中國現代"名士們"與維特式的西方浪漫英雄是有不少共同之處的：都是以自我爲中心，都不滿現實並試圖反抗，都自覺高人一等、並有滿腹才華，都是愛情的失意者，都願意在大自然的陶醉中忘卻人世的不幸等。然而，維特儘管也有消沈、悲傷，在生活中卻還有一個明確、固定的目標，並對實現這個目標滿懷信心，毫不懷疑，甚至以死相求，也絕不向現實妥協。維持因爲對自己有信心，一直能保持自己的獨立的力量來與現實相抗爭，所以即使自殺也能保持精神的平靜和喜悅："四周是這樣的寧靜，我的心境是這樣的平和，上主，我感謝你，感謝你在這最後的片刻裏，賜予我溫暖的力量"；而郁達夫筆下的主人公不但對自己的人生目的一片茫然，而且總把自己的失敗歸因於外在的阻力：社會的不公，愛情的失意等，動彝怨天憂人，淚流滿面，毫無遮掩地表露出自己的軟弱和自卑。如《沉淪》中的“我”本是個“coward”，是個神經質的自卑狂，他不敢接受日本女學生“活潑潑的眼波”，卻把原因歸結爲自己是“支那人”，最後因絕望自殺前，還把“祖國”拉來作爲自己軟弱的遮羞布，不無做作地喊到“祖國呀祖國！我的死是你害我的”。這就與維特的死具有了不同的審美效果。維特選擇死，儘管也是因爲無法排解現實壓抑造成的悲哀，但他是自覺以死亡的方式來宣告自己與現實的毫不妥協的，是爲了維護個體尊嚴、自由而採取的一種帶有英雄主義色彩的抗爭方式，而《沉淪》中的“我”則是因爲忍受不了羞辱、悔恨、自憐的壓抑而以死亡表示向命運屈服。維特是自己毀滅自己的，“我”則是一個毫無英雄色彩的時代多餘人。郁達夫並非不瞭解、不欣賞維特式的浪漫主義英雄，他在創造自己的人物時腦中不一定沒有西方浪漫感傷英雄的影子，但他畢竟生活在 20 世紀的災難深重的中國，他清醒地知道，唯有建立一個理想的國家，才能獲得個人理想的自由、尊嚴。他筆下的主人公要比維特們具有更強烈的社會責任感，承受著更多、更重的外在壓力，所以，一旦無法戰勝社會，承認自己是失敗者，就自然陷入比維特更絕望的深淵。這是中西文化的差異及中西浪漫主義文學發生的現實環境的差異造成的必然結果，同時也說明郁達夫等中國浪漫主義作家在接受西方文化影響時，是始終基於中國文化的土壤上的，是始終保持著選擇的主動性的。

郁達夫與外國文學

一、“零餘人”與“多餘人”

郁達夫開始接觸外國文學的時間，是在他到日本之後（在這之前，他連林紓譯的外國小說都沒有看過）。關於接觸外國文學的情況，他在《五六年來創作生活的回顧》中回憶說：“這一年的九月裏去國，到日本之後，拚命的用功補習……但我在課餘之暇，也居然讀了兩本俄國杜兒葛納夫（即屠格涅夫）的英譯小說，一本是《初戀》，一本是《春潮》”，於是，“和西洋文學的接觸開始了，以後就急轉直下，從杜兒葛納夫到托爾斯泰，從托爾斯泰到獨思托以夫斯基，高爾基，契訶夫。更從俄國作家，轉到德國各作家的作品上去，後來甚至於弄得把學校的功課丟開，專在旅館裏讀當時流行的所謂軟文學作品”。在高等學校裏住了四年，共計所讀的俄德英日法的小說，總有一千部內外，後來進了東京的帝大，這讀小說之癖，也終於改不過來，就是現在，於吃飯做事之外，坐下來讀的，也以小說最多。”郁達夫讀外國小說範圍很廣，在他的日記和文章裏出現的外國作家的名字是數以百計的，但他讀小說又不是毫無選擇的，而是以鮮明的、強烈的主體意識，帶有偏愛態度來審視、評價、選擇外國作家作品的，而且他還在理論上闡述了文藝鑒賞保持偏愛態度的價值。他說：“文藝賞鑒上的偏愛價值，完全是一種文藝批評的標準，但在愛好文藝的賞鑒者中，卻是很普遍的一種心理”，“我們讀坎坷不遇的批評家所作的坎坷不遇的文人的批評時，每有不得不爲感動，甚至有爲流涕太息的地方，因此我們可以知道偏愛價值是情意的產物，不是理智的評定。……所以我敢說對於文藝作品，不能感得偏愛者，就是沒有根器的人，像這一種人是沒有賞鑒文藝的資格的”。而郁達夫偏愛的是浪漫氣息濃厚、富有抒情味、藝術性較高的作家，他本人浪漫的性情和憂鬱的性格，使他對歐美一些浪漫派作家情有獨鍾。

屠格涅夫是郁達夫最早接觸到的外國作家，他的小說《初戀》、《春潮》是郁達夫最早讀到的外國小說。郁達夫對屠格涅夫的喜愛之情是溢於言表的，他不無敬仰地說："在許許多多古今大小的外國作家裏面，我覺得最可愛、最熟悉、同他的作品交往得最久而不會生厭的，便是屠格涅夫。這在我也許是和人不同的一種特別的偏嗜，因爲我的開始讀小說，開始想寫小說，受的完全是這一位相貌柔和，眼睛有點憂鬱，繞腮胡長得滿滿的北國巨人的影響"。(《屠格涅夫的〈羅亭〉問世以前》。他撰寫了《屠格涅夫的〈羅亭〉問世以前》、《屠格涅夫的臨終》等文章介紹屠格涅夫的生活和創作，還翻譯了屠格涅夫的論文《哈孟雷特和堂吉訶德》，並計畫翻譯屠格涅夫的《羅亭》、《煙》、《春潮》等小說（見他1927年1月10日日記中所列的工作計畫）。屠格涅夫是19世紀俄國一個溫和的貴族自由主義者，他生活在俄國由農奴制向資本主義的過渡時期。作爲貴族知識份子，"他有敏銳的觀察力，能很快就度出滲透到社會意志中的新要求和新思想，在自己的作品中經常注意到……那些已經到來並開始隱約使社會不安的問題"；[1]這個使社會不安的問題就是農奴制改革問題，屠格涅夫是反對農奴制的，因而他看到了農奴的野蠻和粗暴，看到了貴族中的先進知識份子已無力挽救農奴制，但作爲貴族中的一員，他又對農奴制必然消失的命運感到無限惋惜，他的作品中因而流露出傷感的挽歌情調，甚至流露出浮生若夢的幻滅感："好象一切都是煙，他自己的生活，俄羅斯人的生活，人類的一切……都是煙"。(《煙》）這種濃郁的感傷情調與郁達夫的審美情趣是一致的，他的小說《青煙》不但與屠格涅夫小說《煙》名目相仿，而且表露了類似的人生若空的情緒："時間一天一天的過去了，但是我的事業，我的境遇，我的將來，啊阿，吃盡了千辛萬苦，自家以爲已有些物事被我把握住了，但是放開緊緊捏住的拳頭一看，我手裏只有一溜青煙！"屠格涅夫意識到貴族階級的必然失敗，主要歸因於他看到周圍的貴族中的優秀的知識份子的軟弱無力，已無力挽救自身的命運了，他在小說中描寫了這樣一類被稱爲"多餘人"的俄國貴族知識份子，如《多餘人日記》中的朱爾卡都林，《羅亭》

1 《杜勃羅留波夫選集》，第2卷，新文藝出版社，1959年版，第263頁。

中的羅亭，《貴族之家》中的拉夫列茨基等。他們都受過良好的教育，天資聰穎，博學多才，熱心宣傳真理和理想，能看到現實中的不合理之處，並對俄國專制制度表示不滿，然而這些聰明、優雅的貴族卻有一個致命的弱點，那就是脫離實際，意志軟弱，缺乏實踐的能力，理想只流於空談，最終一事無成。郁達夫對這些俄國的"多餘人"是熟悉的，直到 1932 年他還在日記裏寫到："讀杜葛捏夫的 The Diary of a Superfluous Man，這是第三次了，大作家的作品，象嚼橄欖，愈嚼愈有回味"。（1932 年 10 月 14 日日記）在第二天的日記裏，他還將《零餘者的日記》中的幾首詩譯成了漢語（1913 年 10 月 15 日日記）。郁達夫直接借用了屠格涅夫"多餘人"這一稱呼（只不過被他譯成"零餘者"）。他就自稱爲一個"真正的零餘者"。（《蔦蘿行》）他每當孤寂悲涼時，往往就冥思自己在人世的意義，結果竟推斷出："我的確是一個零餘者，所以對了社會人世是完全沒有用的。a Superfluous man! a useless man! Superfluous! Superfluous"。（《零餘者》）郁達夫筆下的"零餘者"形象，大都是一個面容憔悴，神經衰弱，高度敏感，意志不堅，空有理想而無力實現，渴求異性卻又時時感到羞辱的知識份子。他們也想在社會上有所作爲，然而雖然"他們用了死力，振臂狂呼，想挽回頹風于萬一，然而社會的勢利，真如草上之風，他們拚命的奮鬥的結果，不值得有錢有勢的人的一拳打"，（《離散之前》）碰壁之後，他們無力吶喊著再沖出一條生路，而是悻悻地退縮下來，不但再無力振作，甚至嘲笑自己的所作所爲："少年的血氣幹萎無遺的日下的我，哪里還有同從前那麼的愛國熱忱，我已經不是 chauvinists（盲目愛國主義者）了"。（《青煙》）對於家庭，他們儘管奔波辛勞，卻只挽來貧困潦倒，連做兒子、丈夫的責任都無法盡到，因而深自引疚："我讀書學術，到了現在，還不能做出一點轟轟烈烈的事業來，就是這幾塊錢，還是昨天從母親那裏寄出來的，我對於母親有什麼用處呢？我對於家庭有什麼用處呢？（《零餘者》）"五四"退潮以後，許多曾經吶喊過、睜開過眼睛的知識份子都或多或少地帶有這種"零餘者"色彩，這些追求個性主義的知識份子大都是理想主義者，他們滿懷信心地宣告：

"20世紀是理想主義復活的時候"，他們要用自己"最高的理想去毀滅"現實的一切，"再造出一個理想的世界"。[2]然而，當"五四"向人們昭示了新世紀的曙光時，卻沒有提供實現理想的現實條件，他們面對的仍是堅如磐石的黑暗。"這班現代的青年，心中充滿了理想，這些理想無一不和現代社會底道德，信念，制度，習慣衝突"，[3]特別是"五四"的退潮，一下子把這些理想主義的青年從理想的天堂拋入茫茫無際的失望的沼澤。由於他們對理想的渴望過於熱切、過於幼稚，根本就沒有作好與現實抗爭的準備，所以稍一遇到挫折，就陷入極度絕望的深淵。所以在這一時期的文學創作中，就充滿了這些失敗了的理想主義者的悲鳴，形成了一個"零余者"作家群，如王以仁的《孤雁》，倪貽德的《玄武湖之秋》等，都塑造了一批孤獨內向、憂鬱感傷的主人公，他們都是游離於社會之外的"多餘人"，是人生大潮的漂泊者。屠格涅夫在當時受到這部分青年的喜愛，是與這種時代情緒有必然聯繫的。就如郭沫若在《新時代》（即《處女地》）譯序中所說："這部書的自身我很喜歡，我因爲這書裏的主人翁涅暑大諾夫，和我自己有點相像……這書裏面的青年，都是我們周圍的朋友……屠格涅夫這部書是寫的俄羅斯的事情，你們盡可以說他是把我們中國的事情去改頭換面地復述一遍呢？"[4]屠格涅夫的名字在中國最早出現有1915年7月1日出版的《中華小說界》上，在上面發表了劉半農用文言翻譯的屠格涅夫的四篇散文詩。同年，《青年雜誌》從第1卷第1期起開始連載陳嘏譯的屠格涅夫的小說《春潮》，從第5期又開始連載《初戀》；1921年，《小說月報》12卷3號上用4期連載了耿濟之譯的《獵人日記》，1925年19卷又用4期連載了趙景深譯的《羅亭》。屠格涅夫的其他長篇小說也在20年代被介紹到中國，如《前夜》（沈穎譯，1921年商務版），《父與子》（郭沫若譯，1925年商務版），《畸零人日記》（樊仲雲譯，1928年開明書店），《煙》（樊仲雲譯，1929年商務版），

2 郭沫若《未來派的詩約及其批評》，《沫若文集》第10卷，人民文學出版社，1959年，127頁。

3 陳獨秀《自殺論》，《新青年》第7卷2期。

4 郭沫若：《新生代·譯序》，上海商務印書館，1925年6月。

《貴族之家》(高滔譯，1929年商務版)，《屠格涅夫散文詩》(白棣、清野譯，1929 年上海北新書局)。這一時期還出現了一批有分量的研究屠格涅夫的論文，如田漢的《俄羅斯文學之一瞥》(《民鐸》，1卷6、7號)，胡愈之的《獵人日記研究》(《小說月報》13 卷 3 號)。屠格涅夫在當時也並不是唯一一個被介紹到中國來的俄國作家，托爾斯泰、陀斯妥耶夫斯基、安德列耶夫、普希金都是在這個時候爲中國的青年知識份子所認識和喜愛的。原因在於，在這些俄國作家的作品中，中國的作家們看見了“被壓迫者的善良的靈魂、的辛酸、的掙扎；還有四十年代的作品一同燒起希望，和六十年代的作品一同感到悲哀”，[5]郁達夫曾分析了自己變成“多餘人”的原因：“平時老喜歡悲歌慷慨的文章，自己提起筆來，也老是痛哭淋漓，嗚呼滿紙的我這一個熱血的青年，在書齋裏只想去衝鋒陷陣，參加戰鬥，爲眾捨身，爲國效力的我這一個革命戰士，際遇著了這樣的機會，卻也終於沒有一點作爲，只呆立在大風圈外，捏緊了空拳頭，滴了幾滴悲壯的旁觀者的啞淚而已”(《大風圈外》)屠格涅夫的作品，使他對自己的際遇有了一種異國的參照，也給他的悲哀中輸進了一種異國悲哀的因數，使他能更確信地印證了自己淒冷的情懷。

二、以盧梭為師

郁達夫一向爲人詬病的是他赤裸裸自我暴露的癖好，這與他把“藝術的理想”看作是赤裸裸的天真，“文學作品，都是作家的自敍傳”的文藝觀是一致的。他不論是在小說、散文，還是在日記、論文中，都真誠地坦率地把自己喜怒哀樂的情緒，愛憎的態度，榮辱的感受，猥褻的念頭，自私的打算，性欲的變態(同性戀，亂倫)，毫不隱瞞地坦露在讀者面前，以至被徐志摩諷刺爲“就和街頭的乞丐一樣，故意在自己身上造些血膿靡爛的創傷，來吸引過路人的同情”。[6]這自然是對郁達夫的一種誤解，因爲郁達夫是“摩擬的頹唐派，本質的清教徒”，[7]他的自我暴露，

---

5 魯迅：《祝中俄文字之交》，《南腔北調集》，見《魯迅雜文全集》，河南人民出版社，1994年，第466頁。
6 郭沫若：《論郁達夫》，王自立、陳子善編：《郁達夫研究資料》(上)，花城，三聯香港分店聯合出版，1985年，第86頁。
7 李初梨原話，引自郭沫若：《論郁達夫》，《郁達夫研究資料》(上)，第86頁。

只不過是“忠實地表現了人們所不敢表現的生活的一面”。[8]郁達夫以真誠的自我暴露來反對封建禮教壓抑人性的努力，很容易使人想起法國盧梭的被稱爲“文學史上的奇書”的《懺悔錄》。兩位元作者在作品中所表現的主題是相似的，即都直面封建專制禮教，勇敢地要求個人的獨立和尊嚴。盧梭在《懺悔錄》中把自己的一生、靈魂赤裸裸地全盤搬給了讀者，他不無驕傲地宣稱：“不管末日的審判號角在什麼時候吹響，我都敢拿著這本書走到至高無上的審判者面前，果敢地大聲說：“請看！這就是我所做過的，我當時就是這樣的人……請你把那無數的眾生叫到我跟前來！讓他們聽聽我的懺悔……然後，讓他們每一個人在您的寶座面前，同樣真誠地披露自己的心靈，看有誰敢於對您說：我比這個人更好！”郁達夫視盧梭的這種精神反叛爲自己的楷模和準則，對此欣羡不已，並在1928年連續寫了四篇關於盧梭的文章，即《盧騷傳》、《盧騷的思想和他的創作》、《翻譯說明就算答辯》、《關於盧騷》，比較全面地介紹了盧梭的思想和創作，1930年還翻譯了盧梭晚年的散文作品《一個孤獨漫步者的沉思》。他稱讚盧梭是“真理的戰士，自然的驕子……他的精神……他的影響，籠罩了浪漫主義運動的全部”（《盧梭傳》）面對人們對盧梭的誤解，他辨護說：“他一生所做的事情，只想和他的主張能一致，所以弄得許多人，都不能夠瞭解他的行爲。他的自卑狂的面，的確有自大狂的傾向含著，所以大多的批評家，都說他的虛榮心很大，說他是世界上最驕傲最虛僞的人”，“大家都以爲他是一個擁護罪惡反對道德的異端者，誰知道盧騷的主張嚴正的道德稱許本性的善處，攻擊社會和人類的毒惡，比那一個都要猛烈，比那一個都能徹底”。（《盧騷的思想和他的創作》）他甚至不無崇敬地預言：“法國也許會滅亡，拉丁民族的文明、語言和世界，也許會同歸於盡，可是盧騷的著作，直要到了世界末日，創造者再來審判活人死人的時候止，才能放盡它的光輝”。（《盧騷的思想和他的創作》）郁達夫把他看作世界大革命的第一個鼓動者，即使當他憂鬱孤獨時，也要借盧梭之口喊到：“自家除了已身以外，已經沒有弟兄，沒有鄰

8 匡亞明：《郁達夫印象記》，王自立、陳子善編：《郁達夫研究資料》（上），天津人民出版社，1982年，62頁。

人，沒有朋友，沒有社會了，自家在這世上，象這樣的已經成了一個孤獨者了"。(《一個人在途中》) 從這些明顯帶有誇張、幻想成分的介紹和評價中，我們不難看出郁達夫與盧梭的聲息相通。然而，盧梭吸引郁達夫的不僅在於他的個人反叛精神和方式，還在於他用以與現代文明相對立的自然論，而且盧梭的個性解放思想也是服從於他的"回歸自然"論的。盧梭認爲："出自造物主之手的東西，都是好的，而一到了人的手裏就全變壞了"，(《愛彌爾》) 因而人應擺脫造成人墮落的現代文明，重返人的童真時代。他的小說《愛彌爾》、《新愛洛綺思》，都熱情洋溢地渲染了自然對人性的魅力，提出"順乎自然"的教育、愛情理想，並對毀滅這種理想的封建權威進行憤怒的控訴："自然，甜蜜的自然，我蔑視毀滅你的權力的一切野蠻道德"。(《新愛洛綺思》) 郁達夫借鑒了盧梭的"自然論"，認爲："無論是文學、美術、或音樂，常墮入衰運，流於淫靡的時期，對此下一棒喝的就是'歸向自然'、'回到天真'上去的一個標語。大凡藝術品都是自然的再現，把捉自然，將自然再現出來，是藝術家的本分。把捉得牢，再現得切，將天真赤裸裸的提示到我們五官前頭來的，便是最好的藝術品"，"美與情感（包括同情與愛情），對於藝術，猶如靈魂肉體，互相表裏，缺一不可的"。(《藝術與國家》) 郁達夫充滿激情的自我表現、自我暴露，無疑是他這種"自然論"的實現。其情愈真，其態度愈真誠，其自我暴露給人的震撼力和衝擊力就愈強，作品的悲劇情調就愈濃厚。

盧梭和郁達夫都是在大自然中展示人物的心理歷程的。如盧梭的《愛彌爾》就是在一個脫離社會影響的世外桃源裏展示愛彌爾順應自然的成長過程；《新愛洛綺思》以對優美大自然的歌頌，情景交融地描寫男女主人公自然純美的愛情，以及愛情受到封建等級制度阻礙時淡淡的感傷主義情調。郁達夫對盧梭筆下美麗的大自然讚美不已，如他就稱許《懺悔錄》描寫了一切"可以增加自然的美，表現自然的意的東西"，幾乎闡發盡了大自然所有的秘密，"他的留給後世的文學上的最大的影響，也可以說是在這自然的發見的一點上"。(《盧騷的思想和他的創作》) 郁達夫對大自然也懷有一種傾心的愛："對於大自然的迷戀，似乎是我從小的一種天性"，(《懺餘獨白》)，他也把自然看作淨化人心的靈丹妙藥："山水，自然，是可以使人性發見”。(《閒書‧山水及自然景物的欣賞》)他筆下的大自然也有一種未被世俗污染的純美，如“晴天一碧，萬里無雲，終古常新的皎月，依舊在她的軌道上，一程一程的在那裏行走。從南方吹來的微風，同醒灑的瓊漿一般，帶著一種香氣，一陣陣的拂上面來”，(《沉淪》)這是何等美的境界！但是郁達夫不是一個“無爲而無不爲”的達觀處士，他是“因爲對現實感到了不滿，才想逃回到大自然的懷中”的。(《懺餘獨白》)因而他筆下的大自然總缺乏盧梭筆下的大自然的那種獨立性，那種輕曼舒徐的格調、青春勃發的活潑、蕩滌一切陳規陋俗的衝擊力，人與自然的關係也不是如盧梭作品中那樣和諧、統一、融爲一體，而是人始終有意識地把自然視作主體情緒得以渲染的容器和工具，自然只有在起到這種作用時才有意義，其本身並沒有獲得獨立價值。當他的主人公在山水中徜徉時，必是帶著在與人世的爭鬥中落下的心靈的創傷，必是因爲在社會上體嘗到失敗的悲涼，必是因爲受到了異性的輕蔑與侮辱……才來到寬容、博大的自然中避難的。就如《沉淪》的主人公面對大自然時的自悼詞：“這裏就是你的避難所。世間的一般庸人都在那裏妒忌你，輕笑你，愚弄你；只有這大自然，這終古常新的蒼空皎日，這晚夏的微風，這初秋的清氣，還是你的朋友，還是你的慈母，還是你的情人；你不必再到世上與那些輕薄的男女共處去，你就在這大自然的懷裏，這純樸的鄉間終老了罷”。

然而，由於郁達夫筆下的主人公都是社會、人生的失敗者，當他們把自然當作傾訴對象，當作傾心相與的愛人，袒露自己傷痕累累的靈魂時，自然不但不能撫平他們的傷口，反而會以自己的安謐、平和、生生不息的活力印證了他們自身的萎靡、失敗、孤冷，加劇了他們的憂鬱感傷。睹物思情，他們禁不住要清淚滾滾了。不妨看看下面二段“人景交融”的精妙描寫：

1．“他眼睛離開了書，同做夢似的向有吠聲的地方看去，但看見了一叢雜樹，幾處人家，同魚鱗似的屋瓦上，有一層薄薄的蜃氣樓，同輕紗似的，在那裏飄蕩”。

“oh, You serene gossamer! You beautiful gossamer!”

這樣的叫了一聲，他的眼睛裏就湧出了兩行清淚來，他自己也不

知道是什麼緣故。　　　　　　　　　　　　——《沉淪》

2．“他為這沉默一壓，看看這一堆荒塚，又想到了這荒塚底下葬著的是一個他所心愛的薄命詩人，心裏的一種悲感竟同江潮似的湧了起來。

‘啊啊李太白，李太白’。

不知不覺的叫了一聲，他的眼淚也同他的聲音滾下來了”。

——《采石磯》

第一段的背境是主人公因性情早熟，“與世人絕不相容”，因而感到“孤冷的可憐”，於是就到學校附近的原野上散步，邊走邊讀著華滋華斯的詩。大自然使他獲得了片刻的安寧，暫時忘卻了世間的不平，但在大自然的澄明與和諧中，他禁不住想到自己的可憐，“好像有萬千哀怨，橫亙在胸中”，舊傷加新創，他的眼淚使大自然也感傷起來。第二段出自以清朝詩人黃仲則爲主人公的間接自傳體小說《黃仲則》中黃仲則上謝公山憑弔李白墓的一段描寫。黃仲則是一個“神經過敏”、“孤傲多疑”、“負氣殉情”、“恃才傲物”的詩人。他早年失戀，現在也無家可回，只能暫充提督學政朱笥河的詩客。他在謝公山上看到“雜草生滿”的李白的荒塚，想想李白和自己的身世，想到二人都是“被人家虐待的境遇”，自然要滿懷悲傷了。

可見，郁達夫筆下的大自然是一種人格化的自然，是被生命個體移情過的自然，並沒有獲得獨立的生命，而是只有在與主體的情緒產生呼應時，才落入主體的視野，因而，自然在郁達夫筆下也沒成爲主人公的一種終極追求，而是將自然視作獲得心靈安慰、喚回純真人性的手段。這與西方浪漫主義所追求的大自然顯然是有差異的，因爲西方浪漫主義者筆下的自然，或是作爲純粹的審美物件，或是具有一種使人“自然化”的力量，人是自然的一部分，與自然同呼吸、共命運、息息相通，而且自然具有自己獨立的意志、情感、生命，人在與自然的感應中體會到自己的本質力量，感受到一種神秘的生命流動。而郁達夫筆下的自然，總擺脫不了“人氣”，自然作爲一種抒情手段，是用來展示主人公的情緒變化過程，並且大自然不但沒有給他們帶來靈魂的永久安息和最終慰藉，而且還更激化了主人公對現實的眷戀，從而更加劇了他們的痛苦、絕望。

因此，如果說西方浪漫主義對自然的景仰是“形而上的”、“神秘的”，那麼郁達夫（中國現代作家筆下的自然基本如此）筆下的自然則是“形而下的”、“經驗的”，因爲即使當他們在陶醉於自然之美時，也總要不由自主地將眼睛從自然移向現實。這樣的例子在郁達夫的作品中俯拾皆是，如《感傷的行旅》中，“我”坐火車經過蘇州，看到鐵路兩旁秀美的景色時，不由得感慨起來：“啊啊，人類本來就是大自然的一部分細胞，只教天性不滅，決沒有一個人會對於這自然的和平清景而不想讚美的，所以，那些卑污貪暴的軍閥委員要人們，大約總已經把人性滅盡了的緣故罷，他們只知道打仗，他們只知道要殺人，他們只知道如何的去斂錢爭勢奪權利用，他們只知道如何的來破壞農工大眾的這一個自然給與我們的伊甸園”。美麗的大自然與血腥屠殺、無恥的爭權奪利，是多麼不諧調的一組畫面，在“我”的腦子裏卻同時湧現出來，社會責任感無法使他們的自我消失在渾然不分的存在和千變萬化的事像中，而是促使他們把自己濃烈的主體激情噴注到自然中去，自然因而失去了本身的寧靜，而充滿了洶湧的情欲，騷動的心靈，或激昂或感傷，永遠突現出一個主體的“我”出來。這也是中國浪漫主義文學區別於西方浪漫主義文學的一個獨特方面。

三、美的偏至

郁達夫把美視爲藝術的最大要素之一（另一要素爲“感情”，認爲“藝術追求的是形式和精神上的美愫”，並說他雖然“不同唯美主義者那麼持論的偏激，但我卻承認美的追求是藝術的核心。自然的美、人體的美、雄大的美，及其他一切美的情素，便是藝術的主要成分”。藝術之所以對人重要，即是因爲藝術可以給人美的陶醉，“可以一時救我們出世間苦（weltschmerz）而入於涅灯（Nitvana）之境，可以使我們得享樂我們的生活。”（《藝術與國家》）唯美主義把醜和惡作爲生活的實質，主張從惡和醜中尋找出美，從悲哀與痛苦、頹廢與變態中獲得生活的實感，感受人生的意義。即如十九世紀末英國唯美主義代表作家王爾德，他不僅在生活上放浪形骸，而且在晚年於獄中寫的《獄中記》中公開宣稱“悲哀地享樂”，認爲“有悲哀的地方，就是神聖的地方”，真誠的悲哀比虛假的快樂更能體現人生的意義，其戲劇《莎樂美》，小說《道林·格雷的畫像》就是他這種悲哀快樂理論的實踐，帶有濃重的唯美主義色彩。郁達夫對王爾德也是情有獨鐘的，他在 1922 年《創造季刊》創刊號上就翻譯發表了《道林・格雷的畫像》的序文，題爲《杜蓮格來的序文》，同一刊物的第一卷第 2 期上，還有一則廣告說郁達夫譯的《杜蓮格來》即將出版。郁達夫不但自己喜歡王爾德，還向別人推薦，據陳翔鶴回憶，他讀的第一本外文原作，"要算：Wilde 的 The Picture of Dorian Gray，也還是出於達夫兄的介紹"。[9]郁達夫確是偏嗜感傷、悲哀的，他也津津樂道悲哀的美，他的作品中"捉不到快樂的影子，只有灰的陰慘的悲苦的沉痛的調子"，(《序孫譯〈出家及其弟子〉》)，因爲他認爲"悲哀之感染，比快樂當然更來得速而且切"，"只有淒切的孤單"，才是"人類從生到死味覺得到的唯一的一道實味"。(《北國的微音》) 郁達夫的作品中，時時處處充溢著無從擺脫的憂愁和感傷，彌漫著一種透心的淒涼和絕望，在淒淒清清的環境和心境狀態中，抒寫人生的掙扎與迷茫。

郁達夫的悲哀感傷，表達的是現代人的苦悶，這種苦悶的成因，與他受身世、時世、傳統文化的影響而形成的敏感憂鬱的性格有關，也與他所受的外國作家的影響有關。英國十九世紀末以《黃面志》爲中心形成的一個頹廢作家群和日本的私小說對形成他偏於感傷的審美情趣就很有關係。

《黃面志》是 1894 年創刊的一種黃色封面的刊物，集中在周圍的是一群郁達夫稱爲"少年天才"的藝術家，主要包括畫家比亞茲萊、詩人道生、大衛生。他們都是忠誠於藝術、不滿於英國國民的保守精神的，因而採取極端的方式，如酗酒，同性戀等，公然反抗社會的習俗與道德，成爲頹廢的英雄，絕望的鬥士，郁達夫對這些天才極爲賞識，認爲他們是真正體嘗到現代生活真味的天才，定會青史留名："他們的餘光，怕要照到英國國民絕滅的時候，才能湮滅呢！"(《The Yellow Book 及其它》) 這些天才大多身世漂零，一生都脫離不了愁思，而且他們頹廢的生活方

9 陳翔鶴：《郁達會回憶瑣記》，王自立、陳子善編：〈郁達夫研究資料〉(上)，天津人民出版社，1982 年版，第 102 頁。

式，直接造成了他們的短命，他們中的許多人“都在三十歲前後或是投身在 Seine 河裏，或是沈湎於 Absinth 灑中，不幸短命死了”，(《The Yellow Book 及其他》) 這些作家不幸的身世和感傷的情懷深深打動、吸引了郁達夫，使他引爲知音。如被他稱爲他“近年來在無聊的時候，在孤冷憂鬱的時候的最好伴侶”的道生，就不但“作最優美的抒情詩，嘗最悲痛的人生苦，具有世紀末的種種性格”，而且還“爲失戀的結果，把他本來是柔弱的身體天天放棄在酒精和女色中間，作慢性的自殺”。(《The Yellow Book 及其他》道生是一位唯美派詩人)，也是“天生成的一個世紀末的頹廢詩人”，天生有“厭世觀、嫌人癖（Misanthropy）”。在倫敦時，他曾愛上一個小灑館的當爐少女，深深地被她迷醉，無奈少女“只解歡娛，沒有靈性”，不理解他的唯美的愛，純粹的愛，最後嫁給了一個侍者。道生受此打擊，頓成“千古傷心人”，從此日日出沒於寂寞，憂愁悲哀的世界，“不醇于酒便沒於淫”。他的孤傲多疑，使他不見容於世，他唯有把自己心理的寂寞，“心房的鮮血”，發洩成“幾卷清詩”，化作“詩裏頭的長恨”，他的詩因此濃鬱着“深刻的感化和慘傷的色彩”。實際上，道生的愛和詩，都是出於他唯美的天性，愛情的失敗之所以使他那麼絕望、痛苦，不是因爲他對少女情愛的失望，而是因爲少女在他眼中所象徵的美被醜惡的現實玷污了（她嫁給了一個“俗不可耐”的侍者）因而他感到了美的幻滅。而美，又是他生活的全部目的。郁達夫也看到了這一點，他就說：“雖則是這少女的淒豔，足以引 Dowson 的魂魄，但也許是 Dowson 的世紀末（Fin-de-siecle 的頹廢的傾向，與他的戀愛的‘戀愛’（To Love 'Love'）的自作的羅網（self-deception）致他的死命的”。郁達夫對道生的唯美詩歌傾心不已，稱這些詩中的每“一言一句，都是從肺腑流出來的真真的內心的吶喊”。“熱情如火，句句如黃鐘大呂，音調朗朗，所表現的幻像消滅的悲哀，如千條飛瀑，直向讀者腦門上搏擊下來”；它們“充滿音樂上的美，象徵上的美、技巧上的美”，欣羨敬佩之情，溢於言表。郁達夫作品所表現出的主題、情調，即使作品中男主人公的愛情方式（與酒館當爐少女的戀愛、及戀愛失敗後的悲愁）也都可以看出與道生的某種精神上的聯繫。

日本的“私小說”發展於自然主義小說，是日本的資本主義文明高速發展的產物，被用來解剖這種文明導致的"世紀末的頹廢情緒"和"青年的憂鬱症的心理"，具有強烈的"自我"色彩。在日本私小說作家中，郁達夫比較欣賞的是佐藤春夫和葛西善藏。他曾在日記中寫到："看葛西善藏的小說二短篇，仍復是好作品，感佩得了不得。昨天午後從街上古物商處買來舊雜誌十冊，中有小說二三十篇。我以爲葛西的小說終是這二三十篇中的上乘作品"（1927 年 1 月 6 日）；在 2 月 12 日的日記裏又有關於葛西善藏的記載："買了一本《新潮》新年號，內有葛西善藏的一篇小說，名《醉狂者之獨白》，實在做得很好"。在日本私小說家中，葛西善藏擅長描寫知識份子的私生活和心理狀態，這也許就是他吸引郁達夫注意的主要原因。

郁達夫最敬重的日本作家是佐藤春夫。他在《海上通信》中就說："在日本現代的小說家中，我所最崇拜的是佐藤春夫"，並指出佐藤春夫最好的作品是其"出世作《病了的薔薇》即《田園的憂鬱》"，"其他如《指紋》、《李太白》等，都是優美無比的作品"，其新作"《被剪的花兒》也可說是他近來的最大的收穫。書中描寫主人公失戀的地方，真是無微不至，我要想學他的地步，但是終於畫虎不成"。郁達夫在日本開始寫小說時，佐藤春夫剛以《田園的憂鬱》一書嶄露頭角，成爲一個"最近代的"、最時髦的作家。郁達夫嗜讀小說，對日本當時的文壇現狀當然是瞭解的，從各種流行的雜誌中讀到佐藤春夫的小說、並因與自己的審美趣味契合而倍加珍愛也是水到渠成的事。就拿他的成名作《沉淪》與佐藤春夫的《田園的憂鬱》相比，他說《沉淪》"也可以說是青年憂鬱病 Hypochondiria 的解剖……但是我的描寫失敗了"（《沉淪・自序》），這恐怕是直接接受了佐藤對《田園的憂鬱》的自評："我的 Anatomy of Hypochondiria（解剖憂鬱病）是不徹底的"影響。《沉淪》不是把弱小民族的悲哀屈辱作爲社會問題來寫的，而是從解剖個體的"病的心理"入手，這與《田園的憂鬱》以描寫第一次世界大戰後日本的青年人的"世紀末的倦怠"來表現日本資本主義的畸形繁榮也是有相通之處的。可以說，當郁達夫開始寫作時，他與佐藤春夫是處於同一種文化氛圍中的，所不同的是：佐藤春夫是這種文化氛圍的創造者之一，而郁達夫則是感受者、被影響者，而當時日本文化的一個特徵，就"是把像'病的'啦，'憂鬱'啦、或者

'頹廢' 啦等字眼兒當作 '現代的' 代詞來原封不動地使用"，"郁達夫當時把 '病的'、'憂鬱的' 等看作 '現代人的苦悶'。在這一點上，可以說他是直接地在佐藤春夫，或者說是在更廣泛的大正時期的、特別是新浪漫派的文學影響下開始邁出了作爲小說家的第一步！"[10]實際上，郁達夫與佐藤春夫的相似，連郁達夫當時的留日同學都看到了。與郁達夫同期留日（也是"創造社" 成員）的何畏就曾對郁達夫說過："達夫，你在中國的地位，同佐藤春夫在日本的地位一樣。但是日本人瞭解佐藤的清潔孤傲，中國人卻不能瞭解你，所以你想以作家立身是辦不到的"。郁達夫接著回答："慚愧慚愧！我何敢望佐藤春夫的肩背：但是在目下的中國，想以作家立身，非但乾枯的我沒有希望，即使 Victor Hugo, Charles Dickens, Gerhart Hauptmann 等來也是無望的"(《海上通信》)佐藤是個具有濃厚浪漫主義氣質的作家，他嚮往以厭倦、憂鬱和厭世爲基調的頹廢世界，並能深入近代人的內心世界，以陰鬱的情調，微妙的旋律，描寫出人的病的心理，郁達夫接受佐藤春夫，是與他把佐藤看作以"清潔孤傲"的性格，以描寫"紀紀末的頹廢"和"現代人的苦悶"反抗社會。

---

10 伊藤虎丸：《魯迅、創造社與日本文學》，北京大學出版社，1995 年，270 頁。

劉以鬯：中國意識流小說的先驅

在中國二十世紀文學史上，劉以鬯是第一個自覺地站在中西文化交會的中心，以自身繼承的“五·四”新文化傳統和中國傳統的審美習慣，對西方意識流小說進行全方位借鑒並進而創造出具有中國特色的成熟的意識流小說的中國作家，因而可以說他是中國意識流小說的真正先驅。劉以鬯小說的真正創新之處在於：他是因為西方意識流小說的新技巧和藝術方法正與他的文學見解吻合，從而自覺地、主動地、有選擇地將西方意識流思潮作為一種文學精神和美學原則來學習，並根據自己的審美趣味，運用規範的現代漢語創作出具有獨特的審美形態的意識流小說。從這個角度講，把他看作中國意識流小說的先驅應該是不會引起爭議的。問題是，這個先驅為什麼沒有出現在五四新文化的大本營大陸，而是出現在英屬殖民地、並且還被冠以“文化沙漠”的香港？這就需從中國現代主義文學發展的歷史和 1949 年後這三地特殊的政治文化環境來解釋。

一

中國最早引進西方現代派文學思潮的時間可以追溯到本世紀 20 年代，如 1920 年田漢、胡愈之、沈雁冰、陳望道就以“新浪漫主義”的名稱，對現代主義進行了初步的介紹。20 世紀初在西方興起的意識流文學思潮也就在這樣的情況下被介紹到中國。意識流小說與佛羅伊德學說是不可分的，而這兩者幾乎是同步進入中國人的視野的。早在 1920 年 8 月《東方雜誌》上就有了關於佛羅伊德的介紹，是君常的《性欲之科學》，之後，張東蓀、朱光潛、謝六逸、章士釗、周揚、曹葆華也都或評或譯了佛洛伊德的著作，而周作人、郭沫若、趙景深、潘光旦、許欽文、孫席珍等批評家則開始嘗試著運用佛羅伊德學說對一些新文藝作品進行分析。只不過這些介紹和分析還是浮光掠影式的，只是談到了意識流這個概念，注意到意識流作家創作手法很特殊。到了三四十年代，這種情況才稍微好一點，如凌鶴 1935 年寫的《關於新心理寫實主義》，就以喬伊絲的小說《尤利西斯》爲例，講到了“意識之流”手法的幾個突出特點：物件的同時展開；現實的非同時性的順序和迂迴的表現；像電影的不受時間和空間的限制。[1]葉公超在翻譯了沃爾夫的《牆上的一點痕跡》（今譯《牆上的斑點》）時寫了一篇“譯者識”說：她所注意的不是感情的爭鬥，也不是社會人生的問題，乃是極渺茫，極抽象，極靈敏的感覺，就是心理分析學所謂下意識的活動。當我們看見一件東西，我們的意識和下意識立刻就開始動員；下意識的隱衷，和所積蓄的印象，都如餓鬼一般跳了出來爲意識所呼喚。[2]1941 年喬伊絲去世，上海的《西洋文學》月刊第七期發表了譯文《喬易士論》，其中這樣描述喬伊絲的意識流小說的特點：用一連串閃爍的詩的意象和片段的抽象；用迅速，斷續，平淡，但是生動活潑的音符，無目的地從一些意念聯想到許多小意念；象徵主義和自然主義手法相結合；寫實的場合在奇怪地顛倒融解，又突然插入一些既不是書中人物又不是作者的聲音。[3]

在這些早期的介紹中，介紹者關注的只是作爲一種創作手法的意識流，而不是將其作爲一種文學思潮和美學思潮，這種狀況在 1949 年之前一直沒有得到什麼改觀。中國早期的實踐者所看重的也是意識流手法，像徐志摩寫的小說《輪盤》，林徽因寫的《九十九度中》，李健吾寫的長篇小說《心病》，都採用了意識流手法。但這些都尚是散兵游勇式的意識流創作，真正形成了一定的規模，並且在中國現代文學史上留下不朽一頁的意識流創作應該算得上三十年代通過日本新感覺派的媒介崛起於上海的新感覺派。

中國現代文壇是在 20 年代末引進新感覺主義的，最早的是劉吶鷗，隨後有穆時英、施蟄存、葉靈風，他們先後以《無軌列車》、《新文藝》、《現代》雜誌爲中心，創作了一系列注重對人物進行心理分析和潛意識

---

1 《質文》（東京）第 4 號，1935 年 12 月 15 日。
2 《新月》第 4 卷 1 期，1932 年 1 月。
3 （美）Edmund Wilson 文，張芝聯譯，1941 年 3 月出版。

的開掘的小說，形成了中國文壇上第一個比較成熟的現代派，在當時的文壇上產生了很大的影響。他們刻意運用現代派的技巧和佛羅伊德心理學，把大都市里現代人的內心世界作了個人性化但也具有普遍性的揭示。值得關注的是，這些新感覺派作家並非只取法西方的新技巧，而是主動借鑒，大膽取捨，巧妙地把西方的新技巧與中國傳統的審美習慣、欣賞習慣結合起來，創作出了具有中國特色的意識流小說。只不過中國的新感覺派並不是自覺學習西方的意識流小說，它最直接的影響源是日本的新感覺派，而這一流派的主要特點是通過表現現代都市光怪陸離的物質生活反映現代人扭曲變形的心理狀態，所以，從嚴格的意義上說，中國新感覺派作家的這些帶有意識流色彩的作品並不能與西方的意識流小說等同起來，而只能稱爲現代都市文學。而且即使其中的意識流色彩，雕琢和模仿的痕跡也很明顯。

1935 年，隨著施蟄存辭去《現代》的編輯工作，這個流派就自然消失了。之後中國雖然又出現過各種各樣的現代派，但意識流小說就鮮有所見了。

1949 年以後，中國的文學陣營分成了大陸、臺灣、香港三大塊。臺灣推行的是排斥西方文藝的文藝政策，就如右翼文人張道藩在一篇文章中所說的：“縱情的個人色彩濃厚的浪漫主義的唯美派、頹廢派、象徵派、神秘主義、享樂主義等文藝形式，和超現實主義的文藝形式，尤非我們目前所需要。”[4]而大陸呢？這時推行的是社會主義現實主義創作方法，認爲現代派文學政治上反動，思想上頹廢，是腐朽沒落的代名詞，更遑論現代派作品的創作了。就是在這樣的情況下，屬於英國殖民地的香港，卻因自己獨特的地理環境和社會環境，而承擔了延續被歷史割斷了的中國現代主義文學傳統的責任。

香港現代主義文學思潮的出現與香港特殊的社會政治環境有關。五十年代初期的香港文壇基本上可以說是“美元文化”的天下，受有美國背景的“亞洲基金會”資助的右翼文人的“反共抗俄”作品成爲文壇的主旋律，一時香港文壇竟然顯出一種畸形的繁榮。但一些有良知的知識

4 臺灣《聯合報》副刊，1952 年 5 月 4 日。

份子認識到，奉美元之命創作出來的文學作品決不是香港文學發展的正道，必須探索新路，從異域吸取養料，才能找到香港文學發展的真路。

從某種角度上講，生活在香港的作家好像在國共兩黨的爭鬥中找到了一個再好不過的避風港，但這是對那些靈魂已經麻木的人說的，而那些尚未失去民族自覺性的作家，在英國殖民地中生活，卻時時感覺到靈魂被扭曲的痛苦。就像葉維廉在評價昆南的作品時所說的："在昆南的作品中，我們除了強烈地感覺到大多的人機械地過著'麵包是主義，玫瑰是階級'的寫字樓文員 —— '白領階級'生活的苦悶之外，我們經常聽到香港人容或沉默而實在非常真確的資訊：'我們處於一個極複雜 —— 史無前例的時代裏……腦袋是國家的、派系的、主義的、教條的；手是朋友的，腳是敵人的；生殖器一半給妻子，一半給娼妓；心臟是生活的，而肺腑只是等候吸進原子塵粒，同時準備呼出怨憤，或傲氣或虛僞。至於良心和理想，只能在一天之三分一（甚至六分一）的時間在夢裏嘗試跳動和建造。仍然有不少人，睡眼裏也沒有夢的。沒有。對於他們，夢也單是現實的場景的重演。"[5]這種不知何去何從的悲哀，這種不知歸屬的淒涼，使這批知識份子很容易和西方現代派文學中所表現的那種孤獨絕望情緒產生共鳴。

香港現代主義文學就是在這樣的背景下開始萌動、發芽、成長起來了，並最終成了維繫中國新文學傳統和西方現代主義文學傳統的一塊寶貴的綠洲。

1956 年 3 月 18 日，《文藝新潮》創刊，標誌著香港文學已經擺脫或者說正在擺脫美元文化的影響而進入現代主義時期。這份刊物的目的"就是要在革命的潮流中開始一個新的革命，一個新的潮流 —— 這個新的潮流就是現代主義，"[6]就是要有系統地介紹一點世界各國的現代文學，並培養自己的現代派作家。在六十年代之前，《文藝新潮》重點放在介紹西方各種現代派思潮上面，如存在主義的加繆、薩特，超現實主義的布勒東，還系統地出過《法國文學專號》、《英美現代詩特輯》、《義大利現代

5 葉維廉《自覺之旅：由裸靈到死－初識昆南》，載陳炳良編《香港文學探賞》，香港三聯書店，1991 年 12 月版，第 167-168 頁。

6 馬博良《〈文藝新潮〉雜誌和回顧》，（香港）《文藝》第 7 期第 25 頁，1983 年 7 月。

小說特輯》，同時還大量發表香港作家的現代主義作品。在小說方面，比較有影響的有徐訏的《心病》、馬朗的《太陽下的街》、李維陵的《兩夫婦》等；詩歌方面則有昆南的《布爾喬亞之歌》等。這股香江吹起的"西"風，不但讓香港文學界爲此一振，甚至還影響到臺灣文壇。可惜的是，當時香港文壇上的政治意識還很濃厚，左右兩派的鬥爭還很尖銳，《文藝新潮》宣導的現代主義文學運動並沒有產生很大的影響。

繼《文藝新潮》之後香港出現的另一個現代主義文學刊物是 1959 年 5 月成立的《新思潮》，這是 1958 年 12 月成立的"現代文學美術協會"的機構刊物，代表人物是王無邪、李英豪、昆南。《新思潮》的出現，可以說代表著現代主義運動過渡期業已結束，現代主義後的新時期正踏步降臨。

到了六十年代，"美元文化"日漸式微，香港經濟飛速發展，日益現代化的社會和生活也帶來了人們思想意識的現代化，這就爲現代主義的廣泛傳播打下了堅實的經濟和社會基礎，經歷了五十年代的一度繁榮而又一度消沈的香港現代主義文壇，乘著這股西化的東風又開始興盛起來了。1960 年 2 月 15 日至 1962 年 6 月 30 日，《香港時報》"淺水灣"副刊改由劉以鬯主編，風格大變。該刊發表了一系列介紹前衛文學和文藝思潮的文章，尤其是外國現代文藝思潮。1963 年 3 月 1 日，李英豪和昆南等人又創辦了半月刊《好望角》，這份刊物繼承了《文藝新潮》的傳統，但在介紹西方現代派文學時又明確提出不爲"西化"，而是爲了從西方文學中吸取一些養料，以促進香港自身現代派文學的發展。尤其在文學評論方面，它發表了一系列很有分量的文章，如李英豪的《論現代批評》、《論現代小說》、鐘期容的《論沙特》、雪碧的《存在者的存在態度》等。在六十至七十年代，一些綜合性報刊如《盤古》和《七十年代》、《文藝伴侶》，也大力介紹存在主義、荒誕派戲劇，其中最重要的是 1952 年 7 月創刊的《中國學生週報》。

《中國學生週報》本來是由亞洲基金會資助的，到了 60 至 70 年代，由於各種因素的作用，它慢慢成了自由精神的一面旗幟，成了連接香港、大陸和臺灣文學的一座橋樑。僅 1961 年，它就利用自己的有限版面，先後發表了洛保羅的《泛論現代小說》（8 月 11 日）、文儀的《艾略特其人其詩》(8 月 11 日)、炯堅的《談談意識流小說》(10 月 6 日)及《艾略特的文藝觀》(12 月 1 日)、馬覺的《現代詩試釋》(12 月 22 日)。在隨後的兩年裏，又陸續發表了論薩特、加繆、叔本華、普魯斯特、沃爾夫的文章。這些文章所介紹的文學思潮和文學作品有力地衝擊了香港文壇上流行的政治文學，使現代主義在香港生根發芽，並進而向臺灣發展。難得可貴的是，《週報》不但注重以西方現代派文學爲香港文壇輸入新鮮血液，而且也不忘縱的繼承，不忘自己的根。從 1964 年起，它先後發表了論魯迅、巴金、沈從文、老舍、茅盾、張天翼、丁玲、蕭軍、蕭紅、葉紹鈞的文章；在創刊 12 周年紀念號(1964 年 7 月 24 日)還特地製作了一個"五四·抗戰中國文藝的新檢閱"專輯，由餘光中、李英豪、昆南等人分別從新詩、小說、文藝批評、戲劇、散文、翻譯各方面介紹了一些或由於留在大陸被認爲是"附匪文人"而受到海外冷遇，或由於過去出版的新文學史的偏見而被故意忽略掉的新文學作家。這就使只知道胡適、陳獨秀、魯迅、巴金等作家的香港讀者，通過這個特輯還知道在中國新文學史上還有穆木天、李金髮、戴望舒、卞之琳、穆時英、施蟄存、艾青、馮至這樣的作家。這份專輯的意義，就如當時的一篇文章中所說的，在於使讀者"不要忘記從'五四'到抗戰到現在這一份血緣"，在於使"尚在沉夢中的文藝工作者，尤其是年輕而有志于文藝的工作者"清醒過來，從而去"關心過去文藝工作者的心血，從而對中國現代文藝負起繼往開來的責任。"[7]

二

劉以鬯可以說當之無愧地負起了這個"繼往開來"的責任。他是接受了兩種不同的文化傳統和社會體制的作家：1948 年以前他生活在大陸並開始了文學創作和編輯活動，接受的是"五四"新文化傳統；1948 年後他到了香港，受到的是資本主義文化的影響，這就使他比大陸和臺灣作家有優勢在兩種不同的傳統中進行選擇，並成功地成爲一身既繼承了

---

7 黃俊東《"五四·抗戰中國文藝專輯"讀後隨筆》《中國學生週報》1964 年 8 月 14 日，總第 630 期。

新文學傳統而又能在更進一步的層次上進行發展和創造的、既屬於香港也屬於中國的作家。可以說，就是在香港這塊雖然說不上肥沃卻生機勃勃的現代主義思潮的土壤上，劉以鬯在汲取異域營養的基礎上創造性地成長爲一位中國土生土長的現代派作家和中國第一位成熟的意識流小說家，並以自己的創作豐饒了這塊土地，使它結出了最豐碩的果實。他與這塊土地的關係是互動的，土地促生了他，他也改善了土地的質地。在他的這個時代，這顆現代主義的果實不可能生長在寧要社會主義的草，不要資本主義的苗的大陸，因爲大陸不具備現代主義產生的經濟基礎和社會環境——經濟的資本主義化和不受政治干預的相對自由的社會環境。而香港社會的迅速西化和人的意識的現代化，則爲劉以鬯的小說提供了所必須的精神養料。西方意識流小說所需要的天時、地利、人和劉以鬯都具備了，這才使他能經過艱苦的耕耘和探索而成就了"意識流小說先驅"這一重要角色。

生活在商品社會的香港，劉以鬯也不得不像許多作家一樣以文爲生，爲適應市場大量"生產"暢銷小說，但他的文學理想和追求又使他在不得不"娛樂別人"的同時又時時不忘"娛樂自己"。實際上，在半個多世紀的文學道路上，他始終是在不斷追求探索、突破創新的。他的每一部新出現的嚴肅作品都新意迭出，與眾不同，也與自己其他作品不同。

早在 1963 出版的《酒徒》中，劉以鬯就已借主人公之口大膽地提出了自己的藝術主張，他說："現實主義早就落伍了……現實主義單方面發展絕對無法把握全面的生活發展，"要想真實地反映現實，首先就要知道"表現錯綜複雜的現代社會應該用新技巧……主張作家寫內在真實，並描繪自我與客觀世界的鬥爭，鼓勵任何具有獨創性的、摒棄傳統文體的、打破傳統規則的新銳作品出現；吸收傳統的精髓，然後跳出傳統，在'取人之長'的原則下，接受並消化域外文學的果實，然後建立合乎現代要求而能保持民族作風民族氣派的新文學……從某一種觀點來看，探求內在真實不僅也是'寫實'的，而且是真正的'寫實'。……換一句話說：今後的文藝工作者，在表現時代思想和感情時，必須放棄表面描摹，進而做內心的探索"。[8]既然"反映事物表面所得的真實"並不是真正的"寫實"，那麼，劉以鬯就要"大膽探索，刻意創新"，在創作中不斷努力追蹤新的小說觀念，潛心探求小說創作的新風格，勇於嘗試小說形式的新技巧，從而奠定了他作爲實驗小說家的地位。實際上，劉以鬯的每一部嚴肅小說都帶有實驗與創新的意味，其最早的小說集《天堂與地獄》，（包括 23 部短篇小說）採用擬人化、寓言化的藝術手法及環式結構，以揭示香港社會的齷齪不堪；到六十、七十年代，他又打破傳統小說以人物和故事反映社會生活的手法，創作了一些或者沒有故事，或者沒有人物的小說，以及用現代意識流手法寫傳統題材小當代題材的小說，如《酒徒》、《對倒》、《鏈》、《吵架》、《寺內》、《除夕》、《鏡子裏的鏡子》、《猶豫》、《蛇》、《蜘蛛精》等；80、90 年代，他又創作了轟動一時的探索小說《打錯了》、《黑色裏的白色，白色裏的黑色》、《盤古與黑》等。在這條探索的道路上，劉以鬯實際上始終是企圖借鑒西方現代藝術手法，探索出一條能更真實的揭示出當代香港人的內心世界的道路。他並非不關心現實，只不過他關心的是現代人的精神真實，關注的是物質文明高度發展的現代社會對人性的挑戰和考驗以及人在這些挑戰和考驗下人性弱點的流露，和隨著競爭的日益加強而急劇膨脹起來的欲望給人心造成的壓力，以及人們爲了擺脫這些壓力而不斷掙扎的精神的淒慘過程。現代人的孤獨無依，心無定所，人格變態、人欲橫流本就是進入高科技商品時代的社會的典型特徵，劉以鬯作爲一個敏感、且時時感受到商品社會對人性的無情擠壓的作家，對現代人的這種現代情感尤爲知之深，感之切，並採用了最適合表現這種生活的真實症狀的現代藝術手段，特別是意識流手法對人性的掙扎，作了香港式但又世界式的沉痛而淋漓盡致的現代揭示。大陸評論界早期認同劉以鬯，看重的也是這一點。"文革"一結束，劉以鬯就受到大陸評論界的關注，1981 年花城出版社出版了他的小說集《天堂與地獄》；1982 年 6 月暨南大學召開第一次台港文學暨海外華文文學研討會，會上關於香港文學的論文共有四篇，甚中有二篇就是關於劉以鬯的小說的，即姚永康的《劉以鬯的長篇

---

8 《酒徒》，中國文聯出版公司，1985 年 9 月。

小說〈酒徒〉》和何東平的《試論香港作家劉以鬯的小說觀》，這兩篇文章關注的中心就是劉以鬯的小說既揭露了當時香港社會的黑暗，又打破了傳統小說的定義，這和大陸此時既要繼承五四文學傳統，又要接受現代主義文學思潮的審美趨向是一致的。

三

西方現代主義的一個基本主題是表現人在精神茫茫無依中追求某種自己也不知道的偶像過程中的精神痛苦。“上帝死了！”，人們失去了精神上的父親，在尋找一個新的父親、希望重新確定自己的身份的過程中，人充分表現出自己的渺小和精神的卑瑣。劉以鬯對商業社會裏人的這種靈魂痛苦是深有感觸的，他在自己的作品裏不停地闡發現代人的這種精神痛苦。他在自己的中篇小說《鏡子裏的鏡子》中有這樣一段話：

“在人群中擠來擠去。人群變成一座黑森林。有如鐘斯皇在森林中逃亡，恐怖的鼓聲像魔鬼一般追逐著他。這似乎是不合情理的事情。擠在成千成萬的人群中，怎會產生孤寂的感覺？然而林澄卻有這樣的感覺。當他在人群中追求熱鬧而得到的仍是孤寂的時候，他想起夢蘭在信中寫的那幾句話：‘忽然感到無比的寂寞，仿佛四壁皆是鏡子，見到的只是自己’”。林澄是這篇小說的主人公。在茫茫如潮的萬花筒般的香港社會裏，人與人之間缺乏最基本的情感交流，每個人都只生活在自己的世界裏，越是人多的地方反而越發襯托出人的孤獨。就以林澄來說，他是個事業成功的男人，但他的妻子只知道打牌，三個孩子又都有各自的世界，他左沖又突，但就是突不破孤獨這堵無形的牆。他不禁發問：“人生當真如沙特所說的：毫無意義？人生當真如福克納所說的：是癡人說夢？”否則爲什麼明明活著卻一點也感受不到生的樂趣呢？現代人應付這種無聊的慣用方法是回憶，林澄也不例外，小說中充滿了他的無意識的縱橫流動；他的另一個不例外是這種回憶也無法給他帶來精神的安寧，因爲過去、現在和未來並不是截然可分的：“‘現在’極易消逝成爲‘過去’。……‘過去’既無起點，也無終點。……‘現在’是什麼？‘未來’與‘過去’之間的一霎那。就在這一霎那中，‘未來’變成‘過去’”。在瞬息萬變的大宇宙中，人可能都無法確知自己是真人還是虛構的人。

對人的存在價值的思索，是這部小說的基調，也是劉以鬯所有嚴肅作品的現代主題。蘇格拉底早就警告人要：“認識自己”，但人似乎並沒能弄清這個問題。人真像哈姆雷特所說的是萬物的靈長，宇宙的精華？在林澄看來這更是神話，因爲“人類是痛苦的”，“是造物主的玩具”。但更糟糕的是，同爲造物主玩具的人類之間尙不能互相安慰以抵抗外力的壓迫，相反，也是更可怕的是人類之間的互相殘殺(包括精神的和肉體的)。就如林澄做出的結論：“在這個世界上，最可怕的動物不是毒蛇與獅子；而是‘人’。毒蛇噬人時，不會露出笑容。獅子吃人時，也不會露出笑容。‘人’是可以露著笑容殺人的。”存在即是一種痛苦，他人就是地獄，劉以鬯筆下的現代主題，與薩特對人類存在的真實狀況的概括又有什麼區別呢？人，就是在這種生存處境中一步步成爲非人的，但卻眼看著自己一步步成爲非人而無可奈何。這是現代人的悲哀，一種正麻木得沒有悲哀的感覺的悲哀。

劉以鬯是以憂鬱的眼光觀世的，在他的刺世的目光下，商品社會繁華帷幕下透出人性的齷齪和卑鄙。《天堂和地獄》是一部以蒼蠅爲主角寫成的諷世寓言小說。一隻“青年蒼蠅”生活在齷齪骯髒的垃圾桶裏，歎息自己命運不濟，嚮往著外面世界的美好。終於有一天，它跟隨蒼蠅叔爺一起飛到天堂一樣美好的高樓大廈間的咖啡館，正好看到人間發生的一幕：一個小白臉從自己的老情人：一個徐娘半老的女人手裏騙取了三千元錢，轉手又向漂亮的年輕女郎買笑。而這個女郎本是和大胖子合夥做詐騙生意的，那位徐娘半老女人則是大胖子的妻子，她正好看到了女郎和大胖子的勾當，於是大胖子就把那三千元交給了老女人以示討好。這三千元錢，從半老女人 — 小白臉 — 賣笑女人 — 大胖子 — 半老女人，依次轉手，形成一條人物關係鏈，每個鏈上的人心中都有不可告人的鬼胎，只有在咖啡廳裏的蒼蠅是清白的，它比較了自己生活的垃圾桶和咖啡廳這個人間天堂後做出結論說：“我覺得這‘天堂’裏的‘人’，外表乾淨，心裏比垃圾還齷齪。我寧願回到垃圾桶裏去過‘地獄’裏的日子，這個‘天堂’，齷齪得連蒼蠅都不願意多停留一刻！”這種人味的蠅語，把香港社會裏人與人之間爾虞我詐的本質和赤裸裸的金錢關係暴露得一覽無餘。在另外一部象徵主義小說《蟑螂》中，劉以鬯以富有哲理的手法，表現出現代人受到外部世界的壓迫時所感到的恐懼，並對人的命運提出了思考。主人公丁普是個有點變態的男人，他以折磨和打殺蟑螂爲樂，並以操縱了蟑螂的生殺大權而自以爲神人。但在夢裏，他卻感到有千千萬萬隻碩大無朋的蟑螂在圍攻並折磨自己，欲死不能。在他的夢魘裏，還出現了祖母被車軋斷腿的情景，上刀山、下火海的情景，以及關於戰爭、自殺、核戰爭的種種幻覺。小說以艾略特的一句詩作結：世界並不是砰的一聲就結束的，它將在抽抽噎噎的嗚咽中結束。小說在一派憂患意識和傷感情調中，對人的存在處境的艱險和生存危機進行了反省。小說亦真亦幻，將人內心深處種種不可告人的潛意識逼現出來，展現人性的可悲與可鄙。

《酒徒》中的酒徒以酒逃避現實，也是一個游離在社會邊緣的異化人。整部小說就是寫他怎樣以自我虐待的方式去求取繼續生存。“我”本是個很有藝術造詣和進取心的作家，對藝術有很高的要求，然而，在現實生活中，他的藝術主張卻屢次碰壁，結果淪爲一個靠寫黃色猥褻色情小說爲生的流行小說家，作與他的精神追求完全背道而馳的知識賣淫，最終對生活完全失去了信心，成爲光怪陸離的社會的可憐蟲，惟有在酒精中麻醉自己，在色欲中浮游逐波。在感情生活方面，他也並不真的愛別人，也不會真的爲別人所愛。他只是一個感情上的過客，一個懦夫，一個無所適從的膽小鬼。他在這個世界上得不到溫暖，唯一關心他、把他當作兒子看待的雷老太太，最後也因他戳穿真相而自殺。小說中的其他人物也都帶有“我”的這種世紀末情緒，就拿與酒徒有交往的四位女性來說，她們也都可以稱爲是世紀病患者。張莉年輕美麗，但卻勢利，她衡量愛情的唯一標準是金錢，所以當貧窮的酒徒向她求婚時，她就堅決地拒絕了。最讓人震驚的是司馬莉：她崇拜“莎岡”，讚美“納布哥夫”的小說《波麗妲》(即《洛麗塔》)，她也有起碼的文學修養，但她在 17 歲時就跟男人上了床，墜過胎，她就像一匹美麗的獸，“喜歡將愛情當作野餐”，不止一次恬不知恥地要酒徒的身子；其他還有包租婆，楊露，都是不知情爲何物，只知感官享受、物欲享受的多餘人。在這些人的心靈世界裏，只有眼前的享樂才是現實的，才能證明自己的存在，因爲周圍的一切都在瞬息萬變，一切都是虛幻的殘酷。就如酒徒自己所說：“現實仍然是殘酷的東西，我願意進入幻想的天地。如果酒可以叫我忘掉憂鬱，又何妨多喝幾杯。”二十世紀西方文學思潮的主要特徵就是表現人的焦慮、不安、苦悶、失落的精神面貌，酒徒及其周圍的人，表現的就是這種典型的現代人的精神狀態。

《他有一把鋒利的小刀》描寫的是一個青年亞洪怎樣因貧窮而成爲一個殺人犯的故事。亞洪殺人的動機很簡單：就是想討好水性楊花的少女冼彩玲的歡心；他殺人，也是因爲社會的誘惑：報紙每天都登載大量有人持刀殺人的事。貧窮使其變得貪婪，最終使其鋌而走險，殺人劫財，一場春夢也隨之成爲烏有。在殺人劫財，討得冼彩玲的歡心，或繼續做窮人，失去冼彩玲這兩種選擇中，亞洪猶豫不決，進退兩難，欲罷不能，欲行又止，貪欲和良知的衝突使他精神幾欲崩潰。就拿他一心想討好的冼彩玲來說，她只不過是個可以同時跟幾個男人好的少女，而亞洪想從她身上得到的也只是一點點浮若輕雲的欲望，這就襯托出亞洪殺人的毫無價值，就如加繆《局外人》中的摩爾索持槍殺死阿拉伯人一樣的毫無價值。小說圍繞亞洪殺人前後的內心衝突展開故事，造成一種極端的張力，不但亞洪自己成爲這種張力的犧牲品，連讀者也不由得覺得窒息。特別是亞洪殺人後逃入山上森林的那一部分，我們跟蹤他的蹤跡，就像跟著一個被獵人追得無處躲藏的野獸一樣，一切都讓他恐懼，而這個追逐他的獵人不是別人，就是他內心的恐懼。在樹林裏逃亡這一段描寫，頗像奧尼爾筆下被咚咚的鼓聲趕進原始森林中的鐘斯皇的心理過程，所不同的是鐘斯皇的恐懼來自外在的逼迫引發的他的幻覺，而亞洪的恐懼則來自他自己的內心。

四

劉以鬯的實驗小說，有意突破傳統現實主義文學的局限，致力於實踐劉以鬯提出的更適於探求人的內在真實世界的“現代現實主義”的文學主張。他認爲，“只有運用橫斷面的方法去探求個人心靈的飄忽，心理的變幻並捕捉思想的意象，才能真切地、完全地、確切地表現這個社會環境及時代精神”，而“潛意識對每一個人的思想和行動所產生的影響，較外在的環境所能給予他的大得多。”[9]對人的精神世界的關注，是劉以鬯實驗小說的主脈，也是他不斷探索小說新風格，新技巧的動力源。

那麼，如何才能表現人類的內在真實呢？既然他認爲傳統的現實主義已經落伍，自然他便從自己一向關注的西方現代主義文學中吸取營養，其中尤其鍾情於西方的意識流小說。1969 年 11 月 19 日他曾對《香港青年週報》的記者說：“他（指喬伊絲）給我的影響最大，我讀書時已開始閱讀《優力西斯》。此外，吳爾芙、卡夫卡、海明威、福克納等都是我崇拜的作家。”[10]他欣賞喬伊絲的寫作技巧，稱《優力西斯》以完全反傳統的面貌使讀書界見到了新的方向。意識流小說關注人的潛意識世界，往往採用人物的意識流動和內心獨白的表現手法，自然比傳統小說更真實、自然地表現人的內心世界，劉以鬯對這一點是心有靈犀的，他的一些重要的實驗小說，如《酒徒》、《對倒》、《寺內》、《除夕》、《蛇》、《蜘蛛精》、《盤古與黑》、《黑色裏的白色　白色裏的黑色》、《第二天的故事》、《副刊編輯的白日夢》等都可稱爲意識流小說或採用了意識流的技巧的小說，代表著劉以鬯文學探索的實績。

《酒徒》1963 年在香港出版，這是劉以鬯最重要的實驗小說，也是中國最早的一部具有喬伊絲風格的中國意識流小說，是“自五·四以來，穆時英以後，心理小說上的一次新的轉機，一種大膽的嘗試，一個創新的實驗。”[11]小說採用第一人稱的抒情式內心獨白手法，寫“一個因處於這個苦悶時代而心智不十分平衡的知識份子怎樣用自我虐待的方式去求取繼續生存。”[12]小說主人公是個博識、敏感、苦悶，時時要滑向墮落的地獄，但又有良知不願墮落的知識份子，是個典型的世紀病患者。小說以時空交叉、夢幻與現實的交叉、醉與醒的交叉的結構方式，多層次、多角度地揭露了酒徒這個世紀病患者的病態心理世界。在這個世界，夢幻與現實、回憶交織在一起，現在與過去，意識與潛意識之間也完全沒有清晰明確的過度橋樑，唯有思想的跳躍、事件的跳躍，思想與思想、

---

9 劉以鬯〈〈酒徒〉初版序〉，《劉以鬯研究專集》，四川大學出版社，1987 年，第 63 頁。
10 《劉以鬯先生訪問記》，《香港青年週報》150 期。
11 振明《解剖〈酒徒〉》，《中國學生週報》，1968 年 8 月 23 日。
12 《香港文壇的一員宿將》，《劉以鬯研究專集》，四川大學出版社，1987 年，第 59 頁。

事件與事件之間完全沒有合理的聯繫，只有酒徒飄忽的心靈，心理的變幻和潛意識的浮游。這是意識流小說典型的“沒有情節的情節。”（PLOTLESS PLOT），是超邏輯，而非“不合邏輯”，因爲人的心理世界根本沒有時空的藩籬存在。如小說的第三十八章，酒徒因極度絕望，只有在酒精中痲醉自己的靈智。喝了“第一杯酒”後，他想到了曹雪芹的身世，頭腦還清醒；等他喝了第二、第三杯酒後，他想到的是香港的交通和“五・四”新詩，神智已開始有點混亂；喝第五、第六杯酒後，他的精神已經迷亂起來，在他的幻覺裏出現了地獄中的跳舞，看到酒瓶在桌面上踱步；一杯杯酒喝下去後，他已經完全沉醉了，覺得自己在和顏色交戰……小說通過對語式、句法、意象、情調、結構的巧妙安排，把酒徒在清醒、微醺和爛醉時的各種各樣不同的意象的跳躍、交叉，連綿不絕地流瀉而出。小說以酒爲媒介，構築了酒徒生活于其中的兩個世界，一個是幻覺世界，夢的世界，在這個世界，他能原諒自己的墮落和怯懦，在酒精織就的迷霧中沉下去、沉下去；另一個世界是現實世界，是個比幻覺世界更殘酷的世界，在這個世界，他是個失敗者，他就像一隻時時將頭探出水面換氣的海豚，每一次都只是被眼前的世界驚嚇得再一次更深地潛入幻覺之海，夢幻之海，潛得唯恐不快，不深。

中篇小說《對倒》堪稱一篇精巧的意識流小說。小說的兩個主人公：淳于白與亞杏，一個是漸漸衰老的老頭子，“只能在回憶中尋求失去的歡樂，”只能將“回憶做燃料，”一個是荳蔻年華、睜大眼睛做夢的少女，兩人沿著不同的心理軌跡，讓在現實中無法實現的幻想在白日夢中恣意張揚蕩漾。兩個主人公沒有目的的遊蕩，恰似《尤利西斯》中布羅姆的漫遊，他們都是在尋找某種他們自己也說不清的人生目的。兩人的幻想世界表面上截然對倒：一個追憶過去，一個憧憬未來，而實質上並無區別。小說最後通過兩人在電影院相遇和在夢中的交合，讓兩人的夢想都在瞬間得到實現：淳于白恢復了青春，亞杏的幻想和性欲也得到了滿足，時間和空間的差距也在這一瞬間完全消失。這種結構頗似巴赫的復調音樂，兩條旋律線逆向而行，卻又和諧地交織爲一體，而這種音樂式的結構，則是意識流小說家常常採用的一種結構技巧。《對倒》是一部非常適於用意識流手法的小說，在時間和空間層面，過去、現在和未來互相交叉、重疊；在心理流動層面，亞杏被壓抑的強烈的本能衝動及她不切實際的白日夢，淳于白對自己一生的回憶與內省，都適於用內心獨白的手法表現。

刻意追求內心真實的文學觀，使劉以鬯總能根據創新的需要不斷打破常規，這表現在對待一些傳統題材時，就能以現代人的心理體驗，把新的生命氣息吹進舊的軀殼，讓人獲得新的愉悅，這就是他的一系列"故事新編"小說："我覺得用新的表現手法去寫家喻戶曉的故事，在舊瓶中裝些新酒，至少可以給讀者一個完全不同的感覺。或許若干年後，人們談及小說的發展時，會發覺到二十世紀七十年代的時候曾經有人用新手法來寫大家熟悉的故事，這不是很特別嗎？"[13]這些小說以現代意識消解歷史人物和故事，既可以使人獲得一種新的審美體驗，更重要的是把被堂皇的歷史遮蔽了的人性的卑瑣予以毫不留情的揭示，借古人古事闡發現代人的精神世界。

《寺內》以現代意識新編《西廂記》舊故事，以詩化的語言和情景，通過夢境、內心獨白等手法揭示了張君瑞、崔鶯鶯這兩個千古風流人物內心的情感激蕩和夢幻苦思。小說對滿腦子封建思想的相國夫人的內心潛意識的描寫，更是獨特。她雖然反對女兒嫁給張生，但她畢竟是一個女人，一個"額角還沒有皺紋"的寡婦。當她得知鶯鶯"每夜都去西廂狂歡以荒唐"時，一股不可告人的潛意識使她把煩躁鬱悶的情緒都發洩到侍女紅娘身上，精疲力盡之後，又做了那個與一個看似張生的男子同床的荒唐夢，使那個原先人們眼中的相國夫人蒙上了一層仇視青春而進行性虐待的嫌疑。整部小說詩意朦朧，夢幻連綿，人的潛意識猶如彌漫流動的霧靄，籠罩在小說中的每一個人身上。《蜘蛛精》也是以探究人的潛意識爲主的小說。在《西遊記》中，唐僧是個"目不視惡色，耳不聽淫聲"，斷了七情六欲 的人，但在現代人看來，卻未必如此，他畢竟還沒有真正取得真經，畢竟還是血肉之軀，在他內心還有某種潛在的欲念，在正常情況下，這種欲念是不會顯露出來的，只有在極端的特定的情況下，才會表現出來，這正是人性的弱點。在這部小說中，唐僧被化成美

---

13 《劉以鬯談創作生活》，《劉以鬯研究專集》，四川大學出版社，1987 年，第 37 頁。

女的蜘蛛精捉住後，剛開始是竭力逃避的，但當美女一再堅持讓他看自己的身子，並用“玉指在他的臉頰上輕輕撫摩”時，他的血肉之軀開始受到顫動，靈魂開始對美女的身子產生反應：“熠耀似的寶石的眼睛，白嫩透紅像荷瓣的皮膚。她確實是很美的。”事情在繼續進行著，“蜘蛛精身上的香味具有特殊的誘惑力”，“她將嘴巴湊近在他的耳邊，從她嘴巴呵出來的氣息，也有蘭之芬芳；”更糟糕的是，蜘蛛精開始動手動腳，“柔唇印在臉頰上，臉頰癢孜孜的；”唐僧開始把持不定：“哎呀，這是麼回事，我的心會跳得這麼快，阿彌陀佛……”；“糟糕，我的心跳得更快了，咚咚咚……好象打鼓”。這時的唐僧尙有所自持，一再告戒自己：不能看不能看，但蜘蛛精卻步步進逼，與唐僧“唇唇相印”，“玉臂緊若鐵箍”，“四片嘴唇再一次印在一起”，再加上蜘蛛精言語挑逗：“和尙，我喜歡你！”“和尙，你頭上的頭髮削去了，下面的呢？有沒有削掉？讓我摸摸！”“手指像十個頑童，在戲弄中獲得狂喜。”“就算我上天做了神仙，我也會爲你生個小和尙！”“來呀！和尙！我爲你傳宗接代！”“蜘蛛精已將他的袈裟解開，羞恥失去遮羞；”唐僧在竭力掙扎，在抗拒蜘蛛精的誘惑：“我要死了！越想越緊張，心似刀絞般難受。”潛在的欲念最終浮出海面：“唐僧心一橫，睜開眼來仔細端詳這個美麗的妖精。”（既是最後的一刻，何不趁此多看幾眼），“唐僧在慌亂中睜開眼睛，見到了從未見過的部分。”（該死！我怎麼會……）在這部小說中，劉以鬯對唐僧在特定情景中的潛意識做了新奇而獨特的揭示，從而把一個家喻戶曉的故事渲染出現代意味，使我們從新的角度對傳統小說中的人物加深了瞭解。其他還如《副刊編輯的白日夢》，小說自始至終描繪了編輯的一個沒有時間標誌的夢境，借夢境表現主人公內心數不清的辛酸與痛苦；《第二天的故事》的主題和表現手法頗似美國詩人托・史・艾略特的《阿・普羅弗洛克的情歌》，通篇以內心獨白的手法，寫出一個青年人在求愛途中患得患失的意識流動，小說將主人公的外在生活和內在生活分開來寫，以不同的字體標出，並將兩種敍述至於同一時空之中，互相交叉，滲透，使過去與現在、幻覺與現實疊化在一起，和盤托出人物每一瞬間的思想變化和心理矛盾，藝術構思別出心裁。

五

通觀劉以鬯的意識流小說，可以發現這些小說使用最平凡、運用最圓熟的結構手法有二種，一是精心選取現實生活中的一個點、一個橫切面，在最小的"空間時間"層面展示人物的心理、潛意識、幻覺或夢境，如《蜘蛛精》、《副刊編輯的白日夢》；一是在描寫流淌的現實生活之流的同時，以生活中某人某事某物作爲觸媒，激發並透析人物的表層意識或深層潛意識活動，在"心理時間"中把過去、現在和未來彼此重疊，如《酒徒》、《寺內》、《第二天的故事》。這二種手法在西方意識流小說中都屬常見，但劉以鬯並非機械摹仿、照搬西方的意識流技巧，而是始終注意在借鑒的基礎上創造自己獨特的風格。就如他在介紹《酒徒》時所說："《酒徒》雖然用的是意識流技巧，卻是我自己的寫法，並不摹仿《尤利西斯》或《喧嘩與憤怒》或《浪》"；[14]"我無意臨摹西方的意識流小說……意識流既是一種技巧，任何人都可以利用這種技巧寫出具有個人風格和特色的小說"；他一貫主張：寫小說應在"取人之長的原則下，接受並消化域外文學的果實，然後建立合乎現代要求而能保持民族作風民族氣派的新文學。"[15]劉以鬯在借鑒西方意識流小說技巧的同時，總能基於中國傳統的審美習慣、藝術風格，加以創造性的改造和發展，從而形成具有自己獨特風格的意識流小說。

西方意識流小說側重表現人的無秩序的內心非理性活動，即使反映現實，也是經過人物潛意識折射後的扭曲的主觀的雜亂的現實，而劉以鬯小說中人物的潛意識世界和現實世界則往往分開來寫，人物的潛意識流動也並非如西方意識流小說中那樣放任蔓延，而且作家完全退出小說，而是往往由作者出面代爲敍述、疏導。如《酒徒》中酒徒的醉和醒就分別代表了現實世界和無意識世界，而且醒後的酒徒還往往以冷靜的客觀批判態度，對社會上的種種不平發表見解。作者甚至還採用了傳統的敍事手法，交代情節的發展，並且常常刻意描寫人物的內心無意識，結果常常使人不知道人物的無意識流動是主人公自己的呢，還是作者強

---

14 《劉以鬯的一席話》，《香港文學》創刊號，1979年5月。
15 《酒徒》，中國文聯出版公司，1985年版。

加給他的；是作者的主觀投影呢，還是主人公內心的“客觀真實”。如《酒徒》第四章寫酒徒醉後從童年一直回憶到現在，若非作者刻意描寫，酩酊大醉後的主人公的回憶又怎會如此系統、有序？這種故意雕琢的痕跡，既說明劉以鬯意識流小說的不成熟，也表明他爲追求獨特性所作的艱苦努力。

西方意識流小說是以一種全新的姿態對傳統文化表示反叛，而劉以鬯的意識流小說則是在努力超越傳統的同時又帶有本民族文化的特點，這和三十年代的新感覺派是一致的。這種民族性既表現在他以“舊瓶裝新酒”的方式改變傳統故事，更表現在他創造性地運用了中國傳統小說的文中有詩、詩中有故事的敍述方法，以東方式的富於詩意的意象和比喻，含蓄抽象地表現人物的內心波動，這種“意識流的東方詩話”是劉以鬯意識流小說的突出特色。他相信：“如果小說家不能像詩人那樣駕禦文字的話，小說不但會喪失‘藝術之王’的地位；而且會縮短小說藝術的生命。”[16]劉以鬯的意識流小說少了喬伊絲、福克納的艱澀和狂亂，而多了一些東方式的詩意和明淨。在這方面最有代表性的小說是《寺內》。這篇小說在表現人物隱蔽的情欲時，就借助了大量的詩化意象、象徵、比喻來烘托，而且描寫性的方式也純粹是東方式的。再看這篇小說中的人物的內心對白，也是對傳統戲劇中的對白手法的創造性運用，以這種方式將人物見不得人的潛意識（主要是性意識）像戲劇中的對白一樣一一道來，這種對白，既可發生在現實情境中，如第七卷張、崔月下相會；也可發生在夢境中，如第七卷結尾“牆是一把刀，將一個甜夢切成兩份憂鬱”的大段意識活動。這種“意識對白”可說是劉以鬯借鑒傳統戲劇的對白手法而獨創出的一種意識流技巧。

劉以鬯善於構建一種詩意朦朧的意境，在現實與幻想的交織中表現人物的內心世界，在情與景的融和與衝突中渲染人的隱秘世界。如《寺內》中的老夫人賴婚後，張生月夜訴琴的描寫：

> “月闌朦朧和尚打哈欠。是一朵厚厚的烏雲，掩去了喜悅，使他感到寒冷。心已迷失路途，悵惜太濃，何日可將憂愁化成榕樹，

---

16 劉以鬯《小說會不會死亡？》，〈天堂與地獄〉，廣州花城出版社，1981 年版。

讓亂飛的燕子們飛來歇腳。'

"'琴呀，' 張生說，'請你將我的眼淚飛送過牆去。'

"'彈吧。寂寞的人，大膽彈吧，' 琴說，'我將為你畫一幅灰色的圖畫。'

"'聲音也會誤入歧途。' 張君瑞說。

"'潦倒的書生，太多的顧慮，因此不再記得初春的狂妄，' 琴說。

"'琴呀，給我力量！'

"'膽小的獵者，快快拿出不愛穿彩衣的勇氣'"。

值得說明的是，劉以鬯的詩意語言並非格律化的語言，而是平易直露的散文化的語言，但由於他總能根據人的心理流動的節奏安排人物的語言、動作，所以即使他的這些直露的語言也透出濃濃的詩意。《蛇》中的白素貞和許仙清明節在西湖相遇，兩人一見砰然心動的情緒和西湖的湖光山色的節奏完全融爲一體，就在西湖美景的流動中，疊印上人物的情緒跳動，在這樣的情景交融中，人的平平常常的語言也都似有了天外神韻，具有淡淡的詩意。下面是隨便從《酒徒》中摘取的幾句話，這些話典型地代表了劉以鬯詩化語言的特色：

"屋角的空間，放著一瓶憂鬱和一方快空氣，"

"魔鬼騎著腳踏車在感情的圖案上兜圈子。感情放在蒸籠裏，水氣與籬外的訪客相值，訪客的名字叫做：寂寞。"

"縫紉機的唱針，企圖將腦子裏的思想縫在一起。"

"風拂過，海水作永久重逢的寒暄。"

"腦子裏只有固體的笑。"

"思想凌亂，猶如用尖刀剪出來的紙屑。這紙屑臨空一擲，一變而為緩緩下降的思想的雪。"

……

在這些句子裏，作者並沒有生造什麼生拗的詞語，而是將日常語言加以錘煉，使之充滿耐嚼的詩味，並讓人耳目一新。劉以鬯一直相信小說和詩結合是一條可走的道路，他以詩歌之長補小說之短，以意境的詩意、凝重、含蓄、整飭和節奏開創了詩和小說結合的一條新路。也許正是得益於他大量寫流行小說，他的小說行文非常自由適意，喜歡跳躍，他的具有探索意味的小說從不對人的外觀形象作精確刻畫，而是以虛代實，以似疏鬆的結構孕含嚴整一氣的情緒。如《除夕》寫曹雪芹寒夜酒醉趕路的情景，就是通過寫他眼前不停出現的幻覺來表現這個曠世奇才內心的寂寞和淒苦，那種濃重的氣氛讓人無法暢氣。

劉以鬯意識流小說對詩意語言的追求與西方意識流小說刻意追求用新技巧打破詩與散文的界限的努力顯然有異曲同工之處。就拿西方意識流小說的鼻祖夏丹 1887 年發表的長篇小說《被砍的月桂樹》來說，這部小說寫一個叫丹尼爾．普林斯的花花公子生活中的六小時，他與一風騷女演員蕾阿有曖昧關係。當男主人公躺在蕾阿的懷抱裏時，他有一段沉思：

“她正看著我……我們將要進晚餐，對了，在小樹林裏吃飯……一女用人……搬來桌子……蕾阿……她正在擺餐具……我父親……看門人……一封信……是她來的信嗎……謝謝……一陣波動，一陣嘈雜聲，天空越升越高……啊，你，永遠是唯一的，遠古的愛情，安東妮婭……萬物都在閃爍……你在大笑嗎……一排排的街燈伸展到無限的遠方……啊！夜……冰冷，夜……”

人的意識流動本就是斷斷續續的，用這種詩的形式，不但準確地捕捉到了人的內心世界，而且減弱了詩與小說的界限，使小說的技巧性更加明顯。所不同的是，劉以鬯的意識流小說的詩化語言更具東方的簡潔和明淨色彩，具有東方的詩意和意境，而西方意識流小說的詩歌特色主要表現在形式上、技巧上。

劉以鬯運用現代派手法的目的是爲了真實地反映香港社會現實，這與西方一些現代主義作家刻意追求技巧的新奇不同。即以其最有代表性的現代派小說《酒徒》爲例，酒徒這個典型實際上正是香港這個高速發達的商品社會裏那些不願成爲金錢的奴隸但又不得不墮落的知識份子的代表，從他清醒和醉酒時折射出的不同社會生活，讀者完全能對香港社會萬花筒般的精神生活和物質生活有真切的瞭解。以現代藝術手法寫現代人的生活，並根據中國傳統小說重情節、重曲折、重情調、重對話、重意境等藝術手法，劉以鬯創作出了具有中國氣派的現代小說。不但《酒徒》如此，他的其他一些探索性小說，如《春雨》、《猶豫》、《一九九七》、

《對倒》、《蛇》等等，莫不如此。

西方意識流小說，如《尤利西斯》和《達羅威夫人》，純然是依人物的意識流動構成，人物意識流動也沒有明顯的標誌，而劉以鬯的小說則大多保留了一些提示性的標誌、既有文字上的，問題上的，也有形式上的，如排版、字體上的區別。即拿《酒徒》來說，像"輪子不停地轉，""我醉了，""戰爭、戰爭、戰爭"等這樣提示性的話隨處可見，而且人物的意識活動被放在括弧內，一目了然，整齊規範，在處理人物的活動、夢境時，劉以鬯的意識流小說雖與西方意識流小說一樣取消了標點符號，但在大多數情況下仍一句一行、排列整齊。在結構安排上，劉以鬯的意識流小說也沒有完全像西方意識流小說那樣，精心構建"空間時間"和"心理時間"的交錯、滲透，以展示人物錯綜複雜、跳躍奔突的無邏輯的意識活動，而是始終有相當完整的情節和發展，如《酒徒》第十二節跨度爲十七天，作者用電影蒙太奇的手法天天寫到；而《對倒》中淳于白和亞杏的現實活動及心理活動也都有明顯的發展過程。看來，即使像劉以鬯這樣具有強烈創新意識的探索作家，也無法完全擺脫強大的文化傳統、觀念的影響。

中印文化交流史上的一次大誤會

在悠久的歷史長河中，中印兩國人民曾有過令人難以忘懷的思想文化交流，如白馬東渡的傳說，唐僧歷盡艱辛西天取經的故事就早已成爲中國文化的一部分，但世界進入近代以來，兩國人民的交往主要是在政治方面，在文化方面則幾乎是一片空白，雖然在這期間印度文學作品也曾經零星地被翻譯介紹到中國，但兩國之間並無正常的，更談不上成功或大規模的文化交流。重新使早就中斷的中印文化交流煥發活力的，是泰戈爾 1924 年應梁啓超等人創辦的講學社之邀訪華，就此掀開了近代規模最大的一次中印文化交流的序幕。令人遺憾的是，這次難得的文化際遇卻是伴隨著一系列的誤解和不愉快的交流，是一次不歡而散的文化聚會，使今天瞭解這段歷史的人仍爲之深感遺憾。

初識詩人真面目

泰戈爾與中國的最早接觸，開始於“五・四”前後，這與他在一九一三年以英譯的詩集《吉檀迦利》獲得諾貝爾文學獎有直接關係，因爲對他的獲獎，不僅印度人感到歡欣鼓舞，實際上整個亞洲都在爲此載歌載舞 —— 這畢竟是亞洲人第一次獲得如此高的世界榮譽。

據筆者掌握的材料，中國最早介紹泰戈爾的生平和思想的文章是一九一三年《東方雜誌》(第十卷第四號）上發表的錢智修的文章：《台我爾之人生觀》，該文介紹了泰戈爾的基本哲學思想，盛讚了泰戈爾在生活和創作上那種永不停息的探索精神。文章還附有一幅泰戈爾的像。

從一九一五年起，泰戈爾的作品開始出現在中國的報刊上。1915 年 10 月 15 日，《青年雜誌》第一卷第二號上發表了陳獨秀用文言翻譯的泰戈爾的詩集《吉檀迦利》中的四首詩，以《讚歌》爲題，署名爲達噶爾著。

中國知識份子中比較系統地接觸到泰戈爾作品的是當時正遠在日本的郭沫若，用他自己的話說："最先對泰戈爾接近的，在中國恐怕我是第一個。"[1]1914 年日本掀起泰戈爾熱時，郭沫若正在日本留學，因此有機緣接近了泰戈爾的英文詩，結果是一讀就欲罷不能，一下子就被這些清新平易的詩迷住了，於是他就和"泰戈爾的詩結了不解之源"，簡直成了泰戈爾的崇拜者："在他的詩裏面我感受著詩美以上的歡悅。"[2]他還嘗試著把這些詩翻譯出來，並模仿著寫詩。

但此時這些零星的影響還不足以構成中國的"泰戈爾熱"，中國國內對泰戈爾總體上來說還是冷淡的，這一時期雖然有一些人出於個人的興趣對泰戈爾表示出好感或受到泰戈爾的作品和思想的影響，如冰心就把泰戈爾的《吉檀迦利》、《園丁集》等詩集中的一些詩翻譯出來發表，還模仿著創作了《繁星》、《春水》這樣的泰戈爾式的詩集，並且充滿深情地"遙寄"泰戈爾說："泰戈爾！謝謝你以快美的詩情，救治我天賦的悲感，謝謝你以超卓的哲理，慰籍我心靈的寂寞；"[3]而鄭振鐸也是因爲傾心泰戈爾作品的精美優雅而最早較多地把泰戈爾的作品翻譯介紹到中國；其他還有王統照也是在這時期開始對泰戈爾注意的。但這些翻譯介紹都是零星地散於各報紙雜誌上的，沒有形成大氣候。

真正的泰戈爾熱是從二十年代開始的，而這股熱潮的出現，與對歐洲"泰戈爾熱"的介紹分不開。

從一九二一年起，泰戈爾的行蹤開始廣泛受到國人的關注，他的作品也開始越來越多地出現在中國的報紙雜誌上，他的思想和人格開始被研究。一九二一年三月十日，《小說月報》第十二卷三號"海外文壇消息欄"發表沈雁冰的短文"印度文學家泰戈爾的行蹤"，介紹泰戈爾在紐約的活動情況；同年八月，留德學生王光祈發表《太戈爾之山林講學》，介紹了泰戈爾在德國柏林等三大城市的三次演說盛況，同時

---

1 郭沫若：《詩作談》，見《郭沫若研究資料》（上），王訓昭等編，中國社會科學出版社 1986 年 8 月版，第 264 頁。

2 郭沫若：《我的作詩的經過》，同上，第 279 頁。

3 冰心：《遙寄印度詩人泰戈爾》，寫於 1920 年 8 月 30 日夜。

也介紹了德國、法國學界對於泰戈爾的不同態度，以及泰戈爾受到歐洲一部分學者歡迎的主要原因："戰後德國學者對於西洋文化頗多懷疑"，"太戈爾既系詛咒西方物質文明擁護東方精神文化者，故此時來德，正合德人口味，其受熱烈之歡迎，亦不足爲怪。惟同時又有一部分學者，見德人將泰戈爾奉爲神聖因而激起反感，乃痛詆泰戈爾系一個滑頭，並謂一般德人委棄國粹，甘受他人愚弄，引爲世道人心憂。"[4]

8 月 10 日，《東方雜誌》又轉載了俞頌華的文章《德國歡迎印哲台莪爾盛況》，文中記載了泰戈爾在談到中國時所說的一段話："中國有最古的歷史，優美的文化，愛和平的民眾，可惜也受了西方帝國主義的荼毒，很難得到充分自由自發的機會。" 他還希望東西方應該互相尊重，取長補短，共同促進世界朝著博愛和平的道路上發展。[5]同年 11 月，《少年中國》（第三卷第四號）發表魏嗣鑾的文章《旅德日記》，對泰戈爾的基本思想也作了一般性的介紹。

對泰戈爾作品的介紹，這一時期也逐漸多起來。1920 年 2 月、3 月《少年中國》第一卷第八、九期發表了黃仲蘇譯的《泰戈爾的詩十七首》，譯者在序中對泰戈爾作品的特色作了精粹的介紹；1921 年 1 月 10 日、4 月 10 日《小說月報》第 12 卷 1 號、4 號發表了鄭振鐸譯的《雜譯太戈爾的詩》，其中 4 號還有許地山譯的泰戈爾的小說《在加爾各答途中》，並附跋；而 5 號上則發表了瞿世英翻譯的泰戈爾的劇本《齊德拉》；1921 年 4 月 17 日，《民國日報·覺悟》也刊出《譯太戈爾園丁集第二十三首、二十四首》，譯者爲太白。

對泰戈爾的研究，這一時期比較重要的則有瞿世英、鄭振鐸從 1921 年 2 月 27 日至 4 月 3 日在《晨報》第七版副刊連載的《太戈爾研究》和在 1921 年 4 月 14 日、15 日在《時事新報·學燈》上發表的關於泰戈爾的通信；其他還有馮友蘭的《與印度泰穀爾談話》（《新潮》1921 年 10 月 1 日，第 3 卷 1 號）；愈之的《台莪爾與東西文化之批判》（《東方雜誌》1921 年 9 月 10 日，第 18 卷 17 號）；梁漱溟在《東西

4 《申報》，1921 年 8 月 4 日。
5 《東方雜誌》第 18 卷 15 號，1921 年 8 月 10 日。

方文化及其哲學》一書中的論述（上海商務印書館，1922 年 1 月初版）和瞿世英的《演完泰戈爾的〈齊德拉〉之後》(《戲劇》第 1 卷 6 期，1921 年 10 月 30 日)。1922 年則有兩本關於泰戈爾哲學的著作出版，一是張聞天的《泰戈爾哲學》（商務印書館），一爲馮飛的《塔果爾及其森林哲學》（商務印書館），兩書對泰戈爾的基本哲學思想、美學思想、文藝觀都作了介紹。而在 1922 年 2 月 10 日《小說月報》第 13 卷 2 號上的"文學家研究"欄裏，則出了一個關於泰戈爾的小專號，內收文有：《泰戈爾傳》（鄭振鐸）、《泰戈爾對於印度和世界的使命》（張聞天）、《泰戈爾的藝術觀》（鄭振鐸）、《泰戈爾的婦女觀》（張聞天）、《泰戈爾的"詩與哲學觀"》（張聞天）、《泰戈爾的人生觀和世界觀》（瞿世英），並附有插圖"泰戈爾的最近小影及其手跡"，形成了泰戈爾來華前的一個翻譯介紹的小高潮。

早期這些關於泰戈爾及其作品的介紹和研究，基本上從各個方面介紹了泰戈爾的基本思想、人格和藝術特色。泰戈爾宣揚東方文明優於西方文明，他的愛國主義精神以及敢於打破印度狹隘的宗教傳統，積極肯定現世生活的態度，以及他那些清新宜人，歌頌大自然的詩歌、小說，都令中國人爲之傾倒，加上中印兩國都屬於被西方殖民主義迫害甚苦的民族，這就很容易使中國國內的一些知識份子在感情上逐漸傾向於這位異域的詩哲。但這種傾向本身就是有傾向性的，中國的知識份子或政治勢力關注泰戈爾的更多的是他的人格以及提出的解決世界危機的辦法，即使對他的詩歌、小說的介紹，也側重於他的這些作品中所表現出來的詩人的人格力量，這就如鄭振鐸在介紹他的藝術觀時所說的："在泰戈爾看來，藝術的美不過是工具，而不是藝術的的最完全的最著的特徵。它不過用來爲更有力的表現我們的人格的工具而已。"[6]但這樣說並非否定在這些介紹中沒有對泰戈爾作爲文學家的地位的認識，只不過與對他的人生觀與世界觀的介紹相比，對文學的關注較少而已。

泰戈爾對中國早就表示了關注。他曾去過歐美和日本訪問，但卻

---

6 鄭振鐸：〈泰戈爾的藝術觀〉，〈小說月報〉第 13 卷 2 號，1922 年 2 月 10 日。

一直沒有機會到作爲東方文化的一個中心的中國訪問，這對他來說也是很遺憾的事。在接受馮友蘭的訪問時，他就充滿感情地說到："中國是幾千年的文明國家，爲我素所敬愛。我從前到日本，沒有到中國，至今以爲憾。後有一日本人朋友，請我再到日本，我想我只要再到日本，必要到中國去一次的。我自到紐約，還沒有見到一個中國人，你前天來信，說要來見我，我狠覺得喜歡。"[7]就是在這樣的願望的驅動下，1923 年 4 月，他派自己的助手、英國人恩厚之來中國聯繫訪華的有關事宜，恩厚之首先找到北京大學有關部門，表示泰戈爾有意訪華，北京大學對泰戈爾來華很表歡迎，但因本身種種複雜的原因而無法承擔接待任務；恩厚之又找到徐志摩，後者一聽泰戈爾要來中國，真是欣喜若狂，馬上帶著恩厚之找到當時很有影響，也很有背景的講學社接洽，聽說名聞世界的詩人自己願意到中國來，而且只要講學社承擔旅費，其他在華一切費用完全由泰戈爾自己承擔，這和剛剛訪問過中國的杜威等外國學者明顯不同（後者在華的一切費用完全由中方承擔）。這不是喜從天降還能說是什麼？講學社立即同意承擔接待任務，並且馬上給泰戈爾寄去了旅費，盼望他八月份能來，並隨即又發出一封熱情洋溢的邀請信，希望他能惠顧中國講學。準備參加接待的團體還有文學研究會、新月社等。

泰戈爾欣然接受了邀請

可以想見，這個已名滿全球的印度哲人能答應來中國講學，會在中國的思想文化界引起怎樣的振動和興奮。在"五・四"新文化運動落潮後已很久沒有什麼熱點的中國思想文化界爲此又開始躁動起來，各種團體和一些重要的政治或文化人物紛紛對此做出反應，當時的熱鬧情景恰如徐志摩在 1923 年 12 月 27 日致泰戈爾的信中所說的："我們已準備停當以俟尊架蒞臨。這裏幾乎所有具影響力的雜誌都登載有關你的文章，也有出特刊介紹的。你的英文著作已大部分譯成中文，有的還有一種以上的譯本。無論是東方的還是西方的作家，從來沒有

7 馮友蘭：〈與印度泰穀爾談話〉，〈新潮〉第 3 卷 1 號，1921 年 10 月 1 日。

一個像你這樣在我們這個年輕的國家的人心中，引起那麼廣泛真摯的興趣。也沒有幾個作家（連我們的古代聖賢也不例外）像你這樣把生氣勃勃和浩瀚無邊的鼓舞力量賜給我們”。這些話當然難免誇張，但在某種程度上卻足以說明因泰戈爾來華在中國思想文化界引起的震動。

最先做出反應的自然是最敏銳的報刊雜誌：《東方雜誌》（1923 年 7 月 25 日，第 20 卷 4 號），《小說月報》（1923 年 9 月 10 日、10 月 10 日，第 14 卷 9、10 號），北京佛化新青年會的《佛化新青年》（1924 年 5 月，第 2 卷 2 號）上都出了泰戈爾專號；《小說月報》第 15 卷 4 號在“詩人拜倫的百年祭”專號內還特地編輯了“歡迎泰戈爾先生”臨時增刊；其他一些雜誌如《民鐸》、《時事新報·學燈》、《晨報副刊》、《創造週報》、《文學週報》、《民國日報·覺悟》、《嚮導》、《中國青年》等都發表了泰戈爾的作品及有關文章。

《東方雜誌》的“泰戈爾專號”以翻譯泰戈爾的作品爲主。該期封面印有泰戈爾像，封二有泰戈爾的手跡及“泰戈爾對於大自然的默化”圖一幅；發表的研究論文有《太戈爾學說概觀》（王希和），翻譯的泰戈爾的作品有《海上通信》、《葉子園》、《喀布爾人》、《隱士》。

《小說月報》的“泰戈爾專號”規模更爲可觀。在 9 月 10 號的專號裏，“卷頭語”包括泰戈爾《飛鳥集》中的詩句，“夏芝《吉檀迦利》序”中的摘句，泰戈爾《新月集》中的詩句；插圖共有六幅，包括“泰戈爾像”、“中年時的泰戈爾”、“幼年時的泰戈爾對他父親唱詩”、“泰戈爾手跡”、“在美國時代的泰戈爾”，發表的有關研究和介紹文章包括《歡迎泰戈爾》（鄭振鐸）、《泰山日出》（徐志摩）、《泰戈爾傳》（鄭振鐸）、《泰戈爾來華》（徐志摩）、《泰戈爾的思想與其詩歌的表像》（王統照）、《給我力量》（周越然）、《關於泰戈爾研究的四部書》（西諦）、《泰戈爾重要著作介紹》（徐調孚）以及翻譯的日本有關泰戈爾研究的四篇文章：《泰戈爾和托爾斯泰》、《泰戈爾的戲劇和舞臺》、《泰戈爾和音樂教育》、《夏芝的泰戈爾觀》；翻譯的泰戈爾的作品則有《詩人的宗教》、《新月集》選譯、《吉檀迦利》選譯、《隱謎》、《幻想》、《拉加和拉妮》、《我的美鄰》、《園丁集》選譯、《賣果人》、《馬麗妮》等。在這個專號內還登載了一則消息：“文學研究會出版的關於泰戈爾的書”，包括已出或將出的泰戈爾的作品六部：《春之迴圈》（瞿世英譯）、《飛鳥集》（鄭振鐸譯）、《新月集》（鄭振鐸譯）、《郵局及其他》（瞿世英、鄧演存譯）、《吉檀迦利》（鄭振鐸譯）、《園丁集》（鄭振鐸譯）；在 10 月的專號內主要發表的是翻譯的泰戈爾的作品，卷頭語是泰戈爾“跟隨光明”一文裏的句子，插圖也有六幅：“五十歲時的泰戈爾”、“泰戈爾的祖父”、“泰戈爾的父親”、“泰戈爾和他的兒子及兒媳”、“到日本時的泰戈爾”、“泰戈爾的和平之院”；翻譯的泰戈爾的作品則有《西方的國家主義》、《園丁集》、《犧牲》、《采果集》等。

與此同時，北京、上海以《申報》、《晨報》爲中心也紛紛報導泰戈爾來華的消息，追蹤詩人在國外的行蹤，並爲文學、文化界歡迎泰戈爾的這股熱烈氣氛“煽風點火”，“推波助瀾”，一時間真是“唯泰戈爾是談”。如《申報》在報導泰戈爾即將來華的消息時也不忘隨時隨處讚揚他，說他“非遁世厭世的人，乃爲入世愛世的人，與印度古代聖人，絕對不同”；稱讚他“欲以教育提高印度婦女程度，而又主張國家主義，作愛國歌，以勵國人，然絕不蓄憤怒嫉妒，厭憎世界之意”。[8]在中國歷史上，能夠受到中國人如此熱烈崇拜的外國人，恐怕並不多見。

對泰戈爾的這些早期翻譯介紹，已經形成了對待泰戈爾思想文化觀的兩種不同的態度，雖然這種差別不像泰戈爾到中國後所引起的衝突那麼激烈和尖銳對立，但可以說已經代表了國內兩種主要的文化力量的衝突，但這時的衝突還主要是一種文化認識上的，不是像後來那樣帶有太多的政治色彩。

歡迎者的態度

1924 年 4 月 12 日，泰戈爾一行如約乘船到上海，自他下船至 5 月 29 日從上海赴東京，鮮花和掌聲就包圍了他。上海的徐志摩、張君勱、瞿菊農、鄭振鐸，北京的梁啓超、蔡元培、胡適、蔣夢麟、梁漱溟、辜鴻銘、熊希嶺，甚至溥儀，紛紛以各種形式歡迎泰戈爾來華。在當時軍閥混戰、政治紛亂的社會大背景下，對泰戈爾的歡迎確也成

8 《申報》，1924 年+4 月 12 日。

了文化界的一大盛事。

在泰戈爾已經在全世界造成的耀眼光環的照耀下，中國這些熱情的崇拜者們也自覺或不自覺地受到感染，不惜把自己所能想到的最美的語言獻給這位元就要到中國來的詩人。鄭振鐸不但寫了《太戈爾傳》這樣的介紹文章，也翻譯了很多泰戈爾的作品，而且還寫了《歡迎太戈爾》這樣的情感毫無保留地外露的文章表達對泰戈爾的熱愛。作者似乎不知道怎樣表達自己對泰戈爾的崇拜之情，他只是把世界上各種最美的語言都傾倒到泰戈爾身上。張聞天則稱讚泰戈爾是"印度精靈的結晶……是古印度人的兒子，今印度人的母親！"認爲泰戈爾是自覺地承擔了把注重愛與美的東方文明傳輸到西方去的使命。[9]徐志摩儼然是以泰戈爾的中國使者的身份多次給泰戈爾寫信，也寫了很多文章對泰戈爾來華表達出無法言表的仰慕崇拜之意，如他把泰戈爾與泰山日出相提並論，稱他是把自己的光芒普照世界的巨人。[10]在《太戈爾來華》中，他不無得意地寫到："現在他快到中國來了，在他青年的崇拜者聽了，不消說，當然是最可喜的消息，他們不僅天天豎耳企踵的在盼望，就是他們夢裏的顏色，我猜想，也一定多增了幾分嫵媚；""太戈爾在中國不僅已得普遍的知名，竟是受普遍的景仰。問他愛念誰的英文詩，十餘歲的小學生，就自信不疑地答說泰戈爾。在新詩界中，除了幾位最有名神形畢肖的泰戈爾的私淑弟子以外，十首作品裏至少有八九首是受他直接或間接的影響的。"[11]而實際上當時除了冰心之外，還談不上有誰受到泰戈爾這麼大的影響。泰戈爾來華後他不僅時時伴侍泰戈爾左右，而且以泰戈爾弟子自居，甚至以父子相稱，最後還隨泰戈爾去了日本，又專程把他送到香港後才回到中國。另外，徐志摩是新月社的靈魂和創立者，這個文學團體的成立，與泰戈爾來華很可能也有關係。徐志摩很可能是借泰戈爾而來華之際，把原先與胡適等好友的聚餐會定名爲新月社，可能有取悅客人的意思，而正式

9　張聞天：《泰戈爾對於印度和世界的使命》，〈小說月報〉第13卷2號，1922年2月10日。

10　徐志摩：《泰山日出》，〈小說月報〉第14卷9號，1923年9月10日。

11　徐志摩：《泰戈爾來華》，載《小說月報》第14卷9號1923年9月10日。

成立後的新月社所做的第一件事就是排演泰戈爾的名劇《齊德拉》。再後來，泰戈爾受到國內進步思想文化界的攻擊，而且泰戈爾也已經意識到這一點時，徐志摩還千方百計在他面前掩飾。更有甚者，爲了使泰戈爾已經失望的情緒再興奮起來，徐志摩最後竟然還替林長民代表當時的北京政府首領段祺瑞邀請泰戈爾再度訪華。軍閥政客邀請一個詩人來訪問，無非是爲自己增加一些政治資本罷了，只會使被邀請者更加受人唾棄，幸好詩人沒有接受，否則他在歷史上可能就要留下與封建惡勢力勾結的罪名了。

對於泰戈爾的來訪，梁啓超也表現出由衷的歡欣。梁啓超此時已結束歐洲之行，完成了從反對中國傳統文化、崇尚西方文明到欲以中國文明拯救西方文明的思想轉變，他堅信西方文明已經破產，中國古代的人生哲學將流行於世界，這和泰戈爾的思想是一致的，所以對泰戈爾此次來華，梁啓超當然恭迎有加，前前後後出了不少力，甚至親自過問泰戈爾在華的生活起居。對泰戈爾的學說和文學、哲學以及政治主張，他也很表贊成。爲了使大多數中國人能對泰戈爾的學說有大致的瞭解，他還親自作了兩次演講。

反對傳統文化，宣揚西方文明的胡適本質上是反對泰戈爾來華的，但因爲泰戈爾與他都主張採用人民的口語作爲文學表達的普通工具，以替代掌握在有限學者階層手裏的經典語言，所以胡適對泰戈爾的來華也表示歡迎，甚至在泰戈爾受到攻擊時，還出面爲他辯護。

與胡適相反，也有一些歡迎者恰恰是因爲泰戈爾在中國宣講東方文明而對泰戈爾表示出熱烈的歡迎，這裏是指一般的歡迎者，而他們歡迎泰戈爾的心理動機，通俗地講，就是泰戈爾大長了東方人的志氣，大滅了西方人的威風，替東方人狠狠地出了一口惡氣。東方長期受西方的壓迫和侵略，現在有了個泰戈爾抨擊西方文明，當然讓人感到解氣，就如當時留德的魏時珍在聽了泰戈爾 1921 年 6 月 8 日在德國所作的《東西問題》的演講後在日記中所記的“午飯後，略睡，起時，覺泰戈爾之演講，雖無新義，然其痛詆歐洲人之生活與思想，實可爲東方人出氣，此其氣魄，殊有足驚者也。”[12]

實際上，徐志摩、梁啓超等人只是在竭盡全力把泰戈爾變成與中國世事隔絕的可居的奇貨，變成可用於抬高他們自己的身價、借機炫耀自己的寶貝。他們織下的層層華麗的帷幕，不但使其他人看不清泰氏此次來華的真正目的，看不清泰氏作爲詩人、哲學家的真正價值，就連他們自己也不自覺地忽視了泰氏作爲思想家、藝術家的價值，在當時熱熱鬧鬧歡迎或反對的熱烈氣氛中，似乎沒有多少人費心去瞭解、研究泰戈爾，沒有人願意以理智的平常心把泰戈爾來華看作一種普普通通的文化交流，這也真應了郭沫若一針見血的斷言：在對泰戈爾的思想、作品沒有作系統的考察研究的情況下就太談特談什麼“泰戈爾研究”，純粹是出於一種慕名的衝動，一種崇拜偶像的衝動，促使我們滿足自己的虛榮。[13]這不能不說是泰戈爾的悲哀，也是中國思想、文化界的悲哀。

批判者的態度

然而，泰戈爾始料不及的是，迎接他的不但有鮮花，而且還有尖利刺人的荊棘。就在國內一派崇拜讚揚聲中，泰戈爾也受到了中國思想文化界異常尖銳的批評。實際上，泰戈爾一踏上中國的土地，就感受到了這種不和諧的氣氛。有一次講演，泰戈爾晚到了半小時，就有一家報紙批評他是過時人物，只該與古人對酒當歌才是。北京有人說他是政客，不是詩人；要他只管去做詩，莫管人家的國事，甚至罵他是帝國主義政策的間諜，資本主義的助力，亡國奴族的流民，提倡裹腳的狂人。在這種尖刻、激烈的批評聲中，他甚至取消了計畫中在華的三次演講。

對泰戈爾批判最力的，是五四新文化運動成果的捍衛者和左翼文化人士，其中代表人物則包括陳獨秀、郭沫若、沈雁冰、瞿秋白、吳稚暉、沈澤民、林語堂等，魯迅對泰戈爾的訪華，也回報以嘲諷。

12魏時珍：《旅德日記》，載《少年中國》第 3 卷 4 期，1921 年 11 月。
13 郭沫若：《泰戈爾來華的我見》，載《創造週報》第 23 號，1923 年 10 月 14 日。

郭沫若根本否定泰戈爾的哲學可使東方民族起死回生。他把請泰戈爾以及羅素、杜威到中國講演都看作是好像"鄉下人辦神會，抬起神像走街一樣的熱鬧。但是神像回宮去了，他們留給我們的是些什麼呢？ —— 啊，可憐！可憐只有幾張誑鬼的符祿！然而抬神像的人倒因而得了了不少的利益。"[14]沈雁冰雖然表示敬重泰戈爾是一個人格潔白的詩人，但也明確表示"我們決不歡迎高唱東方文化的泰戈爾；也不歡迎創造了詩的靈的樂園的泰戈爾；我們歡迎的，是實行農民運動（雖然他底農民運動的方法是我們所反對的），高唱'跟隨著光明'的泰戈爾！"[15]對泰戈爾的來華，吳稚暉和林語堂也當頭給他潑了一盆冷水。吳稚暉諷刺泰戈爾所提倡的主張無異於把融合了大小乘佛教的詩篇，貼在城牆上抵抗敵人的機關槍；[16]林語堂則以一種居高臨下的嘲笑姿態，諷刺泰戈爾是因爲暗殺、革命、憲法改革都幹不了，或不想幹，於是才採取最無聊的精神安慰法。[17]瞿秋白則尖銳地指出泰戈爾要東方人對侵略者施以"慈愛寬恕"的"東方文明"的危害，認爲泰戈爾若真是"平民的歌者"，"奴隸的詩人"，就"應當鼓勵奴隸和平民的積極、勇進、反抗、興奮的精神，使他們親密友愛的團結起來，顛覆資本主義的國家制度。"[18]。沈澤民的批評則針對泰戈爾提出的"人類第三世界"的理論。按照泰戈爾的說法，所謂第三世界，就是重精神、主靜的東方文明最終戰勝重物質、主動的西方文明後出現的一個人與自然、宇宙和諧的真善美的世界。沈澤民認爲這種理想的第三世界是虛幻的，是冥想主義的，要達到這"第三世界"，泰戈爾的精神主義是行不通的，反之，倒應更加努力追求物質文明的發達。泰戈爾的這種主張，"可謂迷戀骸骨，與中國現在一般國粹派，毫無二致。這種思想若傳播開來，適足以助長今日中國守舊派的氣焰，而是中國

---

14 郭沫若：《泰戈爾來華的我見》，載《創造週報》第23號，1923年10月14日。
15 雁冰：《對於泰戈爾的希望》，載《民國日報·覺悟》，1924年4月14日。
16 吳稚暉：《婉告泰戈爾》，載《政治生活週報》，1924年4月27日。
17 林語堂：《一個研究文學史的人對於貴推該怎樣想呢》，載《晨報·副鐫》，1924年6月16日。
18 瞿秋白：《泰戈爾的國家觀念和東方》，載《嚮導》第61期，1924年4月11日》。

青年思想上的大敵！”[19]。這些論調未免有“誅心之論”的味道，與一般中國人的慈善之心不合了。

陳獨秀是其中一個最早將泰戈爾介紹到中國的人，也是批判泰戈爾最不遺餘力，批判文章寫得最多的人。這種前後態度的變化，與陳獨秀前後身份不同有關。介紹泰戈爾時，他是新文化運動的旗手，反對泰戈爾時，他已成爲共產黨的主要領導人，政治批判標準代替了文學批評標準。早在泰戈爾來華之前的三月份，陳獨秀就擬在《中國青年》上出一期反對泰戈爾的特號，後因故未果。泰戈爾來華之後，陳獨秀頻繁地在政治性刊物《中國青年》，《嚮導》上發表一系列批評泰戈爾的文章，對泰戈爾發起連續、猛烈的轟擊，猶如再現了當時只手打到孔家店時的風采。他從反封建、反傳統的立場，批評泰戈爾是個極端排斥西方文化、極端崇拜東方文化的人，說他只是“多放莠言亂我思想界，”只會導致中國社會的落後與挨打；而他抨擊科學及物質文明，奢談精神文化，無異於勸人“何不食肉糜”的昏君，和“牧師們勸工人‘向上帝求心靈的安慰勝過向廠主做物質的爭求’同樣混帳，像這樣顛倒乖亂，簡直是個糊塗蟲，還配談什麼‘愛’”。因而他不客氣地對泰戈爾說：“太戈爾！謝謝你罷，中國老少人妖已經多的不得了呵！”[20]陳獨秀在這裏所說的“老少人妖”實際上所指的就是中國當時正在進行的一場東西文化論爭中的那些文化保守派，其主要代表除梁啓超外，還有張君勱、章士釗、梁漱溟等。陳獨秀對泰戈爾的批評很多可以說是信口開河，具體聯繫，言辭也越來越激烈，政治色彩昭然若揭，即使在一些本與泰戈爾無關的文章中，也不忘順手把泰戈爾捎上幾句；甚至在泰戈爾早已離開中國的六月，他仍然寫了《詩人卻不愛談詩》、《太戈爾與金錢主義》，挖苦泰戈爾雖然自稱爲詩人，到中國後卻始終不談詩；雖然時時辯白自己反對物質主義，卻始終不曾放棄物質的享受。

---

19 沈澤民：《泰戈爾與中國青年》，《中國青年》，第 27 期，1924 年 4 月 18 日。
20 陳獨秀：《泰戈爾與東方文化》，載《中國青年》第 27 期，1924 年 4 月 18 日。

不瞭解的歡迎與不瞭解的批判

如今當我們再回首看看這些文壇前輩對一個印度老詩人、一個對中國人抱有好感的印度詩人的批評文字，不免有點難堪，且不論這些批評文字的藝術性、思想性，單從所用詞句的激烈，就覺得不免過分。

泰戈爾來時的中國，正是思想混亂，國勢衰弱的時代，在物質和精神兩方面可以說都正鬧著饑荒，所以對任何外來的思想家，包括在泰戈爾之前到中國的羅素、杜威和杜裏舒等，歡迎者或反對者都希望他們能帶來一種拯救中國的靈丹妙藥，帶著這種先入之見歡迎或反對這些外國思想家時就都會不由自主地具有某種盲目性，而對他們的思想學術本身並沒有什麼深入的瞭解。所以，中國思想文化界雖然出過什麼"羅素月刊"、"杜威五大講演"、"杜裏舒講演錄"，忙得個不亦樂乎，但他們所歡迎或反對的都談不上是什麼思想和學術。當時對泰戈爾的態度也是這樣，泰戈爾本是爲了恢復和發展中印兩國的友誼而來的，作爲一個外國人，他當然有權利保持自己的思想體系和思想方式，理應受到我們最熱烈的歡迎，卻不料受到如此激烈的攻擊，這是泰戈爾始料不及的。當然，他們這樣做有特殊的時代背景，也與他們自身對泰戈爾的理解有關。五四以來中國的東西文化之爭本來就不是什麼真正的文化之爭，而是在論爭什麼樣的文化可以強國，從這個角度講，泰戈爾作爲一位已經亡國的國家的詩人來給尙未亡國的中國人來上課，本身就不夠資格。當時的中國在物質、思想和文化方面正是青黃不接的斷糧時代，本應該廣納博收，大膽拿來，辨其是非，爲我所用，而很多反對者或歡迎者在並沒有對自己所反對或歡迎的人的思想和學術進行認真研究的前提下就出於主觀動機斷言其中必含有毒素或救世的良藥，不許別人贊成或反對，這完全是一種感情用事的不理智行爲。另外，反對或歡迎一種學說，應該就學說本身進行駁斥或讚揚，而不應脫離學說本身而歡迎或反對持這種學說者，尤其不應帶著個人的動機進行歡迎或批評；即使某個人的學說毫無可取之處，我們對於這個人的人格，也應當給予相當的尊敬，否則就是"醉翁之意不在酒"了。對泰戈爾持歡迎或反對態度者，不幸就是這樣的"醉翁"，他們對泰戈爾的歡迎或驅除，可以說都因爲不瞭解。所以說，泰戈爾這次訪華的不成功，就是由於他是在一個“錯誤的季節”帶著一種不適合中國國情的“救世福音”，又置身於一群不理解他的中國文化思想者（包括歡迎者和反對者）中間造成的，如今看來，只能說是一種時代的誤會。

這種誤會首先表現在對泰戈爾的思想主張本身的誤解，其中主要是泰戈爾在中國反復談到的以東方的精神文明戰勝西方的物質文明。有人就此批判他反對科學，而實際上，泰戈爾恰恰是因爲堅持拒絕抑制科學文明而長期得不到自己同胞的原諒的。早在泰戈爾訪華的四年前，當時在美國留學的馮友蘭問他對災難深重的中國有什麼拯救方法時，他就毫不猶豫地對後者說：“我只有一句話：快學科學！”[21]實際上，他一直在主張東方人學習西方科學來擺脫被壓迫的地位。在中國他也一再強調他所反對的只是不要把人降爲機器的奴隸，反對濫用科學，反對把科學凌駕於一切之上，也就是說，他反對的是畸形的物質文明，同樣，他也反對畸形的精神文明，而不是反對物質或精神本身。

第二種誤解是把泰戈爾看作中國國內正受到進步思想界批判的玄學派和研究系請來的援兵。1923 年 2 月，張君勱在清華園作了一次題爲“人生觀”的演講，表達了對當時國內流行的崇尚科學風氣的不滿。地質學家丁文江對此提出反駁，主張把科學應用到人生問題上去。張君勱與丁文江的這場論爭恰如一根導火索，在全國範圍內引發了一場“科學與玄學的大論戰”，許多思想文化界的名人都捲入了這場論戰，如胡適、吳稚暉支持丁文江，張東蓀、杜宰平支持張君勱，而陳獨秀、瞿秋白則運用馬克思主義的觀點對論戰雙方都進行了批判。梁啓超則貌似不偏不倚，實際上袒護“玄學鬼”張君勱。一直到這一年的 12 月，胡適與陳獨秀還在就這個問題進行著激烈的爭論，而泰戈爾答應來華的時間恰好就在論爭正激烈的時候。泰戈爾訪華實際上只不過是又一個導火線，將這場國內的思想論爭，引向了一個新高潮而已。

泰戈爾來華前後中國思想文化界這種特定的接受情境，這種複雜的政治和思想界的關係，是泰戈爾這個初來乍到的外國詩人所難以瞭

---

21 馮友蘭：《與印度泰穀爾談話》，載《新潮》第 3 卷 1 號，1921 年 10月 1 日。

解的，卻不幸爲此背上了黑鍋，而使其背上這個黑鍋的主要人物是梁啓超，不少人認爲梁啓超正是因爲在國內論戰中失敗了，所以才拉來這位與他觀點一致的世界重量級大師爲他撐腰，而出面邀請泰戈爾的恰恰又是梁啓超所主持的講學社，而對泰戈爾來華最熱心宣傳的《晨報》又是梁啓超主持的研究系的機關報，這些都難免使人把泰戈爾來華與梁啓超緊密地聯繫起來。聯繫起來倒沒錯，錯的是把泰戈爾來華只看成是來幫助梁啓超"打仗"，錯的是把他與"玄學鬼"、"研究系"掛上了鉤，如陳獨秀在《泰戈爾與金錢主義》中就說："太戈爾一到北京，竟染上了軍警和研究系的毛病，造謠誣陷而已。"另外一個必須瞭解 — 但被很多人忽視 — 的背景是：即使沒有講學社，梁啓超也有責任歡迎泰戈爾訪華。據徐志摩說，他和梁啓超是一九二一年在倫敦成立的國際著作者協會的兩名最早的亞洲名譽會員，而這個組織的宗旨，就是爲了"著作家遊歷時，各部應相互招待，敦睦友誼。"但大多數人並不知道這層關係，梁啓超一出面接待泰戈爾，後者就不知不覺間沾上了晦氣。

第三種誤解是把泰戈爾提倡東方文明，反對西方文明看作是站在崇古復古的立場上反對現代化，是美化封建秩序和封建意識，是抹殺階級和階級鬥爭觀點，是以抽象的人性論腐蝕人們的鬥志。中國當時最迫切的任務是反帝反封建。各帝國主義國家通過自己在中國內部所支持的軍閥勢力大肆擴張在中國的勢力，一時間軍閥混戰，民不聊生，孫中山這時在中國共產黨的推動下完成了對國民黨的改組，正準備北伐，所以中國人民此時最重要的是團結起來，積極參加即將到來的國民革命。而泰戈爾這時在中國到處宣傳以愛對抗暴力，大談精神文明，博愛主義，這讓那些革命者看來就是在消磨人們的革命意志，所以覺得有必要亮明自己的觀點，以消除泰戈爾的宣傳所造成的副面影響。泰戈爾對中國的這種國情不很瞭解，到中國後只一心宣傳自己的主張，很少談到愛國主義和民主主義的主張，而歡迎者如徐志摩、胡適等又都是帶著自己的思想傾向向人們介紹泰戈爾，費盡心機把泰戈爾打扮成一位超凡入聖的神仙，而使人忽視了他實際上是一個熱愛生活的凡人；他們還閉口不談泰戈爾思想中反抗帝國主義侵略和封建主義的一面，而只一味地誇大他反對西方物質文明，提倡東方的精神文明，結果人們就覺得泰戈爾的全部思想就只有一個“愛”字，他們越這樣宣傳，反對者就越要進行攻擊以消除不良影響，結果論爭就不可避免地越來越激烈和尖刻。

第四種誤解是把泰戈爾看成某種政治勢力的代表。在來中國之前，泰戈爾並非毫無顧忌，他擔心自己作爲一個詩人，對災難深重的中國不會有多大實質性的幫助：“只做什麼無聊的詩歌，我如何對得起中國盼望我的朋友？”[22]而實際情況是，如果他到中國只談詩，他的處境可能要好得多。而一部分中國知識份子，特別是有政治背景的人，在泰戈爾身上看出的、或希望從泰戈爾來華所得到的，恰也不是他詩歌方面的成就，而是他此行所帶有的救國濟世的使命。如孫中山就親筆給泰戈爾寫信邀請他來華。1924 年 4 月，泰戈爾來華途經香港，孫中山即從廣州派人去看他，告知他自己有病，不能相會，並說：“中國的生命中心是在北京，印度代表的工作應該從北方開始”。[23]在孫中山等人看來，泰戈爾與甘地一樣都是印度革命的領袖，泰戈爾此行並非是以詩人身份來中國單純遊歷，而是帶著自己的什麼濟世良方來中國宣傳一種救國救世的道路的，是作爲一個救世主的身份來中國佈道招徒的，是來中國“開展工作”的。而泰戈爾似乎惟恐人們這樣看他，所以他在四月十八日在上海的首次公開講演中，就首先聲明他訪華的目的。他說他此次來中國，並非是旅行家的態度，爲瞻仰風景而來；也並非是一個傳道者，帶著什麼福音；只不過是爲求道而來的。好像是一位進香人，來對中國文化行敬禮；但他接著說到，他不曾想只看見工業主義、物質主義正日益吞噬著高尚的精神文化，因而驚呼中國文明面臨危機。[24]泰戈爾在中國的談話和講演中，就是這樣一方面強調自己的詩人身份，一方面又處處流露、切切宣揚東方文明優於西方文明，而在當時以救亡圖存、科學救國爲宗旨的知識份子看來；這種

---

22 載《小說月報》第 15 卷 8 號，1924 年 8 月 10 日。

23 引自（印）海曼歌·比斯瓦斯《泰戈爾與中國》，載《人民日報》1958 年 5 月 8 日。

24 泰戈爾：《東方文明的危機》，載《文學週報》，第 118 期，1924 年 4 月 21 日。

主張無異於一種不抵抗主義、一種亡國奴哲學。遺憾的是，甚至在受到激烈批評後，泰戈爾仍對中國當前的物質主義表示不解。1924 年 5 月 29 日在上海慕爾鳴路三十七號園會上所作的告別辭中他就說："你們一部分的國人曾經擔著憂心，怕我從印度帶來提倡精神生活的傳染毒症，怕我搖動你們崇拜金錢與物質主義的強悍的信仰。我現在可以吩咐曾經擔憂的諸君，我是絕對的不會存心與他們作對；我沒有力量來阻礙他們健旺與進步的前程，我沒有本領可以阻止你們人們奔赴貿利的鬧市"。[25]這些話顯然是要讓中國人放棄追求強國的目標，而一味在阿 Q 式的精神勝利法中聊過時日。在國危民間的時代背境下，泰戈爾的這種聲音在大多數中國人聽來難免覺得刺耳難耐，就是對他表熱烈歡迎的人，也感覺到這些話在中國這樣的背景下確實有點虛妄，如徐志摩就這樣說過："我自己聽他講的時候，我覺得慚愧，因爲他鼓勵我們的話差不多是虛設的。他說我們愛我們的生活，我們能把美的原則應用到日常生活上去，有這回事嗎？我個人老大的懷疑，也許在千百年前我們的祖宗當得起他的稱讚，怕不是現代的中國人。"[26]而有左翼背景、正鼓勵民眾通過艱苦的奮鬥改變中國黑暗現實的知識份子，聽到泰戈爾這番話就難免發火了，所以他們對泰戈爾的批評也最激烈，而他們的批評文章也不難看出其政治色彩。茅盾在晚年寫的回憶錄《我走過的道路》中曾談及自己當時爲什麼寫反對泰戈爾的文章，他說："當時，就太戈爾之來中國宣傳‘東方文化’，而表示反對者，有好多人寫文章，發表的地方也不光是《覺悟》。這是回應共產黨對太戈爾的評價，也是對別有動機而邀請泰戈爾來中國‘講學’的學者、名流之反擊"。

這就表明，泰戈爾來華成了當時國內的各種政治勢力表明自己立場和態度的一個導火索了。茅盾在這裏所說的"邀請泰戈爾來中國‘講學’的‘學者、名流’"，顯然是指那些對泰戈爾竭誠歡迎的知識份子或政界名要，如將泰戈爾比作千年前的鳩摩羅什的梁啓超，稱泰戈爾

25 載《小說月報》第 15 卷 8 號，1924 年 8 月 10 日。
26 載《小說月報》第 15 卷 10 號，1924 年 10 月 10 日。

“老戈爹”的徐志摩，其他還有辜鴻銘、溥儀、陳三立、齊燮元等，而這些人當時所代表的思想本就已受到了激進知識份子的反對，泰戈爾與他們朝夕相處，吟詩唱和，難免要沾點晦氣。魯迅先生就曾語帶譏刺地說過：“印度的詩聖泰戈爾先生光臨中國，像一大瓶香水似的很熏上了幾位先生以文氣和玄氣”。[27]而陳獨秀則因此而直接罵“太戈爾是一個什麼東西”：“太戈爾初到中國，我們以爲他是一個懷抱東方思想的詩人，恐怕素喜空想的中國青年因此更深入魔障，故不得不反對他，其實還是高看了他。他在北京未曾說過一句正經，只是和清帝、舒爾曼、安格聯、法源寺的和尙、佛化女青年及梅蘭芳這類人，周旋了一陣。他是一個什麼東西！”[28]

泰戈爾首先是個文學家，但卻將他看作一個救世主，或把他與錯綜複雜的政治因素聯繫，誤解與批判就難免了。

泰戈爾的這次來華在中國思想文化界引起的爭論範圍之廣，持續時間之長，影響之大，是中外文化交流史上一個不容忽視的現象。這次論爭也是當時國內正深入開展的新與舊、中與西文化論爭的一個內在組成部分。論爭促進了中印兩國思想、文化的交流，促進了中國新文學運動的發展，加深了國人對東、西文化的理解和認識。泰戈爾來華引起的爭論，實際上也涉及到如何對待外來文化、文學這個中外文化、文學交流中的根本性問題，其意義遠遠超出泰戈爾與中國，印度文化、文學與中國的關係問題。這次爭論的成敗得失，對我們今天研究中外文化、文學關係，也不失爲一個可貴的參照。

---

27 魯迅《論照相之類》。
28 陳獨秀：《泰戈爾是一個什麼東西》，載《嚮導》第67期，1924年5月28日。

下編

書與人

下編 書與人

胡適與泰戈爾

胡適晚年說過："我的相很難畫"，這確是自知之明之論。他的身上，可以說濃縮了現代中國豐富多彩的文化和政治特徵。作爲新文化運動的急先鋒，胡適拉開了中國現代化的大幕，但是，作爲舊時代的最後一位送葬者和新時代的最初的一位先知，胡適在走著這條前人沒有走過的道路時，難免要帶上過渡時代的鮮明印記，注定要被新舊兩個時代的人誤解。無論是他活著還是身後，真可謂是"天下何人不識君？"但"真識君者有幾人？"長期以來，在他那巨大的身影的壓迫下，在某種外在的批判標準的籠罩下，我們竟不敢直視或故意斜視他還是一個實實在在的人。他曾被稱頌爲"聖人"，"當今孔子"，也曾被痛罵爲"國賊"、"人民公敵"，而事實上，他既不是鬼，也不是神，而是像我們一樣有七情六欲、喜怒哀樂、有感情有理性、有歡樂有痛苦、有優點有缺點的活生生的人。但他這個普通人與一些普通人不同的，是他渴望真誠的理解，渴望與人開誠佈公的交流，渴望與人肝膽相照，渴望人人都能選擇他自己的人生道路，也就是說，他歷來是寬以待人，站在別人的角度考慮問題的，爲此他說過違心的話，做過違心的事，也爲後人留下一個難解的謎，但這才是真正的胡適，若我們能把胡適還原到這樣一位普通人的立場來看歷史上的這些謎，就應該能夠找到一個比較容易使人接受的答案。1924 年 4 月泰戈爾來華前後胡適表現出的矛盾態度，也就可以得到很好的解釋了。

一

泰戈爾是應中國講學社的邀請來華訪問的，他當然是抱著文化交流的良好目的來的，沒想到到了中國之後，卻在中國思想文化界引起了軒然大波。以陳獨秀、瞿秋白、茅盾等爲代表組成了“驅泰大軍”，“激顏厲色要送他走”，而梁啓超、徐志摩等人則組成了“保泰大軍”，千方百計爲他辯護，一時間唇槍舌劍，一場鏖戰。在這場論爭中，胡適所扮演的角色顯然是令人費解的。

泰戈爾是先到上海，然後經由南京、濟南、天津到北京的，自泰戈爾到京後，胡適的名字就常常出現在關於泰戈爾的報導中。在京期間，胡適雖然沒有像徐志摩那樣與泰戈爾朝夕相處，但北京各界歡迎泰戈爾的重大活動他都參加了，如到火車站去接泰戈爾，陪伴泰戈爾游北海，參加北京學界爲歡迎泰戈爾在海軍聯社舉行的公宴，與徐志摩、林徽因一起陪詩人在草坪散步，開茶會，主持泰戈爾六十四歲的生日和命名典禮，稱他是“代表印度的最大人物”，後來徐志摩爲表示對反對泰戈爾者的抗議決定罷譯（泰戈爾在華講演基本上都是徐志摩翻譯的）後，胡適還承擔了翻譯的任務，對泰戈爾可謂恭敬之極，執盡弟子之禮。

泰戈爾原計劃在北京講演六次，但沒想到第一次公開演講時就有人散發傳單要攆他走，使得賓主都很難堪。在這種情況下，胡適“挺身而出”，對批評泰戈爾的人進行反批評。

5 月 10 日上午，泰戈爾在真光影戲院對北京青年學生進行第二次公開演講。在正式演講前，胡適慨然登臺，對國內的這股反泰力量進行警告。他說：

“外國對於泰戈爾，有取反對態度者，余於此不能無言。余以為對於泰戈爾之贊成或反對，均不成問題，惟無論贊成或反對，均需先瞭解泰戈爾，乃能發生重大之意義，若並未瞭解泰戈爾而遽加反對，則大不可。吾嘗亦為反對歡迎泰戈爾來華之一人，然自泰戈爾來華之後，則又絕對景仰之，蓋吾以為中國乃一君子之國，吾人應為有禮之人。今泰戈爾乃自動地來中國，並非經吾人之邀請而來，吾人自應迎之以禮，方不失為君子國之國民。同時泰戈爾為印度最偉大之人物，自十二歲起，即以阪格耳之方言為詩，求文學革命之成功，歷五十年而不改其志。今阪格耳之方言，已經泰氏之努力，而成為世界的文學，其革命的精神，實有足為吾青年取法者，故吾人對於其他方面縱不滿足於泰戈爾，而於文學革命一段，亦當取法於泰戈爾。”[1]

但胡適的警告似乎並沒奏效，因爲在泰戈爾這次演講過程中，還是有人散發驅逐泰戈爾的傳單，名爲“送泰戈爾”。

泰戈爾因爲國內這股反對的力量太強而決定提前結束自己的北京之行，把原定的六次演講縮減爲三次。5 月 12 日，他發表了在京的第三次演講，實際上也等於他對北京的告別辭。在泰戈爾正式演講前，徐志摩先登臺作了對反對泰戈爾者進行譴責的演說，隨後作爲配合，胡適針對在講演場上多次出現的反對泰戈爾的傳單問題進行了辯護性的解釋。他直截了當地說：

“前天會場中發現‘送泰戈爾’的傳單，我看了很感覺不快。”

第一，傳單中說，研究系因爲去年玄學與科學的論戰失敗了，所以請這位老祖師來替他們爭氣。這話是沒有事實的根據的。去年玄學科學的論戰起於四月中旬，而泰戈爾的代表恩厚之君到北京也在四月中旬，那時北京大學因爲種種的困難不能擔任招待泰戈爾的事，所以恩厚之君才同講學社接洽，我於四月二十一日南下，那時泰氏來華的事，已接洽略有頭緒了。我也是去年參加玄學科學論戰的一個人，我可以說，泰戈爾來華的決心定於這個論戰未發生之前；他的代表來接洽，也在這個論戰剛開始的時候。我以參戰人的資格，不能不替我的玄學朋友們說一句公道話。

第二，傳單中說：‘激顏厲色要送他走’。這種不容忍的態度是野蠻的國家對付言論思想的態度。我們一面要爭自由，一面卻不許別人有言論的自由，這是什麼道理？假使我因爲不贊成你的主張，也就‘激言厲色要送你走’，你是不是要說我野蠻？主張儘管不同，辯論儘管激烈，但

---

1 《晨報》1924 年 5 月 11 日。

若因爲主張不同而就生出不容忍的態度或竟取不容忍的手段，那就是自己打自己的嘴巴，自己取消鼓吹自由的資格。自由的真基礎是對於對方的主張的容忍與敬意。況且泰戈爾先生的人格是應該受我們的敬意的。他的文學革命的精神，他的農村教育的犧牲，他的農村合作的運動，都應該使我們表示敬意。即不論這些，即單就他個人的人格而論，他的慈祥的容貌，人道主義的精神，也就應該命令我們的十分的敬意了。”[2]

胡適的這些話都是有所指的。泰戈爾來華引起的爭論的焦點是以科學爲基礎的西方文明與注重精神的東方文明的關係問題。而實際上早在泰戈爾來華前，中國國內已經就這個問題開始了激烈的論戰。在這場論戰中，胡適始終是旗幟鮮明地鼓吹科學的人生觀的。實際上，早在1922年3月25日，他就在北京的政法專門學校做過“科學的人生觀”的講演，明確表明了自己主張科學的態度，這比張君勱幾乎早了一年。後來在爲亞東圖書館出版的《科學與人生觀》一書作的序中，他又借批判梁啓超在《歐遊心影錄》中提出的“科學破產論”，明確表示自己要“大聲疾呼出來替科學辯護”，因爲中國目前“還不曾享着科學的賜福，更談不到科學帶來的‘災難’。我們試睜開眼看看：這遍地的乩壇道院，這遍地的仙方鬼照相，這樣不發達的交通，這樣不發達的實業——我們哪里配排斥科學？……我們當這個時候，正苦科學的提倡不夠，正苦科學的教育不發達，正苦科學的勢力還不能掃除那迷漫全國的烏煙瘴氣——不料還有名流學者出來高唱‘歐洲科學破產’的喊聲，出來把歐洲文化破產的罪名歸到科學身上，出來菲薄科學，歷數科學家的人生觀的罪狀，不要科學在人生觀上發生影響！信仰科學的人看了這種現狀，能不發愁嗎？”[3]

泰戈爾最初答應講學社於1923年10月來華，而這個時候科學派、玄學派以及陳獨秀爲代表的馬克思主義派的爭論正處於白熱化階段，一直到這一年的12月，胡適與陳獨秀還在就這個問題進行著激烈的爭論，泰戈爾答應這個時候來華，有人把他與這場論戰聯繫起來似乎也有一定的道理。作爲研究系和“玄學鬼們”的精神領袖，歐遊回國後的梁啓超

2　《晨報》1924年5月13日。

3　《科學與人生觀》“序二”，遼寧教育出版社，1998年3月。

以及張君勱、章士釗、梁漱溟等一直在和胡適、陳獨秀這樣主張西化的知識份子進行著論戰，很自然地，這場科學與人生觀的論戰很快就又發展成爲東、西文化的論戰。當泰戈爾踏上中國的土地時，這新一輪的論戰已經進行得如火如荼了，而胡適早在 1923 年 4 月就已針對梁漱溟鼓吹東方文化的著作《東西文化及其哲學》寫了一篇批判文章《讀梁漱溟先生的〈東西文化及其哲學〉》，毫不客氣地批判梁漱溟關於東、西文化的論調“只是閉眼的籠統話，全無‘真知灼見’”。

二

現在的問題是，歷來在批判傳統文化時非常激進、與梁啓超等在東、西文化問題上又有過針鋒相對的交鋒的胡適爲什麼在歡迎泰戈爾時卻又時時與梁啓超互相配合，而且不但不藉機落井下石，反而親自出面爲自己的“玄學朋友們說一句公道話”，而由他出面澄清這個問題，無疑比梁啓超聲明一千遍還更有說服力。難道泰戈爾的來華使胡適徹底改變了自己的立場？難道他對泰戈爾這個東方文明的鼓吹者真的完全認同了？我們顯然很難找到足以讓人信服的根據，在泰戈爾來華前後他的思想也不可能發生這麼大的轉變。泰戈爾在世界上贏得的大名與他在歐美演講時大肆宣傳東方文明因而大受歡迎很有關係，胡適對這些當然是知道的，但卻頗不以爲然，因爲他認爲西方人歡迎東方文明是出於一種“博物館心理”，他們所樂聞的是太極、風水、八卦、命相這類帶有神秘意味的東方精神文明，是爲了滿足他們在西方已很難滿足的懷舊感，客觀上是希望東方越落後越好。1926 年 7 月，因爲中英庚款顧問委員會在英國開會，胡適取道西伯利亞，有歐美之行，有很多歐美團體準備邀請他去演講，但他都拒絕了，因爲他認爲自己對東西文化的看法不會像泰戈爾那樣受到歐美人的歡迎，這在他於這一年的 9 月 5 日寫給韋蓮司的一封信裏說得清清楚楚：“要是我去美國，我不想作公開演講。我唯一的目的是去看老朋友，我沒有任何東西可以告訴美國人民。到目前爲止，我還沒有找到我要在英國演講的合適題目。……要是我發現自己假裝有什麼真知灼見要帶給西方世界，我覺得那是可恥的。當我聽到泰戈爾的演說，我往往爲他所謂東方的精神文明而感到羞恥。我必須承認，我已經遠離了東方文明……一個東方演說者面對美國聽眾時，聽眾所期望於他的，是泰戈爾式的資訊，那就是批評譏諷物質的西方，而歌頌東方的精神文明……相反的，我寫了一篇文章（離開中國前剛發表），在這篇文章裏，我指責東方文明是完全唯物而又沒有價值的，我讚揚現代西方文明能充分滿足人類精神上的需要。誠然，我所給予東方文明的指責，比任何來自西方的指責更嚴苛，而我對西方現代文明的高度評價，也比西方人自己所說的更好。這樣出乎常理的意見，一定會讓那些對泰戈爾這種人趨之若鶩，而又期望聽到所謂'東方'資訊的人感到失望和震驚。"[4]胡適信裏提到的文章是指他在 1924 年 6 月 6 日完稿的《我們對於西洋近代文明的態度》，在這篇文章裏，胡適旗幟鮮明地批判了國內外保守的思想界的病態心理與錯誤議論"正投合東方民族的誇大狂，東方的舊勢力就因此增加了不少的氣焰"；他以新中國知識界領導人物的胸懷鼓勵國人走出這些"老少人妖"散佈的東方文明妙不可言的迷霧，對西方文明採取正確的態度。他針對東方文化的吹捧者批評西方文化的理論根據：西洋文明爲唯物的，東方文明爲精神的，具體而有說服力地指出這是一種偏見，其目的只是用來捍衛東方文化的吹捧者"變態的"精神上的優勢，而實際上西方文明決不輕視人的精神和心靈上的種種要求，它能滿足人精神和心靈上要求的程度，決非東方舊文明所能比。[5]胡適的這種觀點和當時國內正激烈地批判泰戈爾的人，如陳獨秀，是一致的，而後者剛開始也是把胡適看作自己的同路人，如 1924 年 4 月 9 日，陳獨秀曾給胡適寫信，要他爲共產黨辦的刊物《中國青年》的"反對泰戈爾"專號寫文章，可見陳獨秀此時是把胡適看作自己文化宣傳工作上的戰友的。

胡適這篇文章寫成的時間距他發表爲泰戈爾辯護的言辭還不到一個月，所以若說他當時對泰戈爾的歡迎是毫無保留的恐怕不實，至少他說這些話時內心是有矛盾的，但是否就能據此說他對泰戈爾的歡迎是違心的；或者就像郭沫若所批評的那樣是出於一種慕名的衝動，一種崇拜偶像的衝動；[6]或者說是附庸風雅，甚至可以說他虛僞，兩面派，這些說法

---

4 《胡適與韋蓮司：深情五十年》，周質平著，北京大學出版社，1998 年，第 61 頁。
5 《現代評論》第 4 卷第 83 期，1926 年 7 月 10 日。
6 《泰戈爾來華的我見》，《創造週報》第 23 號，1923 年 10 月 14 日。

顯然都不符合胡適的學問之道和做人之道，倒是他其中的一句話暗含了他歡迎泰戈爾的一個真實動機：中國是禮儀之邦，而泰戈爾又是世界上偉大人物，並且是自動到中國來的，出於一番好意，所以不論歡迎還是反對，在禮儀上應該符合“禮儀之邦”的身份。這才是生性寬容，又受過美國自由主義文化和政治訓練的胡適爲人處世的基本態度，這就像他既激烈批判中國舊的婚姻制度但又遵母命成婚並且一生不渝一樣，就像他既說過贊同“全盤西化”的話，但最愛鑽的還是中國的國學舊紙堆一樣，都是一個懂得人生的喜怒哀樂的活生生的人在正常的心態下所採取的正常的人生態度和學術態度，是一種求真、求自由的做人原則，雖然因此被人冠以“膽小君子”的桂冠，但本性難移。不論任何爭論，“主張儘管不同，辯論儘管激烈”，但卻不應傷和氣，不應拒絕別人說話的權利，“容忍比自由還重要”，而現在反對泰戈爾者連別人說話的自由都要剝奪，當然就談不上什麼容忍，這決非君子所應爲也。他這種做法就像中國人待客，雖然心裏可能不完全樂意，但出於禮貌照樣還是把客人照顧得滿意而回，這當然不能說是虛僞，而是爲中國人所廣泛認同的最基本的做人之道，是一種“禮”。

但胡適畢竟是有自己的原則和思想的，他對泰戈爾的歡迎當然絕對不只是出於這樣一種純樸的待客之道，他有自己的歡迎“動機”和角度，這個角度當然不是泰戈爾所宣揚的東方文明，而是因爲泰戈爾是一個實際的語言革新者，是文學革命的先驅，而胡適留美歸國後所取得的最大成就也是在文學革命方面，特別是在語言革命方面。胡適說自己當初“亦爲反對歡迎泰戈爾之一人”，這也是實話，但泰戈爾來華以後他就是因爲找到了這個認同點而一變成爲泰戈爾的歡迎者。實際上，胡適歡迎泰戈爾的這個角度在當時是有一定的代表性的，這些人往往受過西方的教育，認爲泰戈爾是西方文明的敵人，是科學思想和物質進步的反對者，是頑固守舊的過時人物。所以當他們聽說泰戈爾要來自己的國家遊歷時，第一個反應是敵意的，可當泰戈爾在中國與這樣的知識份子見過面後，這些知識份子突然發現泰戈爾原來在某些方面是與自己完全一致的，他們的態度於是爲之一變，由反對者變爲積極的歡迎者，這一點連隨同泰戈爾來華的英國人恩厚之都注意到了，他後來記載了這樣一個戲劇性的場面："當我們與北京的學者相會時，中國進步分子突然感到他們與泰戈爾思想有著巨大的一致性。同那時代的但丁與喬叟一樣，泰戈爾與胡適兩人都決心採用人民的口語作爲文學表達的普通工具，以替代掌握在有限學者階層手裏的經典語言。一位激進的中國學者從飯桌的另一端躍起，擁抱泰戈爾，並用充滿激情的語調說：現在，他不僅同泰戈爾一道分擔共同經歷的痛苦，而且也分擔傳統文化的衛道士親手製造的苦難。"[7]

胡適對泰戈爾的這種有保留的歡迎實際上表明了他對泰戈爾的思想有誤解，至少可以說他對泰戈爾的理解是片面的。這也正應了他在批評泰戈爾的反對者時所說的話："無論贊成或反對，均需先瞭解泰戈爾，乃能發生重大之意義，若並未瞭解泰戈爾而遽加反對，則大不可。"

---

7 《泰戈爾傳》，（印）克裏希那·克裏巴拉尼著，倪培耕譯，灕江出版社 1984 年 9 月，第 383、384、385 頁。

喬治·摩爾與《我的死了的生活的回憶》

喬治·摩爾（George Moore, 1852－1933）是愛爾蘭人，一生對愛爾蘭的文藝復興做出過很大的貢獻。從文學創作樣式上看，摩爾也進行了很多嘗試，雖然就某一方面來說，如在戲劇創作方面，他不如王爾德的成就高，但在一個探索比成熟更重要的過渡時代，摩爾顯然更帶有一個時代的特徵，也更具有文學史的意義。

摩爾的作品。既有唯美主義的、自然主義的、象徵主義的、印象主義的、意識流的，也有現實主義的，強烈的民族情緒也影響過他的創作，從他的作品，可以看出一個時代的創作風貌，而這是王爾德所不能相比的。

摩爾是在二十世紀初與英國唯美主義文學思潮一起到達中國的英國作家，雖然他沒有像王爾德那樣在中國引起那麼大的轟動，但在中外文學交流史上卻也具有不可磨滅的地位，對中國現代文學的發展也產生了獨特的影響，特別是他的唯美主義思想。當然，喬治·摩爾對中國作家的影響並不很大，實際上，在中國新文學的第一個十年期間，摩爾幾乎是個無人問津的英國作家。直到 20 年代末和 30 年代初，他才受到某些中國作家的青睞，尤其以邵洵美爲主的“獅吼社”對他的介紹最爲賣力，其中又以邵洵美爲最真心的崇拜者。正是出於這種崇拜之情，邵洵美在主持《獅吼》和《金屋月刊》兩個刊物期間，對喬治·摩爾進行了迄今爲止最爲集中、系統的介紹。1928 年 8 月 16 日，在《獅吼》半月刊復活號上，邵洵美發表了《純粹的詩》一文，對喬治·摩爾的純詩理論作了詳細介紹；稍後，邵洵美又翻譯了他的短篇小說《信》（1928 年 11 月《獅吼》第九期）；回憶錄《我的死了的生活的回憶》（片斷）（1929 年 1 月《金屋月刊》第 2 期），在 1929 年 5 月，他又在金屋書店出版了這個中譯本；小說《和尙情史》（1929 年 2 月《金屋月刊》第 2 期）；在 1930 年 6 月出版的《金屋月刊》第 1 卷第 9、10 期合刊號上，邵洵美還發表了《George Moore》一文。除了邵洵美外，其他人如曾虛白、費鑒照、招勉之等也都對喬治・摩爾有所介紹，但都不如邵洵美那麼專心致志，喬治・摩爾能爲中國人所認識和接受，主要得力於邵洵美。

然而，自那之後，作爲頹廢作家的喬治·摩爾就慢慢從中國人的視野中消失了，直到到了我們又能從文學的角度審視外國文學與中國文學的關係時，喬治・摩爾才又和其他英國唯美主義作家一起重新受到我們的關注。但對摩爾本人來說，他的實際文學成就和他在中國以及世界上其他國家所受到的重視程度並不成正比，比如在中國人寫的外國文學史教材中，大多對摩爾隻字未提，倒是翻譯過來的外國人寫的文學史教材略爲點到，但也只是生平創作簡介而已。在中外文學交流愈來愈成熟全面的今天，應該是我們重新介紹和研究他的時候了。

喬治·摩爾是個自然的文學家，也是個富於想像力的作家。他天生不會按照別人給他安排好的道路循規蹈矩地走下去，而是不受任何成規的羈束按照自己的意願自由發展自己的天才，是天生和整個時代不合拍的人物。他在學校讀書時沒有按照老師和家長的期望成爲一個好學生，而總是被老師分在最差的班級，而又總是班裏最差的一個學生，結果惹得校長不止一次給摩爾的父親寫信說："喬治的情形確實很糟糕，" 但他同時也想讓摩爾的父親幫他弄清楚一個困惑：摩爾是學不會（Could not），還是不願學（Would not），因爲只要是與書本無關的事，摩爾都表現出很高的天分。實際的情況確是如此。摩爾能夠學好任何一種他想學的東西，但任何一種別人給他選擇好的東西他都學不好。他對知識的渴求來得快去得也快，像田野裏倏忽而逝的風。這是一種誰也不能理解的性格。他父親常常把他關在臥室裏讓他專心學習拼寫，但這一切努力最終都證明無濟於事。他父親最終放棄了對他的努力，並對妻子說："喬治只是個 Chrysalis（蝶蛹），我們不知道他能不能變成一隻飛蛾或蝴蝶"。但令他震驚的是，他的兒子雖然不會拼寫，卻對 "平庸的詩" 很感興趣，如雪萊的詩。實際上，摩爾所缺少的就是對一切約定俗成的東西的接受能力，而就是這種缺乏成就了他這樣一個獨行不羈的天才。他有一顆處女般的心，一顆優美絕倫的心，他生命的能量來自生生不息的大自然。他主張一切都應返回自然，自然才是藝術的源泉，自然才是最偉大的藝術，若沒有藝術，沒有源於自然的情感的源泉，人不會變得更美好。正是基於這種信念，他不無絕望地喊道："眼下的時代是個沒有藝術的時代，因爲機器正在取代阿波羅的偉大天才，也就是說機械文明正日益取代藝術的靈感。"他對藝術的看法也很獨特，他認爲藝術不取決於和諧與對稱，而來自於觸覺，沒有觸覺，就沒有繪畫藝術、文學、音樂；藝術不在腦子裏，而在手上。他的意思，是說人只有先與自然接觸，與鮮活有力的自然生命相接觸，才能觸到藝術的真正源泉，才會創作出真正的文學藝術作品。正是因此，他嚮往文藝復興時期，嚮往當時天才們的無羈無束的創作活力；他也嚮往前拉斐爾派，嚮往密萊西、米勒、羅塞蒂對藝術的獨特理解。他不無自豪地宣稱：技匠成爲時髦的時代不會久遠，雖然目前自然與藝術的和諧暫時消失了，但不久這種和諧就會出現。

對摩爾的人生觀、藝術觀影響最大的是他在巴黎學畫的十年（1872－1882），這十年間，他深受法國唯美畫風的影響，而在同時的英國，以王爾德和《黃面志》爲中心的唯美主義文學正盛。就是在這樣的文學背景下，摩爾形成了以唯美主義爲主，兼顧其他藝術風格的藝術特點。在這十年間，他還廣泛結交巴黎文人名士，尤與馬拉美最爲相知。他稱馬拉美爲文壇聖人，說他一生中從未嫉妒過一個人，沒有說過一個人的壞話，從沒有憤恨和不滿；他在巴黎的藝術圈子裏，地位就像耶穌死後的彼得和約翰的地位一樣。馬拉美在當時已是聲名鵲起的象徵派詩人，摩爾與他志趣相投，從中不難看出他的藝術旨趣。巴黎十年學畫，用摩爾的話說是在作畫上一事無成，但在文學上，他就是在這段時間內初露鋒芒的，其間，他出版了兩本詩集：《情欲之花》（Flowers of Passion，1878）和《異教徒詩集》（Pagan Poems，1881）；隨後他又發表了一系列的詩、劇、評論，自傳《一個青年人的自白》（Confessions of a Young Man, 1888）。十年學畫的經歷和知識，使摩爾獲益匪淺。之後他不但憑依這些知識做過報紙專欄的藝術評論家，而且還在 1893 年出版過《現代繪畫》一書。1899－1902 年間，英國發動對布林人的戰爭，摩爾爲表抗議，於 1899 年離開英國返回愛爾蘭。摩爾從小受的是天主教教育，但當他返回愛爾蘭時卻變成了清教徒，並投身於愛爾蘭的文藝復興運動，其突出的成就是籌建了愛爾蘭國家劇院。對摩爾來說，在愛爾蘭的歲月是懷舊的歲月，其著名的三部曲《致敬和告別》（Hail and Farewell，1911—1914，包括"歡迎"、"歡呼"、"再見"），就是對自己以往生活的坦率的自我揭示。1894－1911 年間，摩爾回到倫敦，其間又出版了兩部小說集《獨身者》（Celibates, 1895），《未開墾的土地》（The Untilled Field, 1903）；以及小說《伊維琳 · 伊尼絲》（Evelyn Innes, 1898）及其續篇《特麗薩妹妹》（Sister Theresa, 1901）和回憶隨筆《回憶印象派畫家》（Reminiscences of the Impressionist Painters, 1906）；在倫敦的日子裏，摩爾還被稱爲文壇聖人，但不是因爲他在宗教方面做出了什麼了不起的聖績，而主要是因爲他出色地創作了一部以耶酥爲題材的小說《凱裏斯溪》（Brook Kerith, 1916）。他的其他一些作品還包括短篇小說集《說書人的假期》（A Story-Teller's Holiday 1918），隨筆集《埃伯利街談話錄》（Conversations in Ebury Street, 1924），小說《愛洛伊絲和阿貝拉》（Heloise and Abelard, 1921），劇本《創造不朽者》（The Making of an Immortal, 1927）等。

在摩爾創作正值高峰時期，也正是法國以左拉爲代表的自然主義文學日盛的時期，摩爾幸逢其世，也受到很大影響，特別是自然主義文學所提倡的以不動聲色的平實筆觸展露生活中的膿瘡和悲哀的寫法，尤其投合摩爾的口味，所以他一氣寫了七部明顯受到左拉影響的小說，包括《現代情人》（A Modern Lover, 1883），《演員的妻子》）（A Mummer's Wife, 1885），《麥斯林一劇》（A Drama in Muslin, 1886），《純粹偶然》（A Mere Accident, 1887），《春日》（Spring Days, 1888），《邁克 · 弗萊契》（Mike Fletcher, 1889），《空喜一場》（Vain Fortune, 1891）。而他被公認的一部最優秀的作品，1894 年出版的《伊斯特·沃特斯》（Ester Waters），也是自然主義小說。但摩爾並不純粹是自然主義作家，其藝術觀主要是唯美主義的，而在某種程度上他還可以說是英美意識流小說的開拓者和實踐者之一。他在談到自己的創作時曾說過："我追逐自己的思緒，猶如孩子追逐蝴蝶"。他 1895 年完成的短篇小說《蜜德莉 · 蘇森》講述同名主人公在巴黎和倫敦的藝術家圈子裏的種種經歷及其婚姻生活，通篇充斥著主人公的內心獨白。1889 年發表的《邁克 · 弗萊契》，也是以單調的內心獨白貫穿全書，只是偶爾有幾段間接敍述穿插其間。可惜的是，現在人們談到意識流時只知道普魯斯特、喬伊絲、沃爾夫，而忽略了摩爾這位開拓者的功績，這是不公平的。

《我的死了的生活的回憶》(Memoirs of My Dead Life,1920) 可以說就綜合了摩爾的這種複雜的藝術觀，其中唯美色彩特別明顯。只不過他的文風沒有王爾德那樣流暢華麗，也沒有他那種一瀉千里的情感激蕩，而是採用不動聲色的自然主義的純客觀敍述方式和意識流的情感描寫方式，把他生活中的幾段難忘的、不乏頹廢色彩的情感生活赤裸裸地展露出來，從中不僅可以讓人看到他的精神追求、矛盾，他的生活的無聊、空虛，更重要的是可以使我們瞭解到他那一代英國作家是怎樣生活和創作的，瞭解他們所代表的生活觀、藝術觀在英國歷史、英國文學史上的地位。

《回憶》的結構很容易使人想起盧梭的晚年作品《一個孤獨漫步者的遐思》。作品用串珠式結構，以主人公"我"的一段生活歷程爲經，同時以我爲中心輻射開去，把各種各樣的生活狀態、人物與我穿插起來作緯，從而構築出當時上流社會、特別是藝術家的生活世界，脈絡清晰，人物關係明朗，特別是對生活於中心的我的精神世界，更能從各種參照系加以多角度、多層次的觀察和審視；其情感流動，猶如一條緩緩流過的小溪，在我們理性或感性的目光下，依然按照自己的節奏和儀態，迤邐而行，只是偶爾翻起幾朵小小的浪花，在我們已不再容易平靜的心裏，引起一陣小小的騷動。在我們面前，作者好像肩扛錄(照)像機，面無表情地把他看到的周圍的一切一一攝下來：巴黎社交圈中的恩恩怨怨，豔女美婦的附庸風雅、心如枯井的萎靡生活；我與幾位性格各異女性的或悲或喜，但都缺乏浪漫激情的"愛"或欲的生活；我回家參加母親葬禮時的無動於衷，以及送葬者的冷漠；巴黎藝術家的各種奇行異態；我對過去與現在、存在與死亡、現實與虛幻的種種思考，這些都被作者以客觀、不動聲色的描寫方法展示了出來。

在這部回憶錄裏，作者還描述了巴黎的春天，描述了美麗的大自然中小鳥快活的鳴叫，以及作者欲與大自然融爲一體、在大自然中尋求永恆的歸隱心懷。在貌似笨拙、單調的描寫中，實際上孕含了作者對人生、對世界的一片深情；他像一個孤獨的漫步者，在人世的濁濁洪流中起伏跌盪。他不是聖人，他也沒把自己當作聖人，他只是一位普普通通、對藝術有偏愛，有七情六欲的人。他描述的基調是陰鬱憂傷的，也許正是這種低沉刺激了他衝破庸俗的想像力。他一次地追求有欲無情的愛情努力，實際上就是他欲打破平庸的堅決努力。

從《回憶》裏，人們不難聽到他發自內心的對美好人性的呼喚，對自然美的嚮往，這是一位被忽視了的天才的真正的心聲，只要我們耐心傾聽，這聲音依舊是意志消沉的失眠患者的最好伴侶。對這樣一位朝氣勃勃，充滿想像力的人，一位願把他的一生全部貢獻給寫作事業的人，人們再也不能置之不理了。

　　這個天才，爲了他的復興，已經等了太久的時間。畢竟：

　　他可以使詹姆斯與葉芝相形失色

　　但卻被扔進遠處的黑暗之中。

王爾德的天堂與地獄

奥斯卡·王爾德(Oscar Wilde，1854－1900)是英國 19 世紀末頹廢的唯美主義文學的代表作家。他的一生，有過因傑出的才華而眾星拱月般的榮耀，也有過因放浪不羈、聲名狼藉而墜入萬劫不復的精神地獄的悲慘。快樂時他是一隻在天地間自由地吃取快樂之果的無憂鳥，放浪時他是向地獄最深處潛去以攫取惡名的撒旦，悲哀時則是終日以淚洗面、痛心疾首的聖徒……王爾德就是這樣一個矛盾同一體，解剖這個複雜的矛盾同一體，對我們瞭解一個天才的人格，瞭解這個天才所處時代的“人格”，都是意味深長而又艱難的工作。

王爾德生於都柏林，他的父親是當地有名的醫生，開有自己的診所，也有著作出版；母親是 19 世紀 40 年代青年愛爾蘭運動中的旗手，發表了大量帶煽動性的詩歌，出版了不少詩集和散文集。在這樣的家庭中長大的王爾德，帶有藝術的天賦自然是沒什麼可奇怪的。有人說王爾德一生最好的教育是在他父親的餐桌上和母親的會客室裏得來的，這話自然也有道理。1871 年，17 歲的王爾德贏得一筆獎金進入都柏林的三一學院。雄心勃勃而又自負自恃的王爾德在這裏因古典課程出色而得到了很多獎勵，其中包括一次學術基金和一枚伯克利金質獎章。

1874 年，王爾德進入牛津大學的馬格丹倫學院，並在第一次文學士學位考試中獲得第一名，從而成爲牛津大學的半津貼學生，即在大學四年中他每年可得到 95 英鎊的津貼。

牛津大學時期是王爾德唯美主義藝術觀和生活觀的形成時期，他對裝飾藝術、服裝藝術的興趣，也是在這期間形成的。英國的浪漫詩人，如濟慈，以及仍活在世上的前拉斐爾派詩人和畫家，像風趣而才華橫溢的惠斯勒（美國畫家，長期僑居英國，主張“爲藝術而藝術”）、傾心義大利文藝復興的瓦德·佩特，對敏感而才智過人的王爾德來說，無疑就是一座座天堂，更何況他又住在一個讓年輕人做夢的城市、讓他們生出無窮的野心的大學：古老沉重的校院，校院裏翠綠的草坪，潺潺流淌的美麗的小河，這一切足以讓人忘掉塵世的煩憂，而一心沉醉在愛與美的芬芳之中。王爾德在牛津大學的小居室裝飾得也像周圍的環境一樣美：房間牆上塗滿了美麗的色彩，台子上和書架上放滿了古玩；而他自己呢，則常常穿一身天鵝絨的衣服，寬領汗衫，倒折領口，打一條異樣的領帶，手裏拿一朵向日葵或百合花。他身體力行，開始到處宣傳他的唯美主義了。

當王爾德最後一次走出牛津大學的大門時，他已把自己最難忘的青春時光留在牛津了，不管是好還是壞，這些年的影響伴其終生，其中一點，就是他在學校獲得的一系列成功使他把一個本是對任何一個有思想、對生活抱有美的態度的人都深懷敵意的社會想得太美好、太可以隨心所欲了。他希望自己身邊一直有鮮花和掌聲，一直有崇拜者和同情者。他放浪不羈，才華橫溢，妙語連珠。他希望生活一直像在牛津時那樣：父親替他付學費，學校把他與社會隔離，只給他知識與美，而他則可以自由選擇可愛、精美的一切，拒絕一切可厭、病態、粗魯的生活。他想吃到生活中所有美的果子，他想只走在有陽光的路上。用佩特的話說，他擁有太多的知識，但卻過於粗魯、自私地將這些知識運用於感官快樂方面，他屬於那種不想付出勞動就想嘗到收穫果實的快樂的人。就是這種生活態度，讓他後來付出了巨大的代價。

1881 年，王爾德把自己在牛津大學和出校後所做的詩結集出版，名爲《王爾德的詩》。詩集一出，轟動文壇，毀譽紛至遝來，而他自此卻一躍成爲唯美派的青年詩人，成爲上流社會的時髦人物，其名聲不管是香是臭，總之是遠揚了，遠到當時尚不像現在文明、霸道的美國人竟邀請他漂洋過海，前去演講藝術了。但說來也許讓人覺得滑稽的是，王爾德赴美的起因卻是因了一部意在諷刺他和其他唯美派詩人的喜劇《佩興斯》，戲中的一個角色名爲“肉欲詩人”，人們普遍認爲就是影射王爾德的。這出戲先是於 1881 年 4 月 23 日在倫敦首演，同年 9 月準備在紐約上演。導演商業眼光犀利，認爲可敬的王爾德先生此時若能到紐約亮相，一定會大大提高戲的賣座率，於是殷勤邀請王爾德赴美。不知王爾德是否知此底細，但他是喜滋、意氣風發地，以大英帝國的藝術家身份，去那個藝術荒原的國度傳播他的美與藝術了。

然而，美國人喜歡的不是他的談服飾、談英國文藝復興的演講，而是想看看這個特立獨行的時代怪人是什麼樣子：穿什麼衣服啦，打什麼領結啦，等等；更有甚者，不少美國人還寫文章對他大肆攻擊、謾罵。王爾德不是不知道這種嘲笑的分量，但他不但沒有屈服，反而更加堅定地鼓吹自己的信仰。但是，從其一生看，王爾德此次與其後來作爲藝術家去各地演講也沒什麼兩樣，何況王爾德是抱著滿腔熱情去傳播愛與美的。這樣的一種對比或許能說明某種問題：在王爾德之前，狄更斯也曾到美國做過演講，並大獲成功，原因是狄更斯能給美國人提供他們急於想聽的東西，但王爾德卻沒有自己的東西可給，他只能兜售他老師的東西，而聽眾又根本不想聽。就像惠斯勒後來所諷刺的："王爾德與藝術有什麼關係?他只不過是與我們同桌吃吃飯，從我們的菜盤裏拾幾隻李子做成布丁沿街叫賣而已。奧斯卡呀 —— 和藹可親、不負責任、貪婪自私的奧斯卡呀!" 問題就在這裏。在這件事上，王爾德是上當者，但他並非毫無責任。自父親死後，越來越追求豪華生活而又入不敷出的窘況，也是促使王爾德這次爲一點點錢而賤賣自己的主要原因，但不可原諒的是，他不但賤賣了自己，而且連帶著讓整整兩代不求金錢、不求炫耀的詩人、畫家、批評家毫無價值地變得聲名狼藉了。他們從來只像藝術家應有的樣子工作著，默默地創作出最優秀的作品，自甘貧窮，淡泊名利，毫不在意別人嫉妒、攻擊和憎恨，即使對最心懷叵測的批評家的抨擊也一笑了之，而王爾德卻使這些藝術家爲之努力的藝術運動變得滑稽可笑起來。當在美國盡己所能地演講和出過洋相之後，王爾德卻數數手裏的鈔票，瀟灑地將江湖醫生的外套扔到大西洋，以英國紳士的身份出現於巴黎，並開始寫作《斯芬克斯》。

藝術演講掙來的錢很快就花光了，王爾德於是又回到倫敦。這時他發現，詩、服裝、演講都沒能使他征服社會，於是他就孤注一擲般地結了婚。新娘子漂亮、溫柔，而且給王爾德帶來了一筆可觀的嫁妝，使他們能在泰特街住下來。婚禮是1884年5月29日舉行的。他們有兩個孩子。這場婚姻後來證明是不幸福的，王爾德的同性戀嗜好(就像他喜歡向日葵和唯美服裝一樣，都只是一種嗜好)當時就似乎影響了這對夫婦的愛情，但也有不止一個親密朋友證明了王爾德夫婦是非常相愛的，特別是王爾德，看起來似乎很滿足。

80年代是王爾德創作和發展的重要時期，這時的他已可稱爲評論家、作家或編輯家了（1887年6月接手編輯《婦女世界》）。雖然仍還有木偶戲諷刺他，但他在社會上、在社交界已穩獲成功，他開始應邀參加各種各樣的午餐會和晚餐會，客人們以能與他交談爲榮。現在的他再訪巴黎時，就不再是那個從美國大敗而逃的無名的唯美主義者了，而是一個鼎鼎大名的詩人、作家、社交界的名流。他結識了很多的巴黎名士，其中或許還有他一向尊敬的於斯曼。今天看來，王爾德在巴黎結識的似乎主要是放蕩不羈的上層文化界人士，即那種對藝術家來說是貴族，對貴族來說又是藝術家的人。

就是因了80年代後期的創作，王爾德才贏得他在90年代的名聲。他實際上一直在尋找著能表達他的人格魅力的寫作形式，能充分發揮他的天才的寫作形式。他嘗試過寫幻想小說、短篇故事、柏拉圖式的對話、格言警句，並在每一領域都取得了輝煌的成功，如《快樂王子及其他故事》（1888）、《鋼筆、鉛筆和毒藥》（1889）、《W.H先生的畫像》（1889）、《謊言的腐朽》（1889）……1890年，當他在報紙上連載其惟一一部長篇小說《道林·格雷的畫像》時，其作爲一個傑出藝術家的地位已經固定了，其作爲一個墮落頹廢藝術家的地位也同樣固定了，因爲這個時代的批評，這個時代的民眾的理解力、鑒賞力無法欣賞這樣一種輕鬆、睿智以及給人快樂、啓迪、熱情的作品，公眾以無知的輕視看待王爾德這樣的藝術家。而王爾德和他的導師羅斯金、佩特、西蒙斯一樣，都相信批評存在的價值就在於幫助人們欣賞藝術，而不是喋喋不休地以種種理由侮辱藝術，所以他的作品不爲世俗所動，不爲譏刺和謾罵所動，而一直是其特立獨行的個性的表現，所以誰也不能否認其作品的真實性。

王爾德數年來也一直想寫出一部成功的劇本。1883 年他重返美國，執導《維拉》，1891 年又在紐約的百老匯大劇院上演了他的《帕多瓦的女公爵》。但他第一部成功的劇作是 1892 年 2 月 20 日在倫敦上演的《溫德米爾夫人的扇子》，之後不久是被禁演的《莎樂美》。人們一般認爲《莎樂美》和《誠實的重要性》是王爾德最好的劇本，但這不等於說他的其他劇本都像人們有時所說的那樣是可以忽略不計的模仿之作。

王爾德靠自己的劇本和小說終於得到了他實現年輕時就立下的“偉大的野心”的條件，那就是他現在每年可得到 8000 英鎊的收入，當然這是他付出超人的辛勞換來的。在一個個人所得稅可以忽略不計，物品和服務業都很廉價的時代，他的這筆收入足以讓他實現任何野心勃勃的計畫。然而，王爾德沒錢時有野心，而現在有錢了，他卻沒什麼野心了，只是如流水般把錢花在一個蘇格蘭侯爵夫人的小兒子身上，而他報答王爾德的，則是先把王爾德推向法庭，並進而送他到監獄做了兩年苦役。就這樣，王爾德眼看著別人一步步把自己從快樂的天堂推向悲哀的深淵。他不但因此毀滅了自己和家庭，而且還徹底背叛了他一再聲稱是他在世上的最愛的“藝術”；就這樣，他讓英國的庸人們獲得了勝利，使他們對藝術的仇恨得到了極度的強化。也可以說，是王爾德無意中幫助延續了整個英國的野蠻狀態。

王爾德說過：“我的一生有兩大關鍵點，一是我父親把我送進牛津大學，一是社會把我送進監獄。”這話是對的。牛津大學培養了他唯美的人生觀、藝術觀，監獄則改變了他的人生觀。

王爾德的生活態度一直是享樂主義、感官主義的，如他自己所說，他把世間所能享受到的快樂，差不多都享受到了，把地球上所有快樂的果子，也都吃到了，而且他還想盡種種辦法創造出來種種人工的快樂，與俊美的青年相伴，可以說就是他創造出來的一種快樂，也是他最受時人詬病的原因。他在自己身邊聚攏了一大群與他地位、趣味相當的青年，日夜宴樂，過著奢侈、放縱的生活，因而被維多利亞時代的衛道士指責爲同性戀者的領袖，道德敗壞者。但王爾德一直認爲自己藝術上的巨大成就能使自己免受道德、法律的束縛，因而多次爲自己的行爲公開辯護，說自己哪怕是同性戀，也是爲了追求實現美的方式。王爾德的入獄，是與他同社會、道德的這種對立分不開的。

直接導致王爾德入獄的，是他與道格拉斯——也可稱爲他的同性戀夥伴的關係。王爾德與道格拉斯是在牛津大學時就認識的。道格拉斯是王爾德的崇拜者，出校後兩人即結成形影不離的好友。王爾德是一個花錢如流水的人，不論食物、衣服、裝飾品，他都是買最豪華的，而各種娛樂場所則是他的樂園。道格拉斯是昆斯伯裏侯爵的兒子，也是一位花花公子，兩人在一起可謂是志趣相投，珠聯璧合。據道格拉斯在《王爾德與我》中回憶，自 1892 至 1895 年間，他和王爾德只吃飯就用去了 5000 英鎊，即每星期平均 40 英鎊，每日如吃三餐，則每餐爲 2 英鎊，即使與當時倫敦上流社會的生活水準相比，這也是極奢侈的了。而且，照道格拉斯的說法，王爾德有從午後 4 時飲至淩晨 3 時也不會醉的酒量，這樣，時時陪伴他的道格拉斯的身體健康狀況自然引起了侯爵的注意，於是他就寫了一封信叫兒子離開王爾德，回到家裏來。但道格拉斯回了一封侮辱性的信，拒絕了父親，侯爵就給王爾德寫了一張侮辱性的卡片，如果王爾德對此置之不理，他以後的生活可能就是另外一個樣子了，不幸的是，他的那個俊美的密友道格拉斯因爲仇恨自己父親，因爲一心想把自己父親送進監獄，就極力慫恿王爾德以"誹謗罪"控告他父親。而自以爲清白無辜的王爾德竟然鬼迷心竅，以爲他一向反對的社會、法律會爲他這個"浪子"、"逆子"洗雪恥辱，正名於天下。於是，他就像一個希臘悲劇中的英雄那樣，以自我犧牲的精神悲壯前行，迎接那必然不幸的命運，接受那身敗名裂的下場。

但審判過程中出來了越來越不利於王爾德的證據，他欲將侯爵送進監獄，但法庭出示的證據卻足以把他送進監獄。迫於無奈，他宣佈撤訴，但已經晚了。侯爵的律師在表示接受撤訴的同時，把一批證人的證詞交給了法官。逮捕證簽發了，王爾德站在了被告席上。審判從一開始就對王爾德不利。清教徒式的維多利亞時代的道德、法律歷來對違反自然的行爲厭惡，所以，陪審團和法官在這次審判一開始就帶有某種信徒般的狂熱欲置王爾德於死地。在法庭上，王爾德的生活、作品，尤其是他寫給道格拉斯的帶有親昵字眼的信，都成了他有傷風化的罪證。儘管王爾德大罵法官和陪審團是“畜生加文盲”，但最終這場判決仍以他的兩年苦役爲結束。於是，王爾德由快樂的極頂一跌而至地獄，由“快樂王子”一跌而成“悲哀王子”。對王爾德來說，兩年牢獄生活無異於一場漫長的噩夢，猶如“在地獄中過的一夜”。以唯美派的使者自居，以富於教養而自傲的王爾德，曾像一隻沉溺於社會各種享樂之中的極樂鳥的王爾德，這次卻要每天把粗麻分細（監獄懲罰犯人的一種手段），成了再也張不開翅膀、連最低賤的果子都吃不到的悲哀的化身了。對王爾德來說，監獄不是新生活的開始，更不是請求社會寬恕的懺悔之所，監獄只是詩人被生活完全拋棄的見證。原先的叛逆者如今變成了在悲哀的泥淖中掙扎的絕望者。更讓王爾德難以相信的是，當他終日在獄中以淚洗面時，罪魁禍首的道格拉斯卻仍在逍遙自在地吃著享樂的果子，並想利用與王爾德的關係大撈一把。完全孤獨的王爾德渴望重新確立自己與世界的聯繫，而能讓他建立這種聯繫的只有悲哀。悲哀帶給他生命藝術上又一次認識的飛躍，成爲他把握生命的新的極端方式。悲哀成就了他作爲“人”的價值。他認爲，人生的重大意義就隱藏在悲哀之中，人們可以因爲悲哀而感到一種快樂，於是，他高唱“悲哀地享樂”。在王爾德看來，兩年牢獄生活是極大的恥辱，而且在這期間他又經歷了許多淒慘、痛苦和恐懼，加上有過去榮華、放縱生活的對照，使他簡直難以忍受，最終沉入悲哀的深淵裏去，直到後來他悟到世上一切都是有意義的，而悲哀更有意義，從此才算把自己從絕望中拯救出來。如他自己所說，他之所以能領悟到這一點，並不是出於宗教、理性和道德，而是因爲藝術家的氣質和仁慈。他在致道格拉斯的信中說，在歡喜和哄笑後面，也許有粗惡、生硬和毫無感覺的一種稟性吧，但在悲哀後面卻常只有悲哀。悲哀不像快樂，它是不戴假面具的。他認爲“在悲哀中還有強烈的、異常的現實性”，“有悲哀的地方，就是神聖的地方”，“悲哀是人生的真理”，而基督則成了悲哀的象徵。“悲哀與美在其意義和表現方面完全可以變得統一。”若是能這樣體嘗悲哀，便能領悟人生的真義了。

在同一封信中，王爾德還談到了悲哀與藝術的關係。他說：“藝術上的真理，是物與物自身的一致，是內部的外在表現，是靈魂的化身，是帶有精神的肉體本能，因此，沒有可比之悲哀的真理了。”他把悲哀看做人生的中心，同時又把它看作藝術的中心，所以，他的悲哀觀便是他的人生觀，也就是他的藝術觀。入獄前，他認爲藝術支配人生，藝術是離開自然與人生的，是超脫自然與人生的，即“藝術不是人生的鏡子，而人生卻是藝術的鏡子”，“人生是藝術之敵”，但在獄中，他這時卻說人生即藝術，藝術即人生了。這也許是獄中生活給他的藝術至上主義的一次打擊的結果。

兩年監獄生活對王爾德精神和肉體的打擊是不言而喻的。出獄後的王爾德就是戴著這幅悲哀的畫像，身無分文，流浪到法國，至死都沒再回英國。這時的王爾德成了乞丐藝術家，爲了生活，他不得不四處借債，甚至因此做出欺騙親人朋友的事。1900 年 11 月 30 日，王爾德在巴黎一家旅館去世，陪伴他的只有兩個朋友和旅館老闆。他先是被葬在臨時租用的墓地中，直到 1909 年他的遺體才被正式移往巴黎的拉雪茲公墓。

王爾德在裏丁監獄時，有個叫馬丁的看守對他一直很好，後來還寫了《獄中的詩人》，詳細地記錄了王爾德在獄中的日常生活和精神生活，這對我們瞭解王爾德後期的思想變化情況不無啓發，不妨摘譯幾段如下：

> “他很弱，連擦皮鞋、梳頭都不會，他說：‘我要是能使面孔清潔，便不會感到如此悲慘了吧。’當有朋友來看他時，他總竭力用紅手帕掩住面孔，遮住沒剃過的臉頰上的污穢。”
>
> “牧師在身穿囚服的犯人面前說教，說他們是惡人，他們應當怎樣感謝關心他們的肉體和靈魂幸福的基督的國家。他們雖犯了罪，但社會並不責罰他們，他們現在是處於贖罪的過程；牢獄是贖罪所，等他們洗淨了身上的罪惡再回到社會上時，社會會張開雙手歡迎他們的……

王爾德聽這種話的時候，常是微笑著的，但這微笑不是平常的微笑，而是一種嘲諷的微笑，而且有時是絕望的微笑。他說：‘我聽到那種說教，便想站起來對我周圍可憐的人說：牧師所說的全是假的，你們都是社會的犧牲者，社會對你們，在街上只給以饑餓，在牢獄裏只給以饑餓和殘忍。”

白天，王爾德說話做事與一般囚犯並無二致，但到夜間，他就完全變成了另外一個人：

“看守的影子慢慢地移動，現在是在窺望鄰近走廊一端的一間監房，這監房門上寫著‘C3·3’的牌號——這便是詩人王爾德的監房了！四面的活的墓場，也沒有詩人的監房這麼可憐!沒有這樣充滿著淒慘之氣！沒有這麼可怕!詩人現在是獨自一人了啊!只一個人與神共在了啊！”

“他在監房裏走著——一步、二步、三步，走了三步，便轉回來，兩隻手在背後絞著，前後左右地在監房裏走，垂著頭微笑著——但誰知道這微笑裏包含著怎樣的意味呀!”

“他的兩隻眼睛——令人驚異的兩隻眼睛——美麗地轉動著，眺望著天井那邊——眺望著超越天井遠遠的無限之境。現在他正笑著，這笑是什麼意思呀!是尖銳的、傷感的、悲哀的——他的強烈的想像力，現在正活動著。他的身體雖然被束縛在監牢裏，但他的靈魂卻是自由的——是的，誰能束縛住詩人的靈魂呀!詩人的想像，是舞到人間之外很高很遠的地方去的，直舞到銀色的雲上，在月亮蒼白的影子中找到安住之所。”

“啊，他在說什麼呀!他正在說著聖母的名字，又喚着他妻子的名字。熱淚順著他的臉頰流著。這時，天使來了，眼淚消失了。他不論將來要做什麼，都已由艱苦補償了，都因爲從他心底流出的這一滴純潔的眼淚而弄得純潔了。但是，他又在說什麼呀!他把兩隻手伸到他那小小的床對面，對著看不見的來訪者說著什麼：

“‘一直，從前一直，在孩童時，我有著癡呆的野心，

“‘我想改變這世界，變更社會狀態。

“‘我把我自己——只通過藝術——引到極高的地位上。但現在，我的朋友呵，你所見的，是一個害怕神罰而不堪悔恨之情的可憐的犧牲者。’”

“他這麼說著，又笑了，重複說著‘害怕神罰而不堪悔恨之情的可憐的犧牲者’這句話。接著，他就站起身，又寂寞地來回

走著；接著，他再一次站在假想的來訪者面前，舉著手，用有些自我主義的調子說：'總之，這世間決不是那種無神經的東西。我能夠用一個警句來撼動這世界，或用一首歌來震動這世間。'"

"他再一笑，此後便坐在牢獄裏的椅子上，又垂了頭。"

對這樣一個成爲野蠻的懲罰和可怕的公衆指責的受害者的藝術家，我只有憐憫與尊敬。在如此野蠻的體制的折磨下，誰也不敢說自己比王爾德更快樂或更道德。他的遭遇，只是增加了英國的虛僞和僞善。人們不可能不強烈地感到，對此，社會和它的囚犯同樣都負有不可推卸的責任！

天眞漢愛默生

愛默生是第一個直接闡述美國精神的哲學家。雖然在他出生前 20 年美國就已在政治上取得了獨立，但從文化角度講，當時的所謂美國文化基本上還都是借鑒外國的文化。愛默生早年生活在美國西部大拓荒時期，這是在美國民主原則指導下的一次偉大壯舉，美國到處充滿著精神上完全獨立的氣氛。美國人開始大膽宣言："我們太關注外國了，現在我們該變成真正的、真實的美國人了。"愛默生可以說是將政治家在政治領域所取得的成就應用于文化中來的第一個美國人，但他不是靠行動，而是靠智慧。"我們的時代是回顧性的"，他在自己 1836 年出版的第一本書的序言中這樣說。"爲什麼我們不應該也與宇宙保持最原始的關係呢?爲什麼我們不應當有靠自己的洞察得來的 —— 而非傳統的 —— 詩和哲學，以及向我們顯示的宗教 —— 而非他們的宗教的歷史呢?自然以自己充溢的生命環繞在我們的四周，並流過我們體內，它用自己提供的力量邀請我們與自然協調行動。我們被這樣的自然所籠罩，爲什麼還應在過去乾枯的骸骨中摸索，或從舊衣櫥裏拿出古裝披在活生生的一代人身上？太陽今天依然在照耀。田野上的羊毛和亞麻也更多了。新的土地呀，新的人呀，新的思想呀都出現了。讓我們要求我們自己的工作、自己的法律和崇拜罷。"而在談到美國學者時，他則大膽宣告："我們傾聽歐洲優雅的藝術女神的聲音，已經爲時過久。"他勸告劍橋大學的學者們在生活和思想上都做一個自由人。在後來的演講中，他還痛斥了宗教方面的形式主義和傳統。他的這些聲音堪稱振聾發聵，驚醒了很多美國人的幻夢，抹去了他們眼前歐洲文化的陰影，從而開始關注自己美國的文化，直到現在，他的聲音仍縈繞在美國人的心靈之上。

愛默生並沒有什麼具體的行動計畫或思想體系。他是一個詩人哲學家，他相信的是靈感，而不是理性，他的演講和文章因此缺乏一種系統性，這一點他也意識到了，而且非常痛苦。他不會爭辯，他也盡可能回避對當前的重大事件發表意見，因爲他知道自己的使命是啓蒙普遍的人性。但在精神和思想層面，他是完全自由的，從個性來說，他也是樂觀的。他的影響是廣泛而深遠的，他點亮了世界上所有男人和女人的心靈之火。他關注的是單個的人，涉及的卻是普遍的主題，宇宙主題，所以，他的作品至今還仍是清新的，還保持著最初的魅力，並將永遠閃耀在人類精神的天空。

嚴格地說，愛默生是個激進主義者。但從他的文章中卻很難看出這一點，因爲他是一個溫和、脆弱、友好、文明的人，而且他的一生也像很多受人尊敬的市民一樣非常平靜。他 1803 年 5 月 25 日出生在波士頓，父親是牧師，在他出生後 8 年，父親就去世了，雖然家境日益貧寒，但母親卻堅持讓家中的 5 個孩子都接受教育，她成功了，家中的四個孩子都讀完了大學。這段艱辛的生活經歷給愛默生留下了難以泯滅的印象。

1817 年，愛默生 14 歲就進入哈佛大學讀書。雖然他在全班成績屬於中上等，但他並未表現出什麼特殊的天賦。大學畢業後，他先是幫助哥哥在一所女子學校教書，後來又進哈佛神學院讀書，畢業後在父親曾做過牧師的教堂做過幾年的牧師，但他很快對自己的職業失望了。這期間他結過一次婚，但妻子一年半就去世了，加上這時他一個哥哥也死了，自己的身體狀況又極差，這一切促使他最後決定去義大利旅行。旅行恢復了他的健康，也刺激了他的心靈。義大利偉大的文化深深吸引了他。途經英國時，他與卡萊爾建立了持續一生的友誼，這在他的一生中是一件影響深遠的大事，他發現生活中的卡萊爾就像他作品中那樣激動人心，富有啓迪性。回到美國後，他在康科特定居下來，並重新結了婚，開始了一種幸福的生活，這種生活逐漸發展爲一種偉大的職業。這時他已經 32 歲，早年生活中的一切痛苦和精神衝突都已經結束了。在此後的 47 年中，他成爲了一個高雅、充滿智慧的人，成爲思想世界的一個主人。

康科特對他來說是一個理想的城市，這是一座美麗的城市，這裏美麗的大自然成爲愛默生哲學的基礎。在美國獨立戰爭中，康科特之戰曾起過重要作用，城市光輝的歷史激起了愛默生無窮的想像。康科特的社會生活也是充滿魅力的，愛默生在這種生活中扮演了一個積極角色，他參加了各種社會性的組織，發表演講，勸告市民接受教育。在這期間，他一直在寫一本論自然對人類生活的根本影響的小書，一本充滿詩意的哲學書，這就是《論自然》，該書於 1836 年完成，愛默生匿名印了 500 冊。雖然卡萊爾對之讚賞有加，稱其爲一座大廈的第一塊基石，但讀者的反應卻並不那樣熱情，所以直到 1847 年，該書才重版。但以該書爲標誌，愛默生開始了自己一生的工作。1837 年 8 月 31 日，愛默生在劍橋鎮對全美大學生榮譽協會發表演說“美國學者”，這在美國文化史上是一顆引燃了熊熊大火的火星，被稱作是“美國思想的獨立宣言”，對美國年輕人的影響尤巨，根據這次演講整理出版的小冊子一擺上書店的書架，就被搶購一空。第二年，愛默生在對神學院畢業班的演講中，質疑了歷史上的基督教的價值，痛斥了教士佈道的形式主義和缺乏創見的風格。他對牧師和宗教思想的批評遭到了牧師們的憤怒指責。愛默生被視爲無神論者，牧師們不歡迎他到教堂，一些曾熱情歡迎他的演講台也拒絕他再舉行演講。雖然他一連好幾個月沒理睬圍繞自己引發的這場矛盾，但他有時確實在想：自己不得不另找一種新的生活方式來支撐自己以及自己的家庭了。

他開始在全國範圍內演講，演講的主題主要是精神和哲學問題，這成爲他一生的主要生活方式。在夏天，他將自己的思想以演講稿的形式整理出來。“你病了嗎？”當他凌晨悄悄走出房間時，妻子這樣問他。“沒有，我只是想弄清楚我的一個想法。”他回答。到了冬天，他就在各個演講台上宣講自己夏天整理好的演講稿。馬車，木船，汽船，火車，他都坐過；新英格蘭，大西洋沿岸各州，中西部各州，都留下過他的身影；他住過各種簡陋的旅館，橫穿過冰凍的密西西比河，熱切地欣賞著美國欣欣向榮的生活。雖然他身材瘦削，肩膀低垂，但他卻是一個很有感染力的演講家。他謙虛的個性使他很有吸引力。他的聲音使聽眾著迷。他是個公認的演講藝術的大師。

演講生活是艱苦的，因爲愛默生不善於處理商業事務，所以即使邀請者出錢很少，他也樂於從命，這使他靠演講掙不了多少錢。但他天性樂觀，對前景充滿希望，他很容易相信一切皆善，這種高尚的信仰使他一生充滿快樂。他相信，學者的責任就是“通過向聽眾揭露現象中的事實而使他們快樂，使他們得到提升和指導。”他在全國巡迴演講時，感覺到自己在豐富著人們的生活，自己在做著適合自己才能的工作。當他嘗試著將各種各樣的問題作爲自己演講的主題時，他還將這些演講寫了下來，編成文集，並出版成書。幾乎他的所有作品，最初都是在演講臺上演講過的，只有詩歌除外。

當然，並不是人人都能理解他所談論的問題，也並不是人人都贊成。一個波士頓的商人說愛默生的演講對他“毫無意義”，但他兩個“十五、十七歲的女兒，卻完全能理解。”“你能理解愛默生先生的演講嗎？”愛默生在康科特演講時，一位女士問一位幾乎逢場必到的女清潔工，“一句話也聽不懂”，女清潔工回答，“但我喜歡看著他站在那兒的樣子，他看起來似乎在想：每個人都和我一樣善良。”一位康科特的農場主誇耀說他聽過愛默生在康科特的所有演講，並且“也理解了”。一位康科特的領袖人物理解這些演講的程度足以使他反對演講中流露出的激進主義。“迄今爲止，我知道只有三個人反對這個社會”，一天他在街上對愛默生說，“坦率地說，先生，其中就有你。”

經過十年筋疲力盡的學者生涯和演講生涯，1847 年，愛默生非常高興地接受邀請去英國進行演講。他在英國待了一年。在英國各處旅行演講時，他得以與各種各樣的英國人建立了親密的關係。作爲一位美國名人，他在英國受到了廣泛的歡迎，到處受到熱情的接待。他恢復了與許多老朋友的友誼，特別是與卡萊爾的關係。期間他還訪問了正處於動盪不安中的法國。《英國人的特性》是對英國人性格的一次歷史分析，心理分析，當然，也是他這次英國之行的主要成果。

雖然他是一個可愛的人，但他本性羞怯，謙虛，缺乏強悍的精神，連他自己都感到自己對社會交往過於冷淡了。他不是靠個性的力量來征服大眾，他最好的思想都是私下形成的。但他生活的時代是一個激情橫溢的時代，改革者正將世界連根拔起，卻對各種新事物頂禮膜拜。這是一個哲學家的時代。愛默生是當時的超驗主義思想的一個領袖人物，所以，幾乎每一個有自己的新思想和新體系的人都來拜訪他，訊問他，其中有真正的預言家，也有各種怪人和瘋子。他們都來到他家裏，坐在他的桌子旁，接受愛默生熱情的招待。但愛默生對生活事務毫無興趣，最後他堅決地疏遠了他們。在他看來，這些人似乎就像一個片面的觀點。

他也不願從事政治活動。他從一開始就相信奴隸應該得到解放。但只要可能，他就回避參加各種旨在廢除奴隸的激進團體。當他被邀請參加直接的行動時，他就說："我監禁著我自己的精神，如果我不願意，沒人能見到它們。" 但當表示支持奴隸制的呼聲越來越響時，他就開始參加廢除奴隸制的實際行動了。當"逃亡奴隸法"被通過後，愛默生認為自己一向敬仰的英雄丹尼爾·威伯斯特已經背叛了公眾的信任，於是他頻頻出現在康科特、波士頓和紐約舉行的各種抗議集會上，對這項法令進行抨擊，人們都沒想到他這個一向沉穩的人，竟會說出那樣尖刻的語言。儘管他的一切本能都反對他參加政治活動，儘管他不相信自己處理實際事務的能力，但"逃亡奴隸法"被通過後，他還是積極參加了各種主張廢除奴隸制的活動。南北戰爭爆發時，他已57歲了，他沒有參加戰鬥。

1865年，哈佛大學又邀請他前去演講。1870－1871，他在哈佛大學演講哲學，此後演講不輟。但一生堅持不斷的思想活動嚴重損害了他的身體。他的記憶力在衰退，他感覺到自己這一偉大的事業快要結束了。1872年7月，他的房子又被一場大火燒掉了，因事發突然，為了逃命，他和妻子來不及穿衣服就跑出去了，而且為了搶救財產，他又超支了自己的力量。這次災難事件造成的打擊是愛默生永遠忘不了的。他很快發現，自己無法工作了。最後，他的一些朋友出面干涉，將他送到埃及去休養，期間他們幫他修好了房子。第二年八月，當他返回家鄉時，城市的鐘聲敲響了，一大群孩子，鄰居和朋友到火車站迎接他，並簇擁著他回到他的新家。他高興地住了下來，並開始著手準備編一本文集，因為他已答應一位英國出版商了，但他無法再做什麼具體的工作了。最後還是他的一位朋友幫他編好了這本書，並將他的各種筆記和演講稿整理好。

晚年的愛默生一直過著一種安靜、滿足的生活。1882年4月，他因在雨天沒戴帽子，又沒穿外套，結果感染了風寒，最後發展成肺炎。4月27日晚上，他與世長辭。教堂的鐘聲敲響了79下，向人們宣告這一位偉人的去世，而愛默生正好79歲。他的死震驚了全國，全國各大小報紙雜誌紛紛發表文章以示紀念。許多著名人物從波士頓來參加了他的葬禮。康科特一向深愛著愛默生，並且一直把他看作自己最偉大的兒子，所以此時整個城市也都籠罩在一種深深的悲哀氣氛中。商店，家居，公共建築上，到處都掛著黑紗。葬禮上人山人海，直到靈柩下葬之後，仍有許多人久久不願離去。他被安葬在睡谷祠，墓穴在一棵大松樹下面，與梭羅和霍桑為鄰。

從哲學角度講，愛默生是一位超驗主義著。他相信"超靈"，這也是宇宙之靈，世界上的一切都只是其一部分。當然，即使在愛默生所處的時代，"超驗主義"也是沒有定論的，其意義一般被視作是"模糊的、空想的。"習慣于具體知識的學者無法理解愛默生的思想。這並不奇怪。超驗主義沒有什麼體系，與其說它是一種思想，還不如說它是一種詩。"我們所謂的超驗主義實際上是一種理想主義"，愛默生曾經這樣說過。與主張從事實、歷史和人的動物需要進行推理的唯物主義相比，理想主義者相信"思想和意志的力量，相信靈感，奇蹟，個人教養。"

對一個剛剛開始享有獨立，並且在各個方面急切地擴展自身的國家來說，這種思想方式是自然的。它相信沒有做不成的事。思想體系和推理方法對正處於狂歡狀態，正熱切地尋找世界上的一切果實，並且發現這些果子都那麼甘甜可口的美國人來說只會讓人窒息。他們很容易以自己的直覺代替經驗。對他們來說，更偉大的真理不是已經做過什麼，而是還能做成什麼。超驗主義者從花，雲，鳥，太陽，天氣的冷暖，夜晚的美麗，農場，商店和鐵路中汲取著生活之流，在他們看來，生活在燃燒，到處都在發生著美好的事情。

雖然愛默生的哲學不成體系，但他仍是按照一定的方法來發展自己的哲學的。他對生活的態度建立於他對自然的愛之上，這表現在他第一部書《論自然》之中。批評家拒絕接受這本書，因為他們認為這本書充滿著泛神論的狂喜，文筆也優美迷人，但卻毫無價值。然而，這本書卻代表著愛默生這幾年思想的結晶，而這幾年，正是愛默生思想的成熟時期。在該書的前言中，愛默生給"自然"下了定義："自然，在其普通的意義上，是指人無法改變的本質：空間、空氣、河流、樹葉。'藝術'則被應用於他的意志和象房屋、運河、雕塑、圖畫那樣的東西的混合。"他歡欣鼓舞，因為人是自然的一部分，自然就是他的家。他最有價值的觀點是：當人接受了與自然的聯繫時，他就變成了自然的一部分："我變成了一個透明的眼球；我是虛無；我看見一切；宇宙本體之流在我體內循環；我是神的一部分或一片段。" 該書的其他部分談的主要是自然與文明的關係。

五年後，愛默生又發表了"超靈"一文，這篇文章堪稱愛默生超驗主義思想的基石。實際上，很早以前，愛默生就在日記中制定了這篇文章的基本寫作思想：

靈是存在的。

它與世界有聯繫。

藝術是它的活動，

科學從它身上找到方法，

文學是它的記錄。

宗教是它所激發出的敬仰之情。

道德是體現在人的生活中的靈。

社會是個體之間互相發現對方身上的靈。

貿易就是通過勞動在自然中瞭解靈。

政治是在權力中得以說明的靈的活動。

行為方式是靈安靜而溫和的表達。

在一系列的演講中，愛默生從各個角度反覆闡發了什麼是"超靈"。他承認人的生活是渺小的，但人們如何發現這種渺小？標準就是靈，因爲是靈確定了區分善與惡的直覺標準。他說："我們生活在連續中，生活在區別中，生活在部分中，生活在細節中。同時，在人體內，卻存在著完整的靈；它是理性的安靜，是普遍的美，每一部分與分子都與它平等相連；它是永恆的。我們將世界看成一個片段，如太陽，月亮，動物，樹，但它們都是作爲完整之靈的一個閃光點而存在的。"靈衍生萬物："當它通過人的才智呼吸時，它是天才；當它通過人的意志呼吸時，它是美德；當它開启人的感情時，它是愛。" 最後，對超靈的愛賦予人開闊的眼界，使每一時刻都具有偉大的意義。

當然，並非人人都願意跟著愛默生從物質世界走到那麼遙遠的直覺世界。將人等同於上帝在某些牧師看來似乎無異於異端邪說。也有一些人認爲這純粹是狂想或癡心妄想。當然，也有很多頭腦簡單的人根本不知道他在說什麼。但這種信仰對愛默生的影響就是超驗主義的。他相信自己就是宇宙智慧的一部分，這種信仰使他對自由具有一種奇妙的感覺。他所理解的自由是一種終極的解放，是一種創造性的自由。從本質上說，生活似乎是美好的，自然和人是可信的。生活不是讓人瞭解的，而是要讓人生活的，而愛默生認爲“現在”正是創造一個新開始的最佳時機。

愛默生的信仰是能動的。所以，當時的美國年輕人都將他看作是偉大的文化解放者。他始終在進行著想像領域的探索。在“美國學者”中，他說書的唯一作用就是刺激人的靈感。“人必須創造性地去閱讀。”在他看來，學者不應只拘泥於書本知識。他勸告學者應成爲行動的人，應直接從生活中獲得知識：“生活就是我們的字典。一年又一年，我們幸福地生活著，無論是在鄉間的勞動中，還是在城鎮，在深入地觀察各種商與製造業，在與男男女女坦誠地交往，在從事科學與藝術。所有這些都只有一個目的，那就是從各方面掌握語言，並用它來解釋和體現我們的觀念。”在對神學院學生的演講中，他同樣通過對體制的批評和鼓勵學生到真正的生活中去，而點燃了年輕神學生的心靈。他認爲宗教不應該只局限於修道院，而應具有普遍的意義：“所有人都將看到上帝給心靈的禮物不是什麼誇耀性的、支配性的、排他性的尊嚴，而是一種甜蜜的、自然的善，一種像你我的善那樣的善，因此它邀請你我的善加入到它的存在中去，與它一起生長。現在是時候了。”他抱怨說：修道院裏對待宗教的方式只使人覺得“上帝好像死了。”

那麼，怎樣才能真正開始生活呢？愛默生的回答是：“自信”。他勇敢地鼓勵人們按照自己的衝動去生活，決不要與責任妥協。“只相信你自己的思想”，他說，“相信你心靈中感覺到的真實對別人的心靈也同樣如此。”他認爲，一個人在行事時有點輕蔑和狂妄是自然的。不要屈服於習俗。除了你自己心靈的完整，沒有什麼是永遠神聖的。雖然愛默生是個溫和的人，但他在呼籲人的獨立時，卻是充滿激情的。他告誡人要知道自己的價值，要將一切都踩在自己腳下；不要偷偷摸摸，鬼鬼祟祟；不要悔恨，永不模仿別人。“除了你自己，沒人會給你帶來平靜，除了天性的勝利，沒人能給你帶來平靜。”

有人批評愛默生過於天真，因為他太容易相信人了。當他對當時尚是新鮮事物的鐵路和電報展開自己的想像時，他預言這些事物將有一個輝煌的未來。當他思考美國的潛力時，他的希望也是超驗的。“先生們”，他在波士頓的一次演講中說：“指導人類的是一種高貴而友好的命運。”在二十世紀、二十一世紀愛默生還會這麼想嗎？這倒是一個值得思考的問題，但回答卻是容易的，答案是“是”。他通過自己的思考作出的結論在當時是適合美國人的情緒的，而且都是出自他的真性情。他習慣透過特殊透視自然和人類的基本真理，並且相信：“永遠創造。”這也是美國人的一種基本精神。

在愛默生生活的時代，人們有足夠的理由感到絕望。政治腐敗，物質主義佔據了人的心靈，印第安人仍在受到迫害，墨西哥戰爭玷污了正義的概念，愛默生的偶像丹尼爾·威伯斯特後來背叛了愛默生的信任，南北戰爭使同胞們互相殘殺，這對美國人來說是一場偉大的悲劇。在愛默生的時代，無知和罪惡充斥於美國人的生活之中，他的許多同代人一直過著消沉的生活。愛默生知道這一切，並深為自己的同胞痛苦。每當在報上讀到類似的消息，他常常一人走到小樹林裏沉思，讓心靈慢慢恢復平靜。但無論他身邊發生了什麼，他對宇宙之善的信仰是永遠不會改變的。當他提著自己破舊的演講包在美國各地巡迴演講時，看著一張張美國人的面孔，他都無法不產生這樣的信仰。溫和，善良，向上，這就是他眼中的美國人，而他則是美國的老師。他所說的，所寫的，至今仍是美國人最容易讀懂的“福音書”。

讀愛默生的作品，讀者從中不難理解愛默生那一顆赤子之心，和對人類的樂觀態度，這種態度或許在某些人看來確實太天真了，但如我們願意靜心屏除自己內心的物欲與雜念，並且回歸自己的童真心態，哪怕只是瞬間的回歸，我們就會感覺內心與愛默生貼得那麼近。愛默生說出了人類最大的願望，也說出了人類最終的歸宿，雖然這種目標可能永遠不會實現，但他永遠不會失去自己對一代代人的魅力。這是人類區別於禽獸的一個根本標誌。

後 記

能將自己數年的研究成果結集出版，對任何一位視文爲業的人來說都是一件值得欣喜的事。這些文章，雖然貌合神離，但都記載了一個個寒暑春秋，月夜星辰，孤燈壁影，是我生活的一部分。編完後，看著一篇篇熟悉的篇名，猶如看著一個又要離自己而去的孩子，心中的滋味，恰如余光中對那些“假想敵”的感受，說不清是什麼。

文章的編目，實際上代表了我近年來的興趣點。美國戲劇家尤金·奧尼爾一直是我喜歡的外國作家之一，這裏收錄三篇，也有些偏愛的意思，其他就有點“亂編”的意味了，有論文，也有讀書筆記；“中外文學關係”部分收錄的主要是我博士學習期間的一些研究成果，主要是立足於中國文學，研究中國文學中的世界性因素等問題；“書與人”這一部分，除了“胡適與泰戈爾”外，都是我近幾年翻譯的幾本書的序言，這些書出版後都頗受關注，所以也將序言收在這裏，作爲紀念吧。

取“雪泥上的鱗爪”爲名，包含著這樣的幾層含義：雪，是我理想中的文學研究，應該是純粹透明，冰清玉潔的；泥，是現實中的文學和文學研究，很多文學之外的東西夾雜進來；雪中有泥，泥中帶雪，就在這樣的現實環境中，我寫下了本書收錄的這些文字，稱其爲“鱗爪”。

師祖賈植芳先生一直關心著我走的每一步，當我請他爲這本小書寫幾句話時，他慨然應允，使小書有了大光輝；我的導師陳思和教授也一直從治學、做人、生活等方面關心著我和我的家庭，沒有他的督促和鼓勵，恐怕也就不會有這本小書；亦師亦友的欒梅健教授給我提供這樣一個機會，心中感激，自不待言。

本書中的一些文章都曾在刊物或報章上發表過，在此不一一注明，但對那些熱心編輯的感謝，也是永不會忘記的。尙未謀面的臺灣出版社編輯，當然也在感謝之列。

文學研究實在是寂寞之路，但寂寞的路好走，寂寞的路上可風光獨享，可與天籟同語，可與山岳擁抱，可以縱情發幾聲喊,更難得的是那份安心和寧靜。

最初癡迷於文學的那份衝動，已漸漸淡化爲日常生活的細節，文學不就是生活嗎？

反思的結果可能就是忘卻，編選這樣一本小書，也就算是一次爲了忘卻的紀念吧。雖然前行的路上可能依然寂寞，但認準了的路，就應好好走下去。

作者 2004 年 12 月於上海